# LE DERNIER ADIEU

Reed Arvin

# Le dernier adieu

*roman*

Traduit de l'anglais (États-Unis)
par Jean-Pierre Massias

Stock

TITRE ORIGINAL :

The Last Goodbye

Collection *Thriller* dirigée par Françoise Roth

Pour Dianne
*Bella como la luna y las estrellas*

# 1

Je vais donc tout vous raconter. On dit qu'une confession fait du bien à l'âme. Alors, tenu de choisir entre les remontants à ma disposition – de la religion à Tony Robbins[1], en passant par le gentil pharmacien du service de nuit, ce genre d'épanchement semble le moins risqué. Pour tout ce qui concerne mon âme, j'ai adopté une attitude de médecin : *La première fois, ça ne peut pas faire de mal.*

*La totale débâcle de mes principes.* Voilà ce que j'avais réussi à accomplir. À un moment donné, ma vie – qui n'avait rien d'extraordinaire, mais qui n'en était pas moins respectable – explosa. L'écart entre l'intégrité et la perte d'innocence se révéla aussi mince qu'une lame de rasoir; quelques décisions s'enchaînant sans le moindre heurt, lubrifiées par le désir. Je crus choisir une femme. Je crus – j'ai du mal à l'admettre, mais c'est la vérité et il s'agit là d'une confession – que je la *méritais*. Et elle est devenue le fantôme qui me juge.

Devenir captif des yeux d'une femme marque le début d'un effondrement moral. Lorsque je plongeai mon regard dans le sien, je sentis mon esprit se vider. Soudain, je n'étais plus conscient que d'une seule chose : elle se trouvait dans mon bureau et ses larmes coulaient. À un certain moment, je la priai de s'asseoir. Elle s'appelait Violeta Ramirez, et je fis tout pour

---

1. Anthony Robbins développe des stratégies pour que ses adeptes puissent, selon ses propres termes, « se créer une vie extraordinaire ». Il existe aussi une fondation Anthony Robbins qui s'occupe d'œuvres sociales aux États-Unis et à l'étranger. (*N.d.T.*)

ignorer son sac à main simili-cuir, sa robe bon marché et ses bas filés. Ces signaux indiquaient pourtant qu'elle ne se trouvait pas dans le bon bureau, comme une montre Timex n'est pas le chronomètre idoine dans un établissement où l'on vend des yachts. Mais je ne voyais que sa peau parfaite, couleur caramel, ses épais cheveux noirs ramenés en arrière, ses yeux sombres à la profondeur insondable. Et le processus familier se déclencha dans mon corps, les hormones submergeant les cellules, les neurones s'illuminant, un million d'années d'évolution bigarrant mes pensées comme autant de petits soldats.

Les clients de Carthy, Williams et Douglas n'avaient pas pour habitude de pleurer dans mon bureau. Ils étaient plus enclins à fulminer, à jurer ou – quand j'avais de la chance – à m'écouter avec attention. Mais ils payaient quatre cents dollars de l'heure le privilège d'occuper le fauteuil qui me faisait face, et se plaindre de leurs manières eût été fort mal vu. Quoi qu'il en soit, une femme en larmes n'était en rien comparable. Voilà pourquoi je me surpris à bondir sur mes pieds et à lui demander si elle désirait boire quelque chose. Elle était d'une beauté exquise, elle pleurait, il était impossible de l'ignorer.

Elle me parla de Caliz, le père de son enfant. Il y avait eu une bavure; il avait indisposé la police; ils avaient mis *las drogas* sur lui. C'était un homme bon, quand les gens essayaient de le comprendre. Il pouvait aussi être insolent et la police avait voulu lui en faire baver. Ce n'était pas un enfant de chœur, ça, elle le savait bien – était-ce une ecchymose que j'apercevai sous son maquillage foncé? –, mais il était innocent de ce qu'on lui reprochait.

J'ignore si elle se rendait compte de l'effet qu'elle produisait sur moi. J'observais, fasciné, chaque larme rouler le long de sa joue. Elle croisa les jambes et j'eus du mal à reprendre ma respiration. Ce n'est pas que je n'appréciais pas les femmes. Au contraire, du plus loin que je me souvienne, cela a toujours été mon cas; depuis ma mère et la chaleur de son giron jusqu'aux femmes à l'intelligence incisive associées à ce cabinet d'avocats. Mais le féminisme ne veut rien dire pour le corps humain, et ma visiteuse semblait à la fois si directe et si vulnérable que je ne pouvais empêcher mon âme tout entière de la désirer.

Cependant, je parvins à me conformer aux impératifs de la profession : j'expliquai que ce cabinet d'avocats ne s'occupait pas des problèmes de drogue ni, en fait, de tout ce qui relevait de la criminalité. Les sanglots avaient alors redoublé, si bien qu'à la fin je fus dans l'impossibilité de lui faire remarquer que, de toute façon, elle ne serait pas en mesure de payer mes honoraires. Cela n'entrait toutefois pas en ligne de compte, parce que Carthy, Williams et Douglas auraient préféré inviter l'archange de la mort dans leurs bureaux plutôt que de défendre un dealer. Je me contentai donc de lui dire que j'avais les mains liées, ce qui était la stricte vérité. Je n'avais pas le pouvoir de changer les règlements de cette société. Elle se leva, me serra la main, et se glissa hors de mon bureau, humiliée et toujours en larmes. Des heures après son départ, son image continuait de hanter mon esprit. Je restais à fixer des yeux le fauteuil où elle avait pris place en souhaitant son retour. Pendant deux jours, il me fut impossible de travailler au bureau. À la fin, je lui téléphonai pour lui annoncer que j'allais voir ce que je pouvais faire. En vérité, j'aurais remué ciel et terre pour la revoir.

Ce fut un sacré travail de vendre l'idée à la firme. Par choix délibéré, Carthy, Williams et Douglas étaient aussi loin de l'aide légale qu'il est possible de l'être. Leurs bureaux occupaient trois étages de la Tower Walk de Buckhead, cette partie d'Atlanta où il est considéré comme un crime d'être vieux ou pauvre. Et si quelqu'un était désigné pour aller défendre un habitant des taudis, à coup sûr, ce ne serait pas moi, Jack Hammond. J'avais terminé mes études de droit depuis trois ans et venais de m'installer à Atlanta, l'aimant qui attire ce qui reste d'humanité dans le Sud-Est. Je travaillais soixante-dix heures par semaine et, très souvent, je dépensais plus que mon salaire en guise de vengeance. Je n'avais pas les moyens de dévier de la règle, mais je n'en pris pas moins rendez-vous avec l'associé fondateur du cabinet : Frank Carthy.

Âgé de soixante-dix ans, Carthy avait connu l'époque où le travail *pro bono* faisait partie de la responsabilité de tous les grands cabinets d'avocats. Jusqu'au début des années 1980, considérant qu'il s'agissait d'une obligation de la profession, les juges l'attribuaient d'une façon routinière. En ce temps-là,

Carthy s'en était parfaitement accommodé. C'était un libéral sudiste de la vieille école, avec un faible pour les cas relevant des droits civiques. Il parlait encore des protestataires qu'il avait tirés de prison dans les années 1960, et dont la seule faute était de s'être assis à un endroit dans un restaurant que la couleur de leur peau leur interdisait. Alors, même s'il refusait de toucher aux problèmes de drogue, il se laisserait peut-être attendrir par une fille en pleurs et une arrestation arbitraire fondée sur le délit de sale gueule.

Je ne voyais pas souvent Carthy : il occupait le mont Olympe et prenait rarement la peine de descendre chez Hadès, deux étages en dessous de lui, l'endroit où s'activaient les nouveaux associés. En dépit du fait que je me crevais le cul – surtout pour tenter d'oublier que j'avais grandi à Dothan, Alabama, et que mon adolescence avait été si ordinaire qu'il n'y avait rien à en dire –, mon accès aux dieux associés était limité. J'avais pourtant débarqué dans ce cabinet avec la certitude d'être doué pour la chose juridique. Mais chez Carthy, Williams et Douglas, je découvris très vite qu'être le petit jeune homme le plus brillant de Dothan, Alabama, c'était comme être le diamant le plus étincelant dans un tas de gadoue. Alors, d'une certaine façon, avoir quelque chose à communiquer à l'un des associés fondateurs ne pouvait que bénéficier à ma carrière.

Au moment même où je lui exposais mon affaire, je sus que j'avais touché une corde sensible. Au point que pendant un instant je craignis qu'il ne se portât volontaire pour s'occuper de ce dossier avec moi. Pour Carthy, multimillionnaire, accepter de défendre Caliz, c'eût été comme se planter à l'extérieur d'une épicerie pendant deux ou trois heures en tendant une sébile rouge au profit de l'Armée du Salut ; sauf que dans ce cas-là il ne risquerait pas de s'enrhumer et que c'était bon pour l'âme. Il se figurait sans doute que cette manifestation de générosité ne serait qu'une diversion mineure qui prendrait quelques heures tout au plus. La salle d'audience consacrée aux affaires de stupéfiants – une salle minuscule dépendant du poste de police et pouvant accueillir au maximum dix personnes – n'était guère plus qu'une porte à tambour.

J'allai rendre visite à Caliz le lendemain matin, ce qui m'obligea à m'enfoncer au cœur de la prison du comté de Fulton. L'odeur qui se dégage de cet endroit est un concentré atmosphérique de tout ce qui devient pénible quand les choses vont affreusement mal. On y retrouve en dosages équilibrés la misère humaine, la sueur, la bureaucratie indifférente, les placards en ferraille, les surveillants trop gras, sans famille, les éclairages fluorescents qui ne s'éteignent jamais. Je suivis un garde silencieux jusqu'à une salle tout à fait quelconque, meublée de deux chaises métalliques et d'une longue table.

Caliz vint m'y rejoindre quelques minutes plus tard, et je me mis à le détester instantanément. Âgé de vingt et quelques années, il avait le regard insolent et indéchiffrable d'une petite crapule sans envergure. Ses yeux ressemblaient à deux lacs de colère froide, signe avant-coureur d'une conduite sociopathe. Ce qu'il lui manquait encore de maîtrise dans ce domaine, nul doute qu'il pourrait l'acquérir en deux ou trois ans passés dans cette école de cruauté qu'est la prison d'État. Lui faire exposer les faits se révéla impossible, mentir étant devenu pour lui une seconde nature. Il me regarda en face sans la moindre expression et dit :

– Non, *la policía* a mis *las drogas* dans la voiture. Je prends jamais *las drogas*. C'est pas bon. J'y touche pas.

*Sacré bordel!* me dis-je, ce qui ne m'avançait pas à grand-chose. La vraie question, c'était de savoir pourquoi les flics avaient arrêté sa voiture, et pourquoi, après une conversation aussi brève qu'inamicale, ils avaient démantibulé le siège arrière et le coffre pour fouiller minutieusement le véhicule. Les comportements peu coopératifs ou franchement déplaisants comme le sien n'autorisent pas les représentants de l'ordre à violer la Constitution des États-Unis.

Opposer la parole de Miguel Caliz à celle de la police d'Atlanta n'allait pas être une promenade de santé, sauf que, un peu plus tard dans l'après-midi, je fis la connaissance des officiers qui l'avaient arrêté. Et ils correspondaient exactement à la description que m'en avait faite Caliz. J'acquis alors la certitude que, coupable ou non, mon client allait s'en tirer. Les deux policiers en question formaient une paire de connards à l'air buté dont le visage affichait les convictions profondes. Ils me firent penser à Caliz lui-même, en ce sens où ces deux brutes gagnaient eux aussi leur vie sur le dos d'une société pitoyable. Ils détestaient tout ce qui pouvait leur rappeler leurs propres tares, et Caliz avait réveillé leurs pires instincts. Simple question de nature humaine. Je pouvais le lire dans leurs yeux : ils n'aimaient pas les Latinos, ils n'aimaient pas Caliz et, par-dessus tout, ils n'aimaient pas les individus qu'ils ne parvenaient pas à effrayer. Si j'arrivais à rassembler un jury bien disposé, il suffirait à ses membres de jeter un seul coup d'œil à ces deux zozos pour élargir mon client.

Rien de tout cela n'explique cependant ce qui s'ensuivit, comment j'invitai sa compagne à dîner, comment, pendant trois ou quatre heures, la conversation s'orienta naturellement vers des domaines dont elle ignorait tout : mes études de droit, l'été où j'avais parcouru l'Europe sac au dos — cela n'avait en fait duré que trois semaines, mais arrivés à ce stade nous avions déjà descendu plusieurs verres —, comment le prix d'une bonne bouteille de vin n'était pas comparable à celui d'autres articles de moindre importance. En fait, j'avais fini par aborder des sujets sur lesquels je ne connaissais pas grand-chose, mais elle m'avait regardé de ses grands yeux sombres et brillants, puis elle s'était serrée contre moi en passant devant les boutiques de Buckhead, un monde qu'elle ne pourrait jamais nommer sien. Elle portait ce que les filles du ghetto portent quand elles se rendent dans un endroit décent : quelque chose de noir, un peu trop serré et un peu trop court.

Le mot *séduction* implique une victime, et ce qui se passa ensuite reste trop confus pour qu'on puisse le qualifier ainsi. Assurément, je me suis surpris à me demander ce qui arriverait si je me perdais dans sa beauté, si je me regardais dans ses yeux sombres et luisants. Et je l'ai invitée à la maison — en cherchant un peu mes mots, mais elle n'eut pas l'air de s'en apercevoir, et en continuant de me raconter que c'était pour continuer la conversation et prolonger ce moment amical. Mais, dans mon appartement, elle me frôla, pressant ses seins contre ma poitrine, et je la pris dans mes bras, déterminé à la traiter comme l'ange que je souhaitais qu'elle fût. Mon péché n'était pas la luxure. Mon péché était celui de Satan désirant être l'égal de Dieu. Je voulais être le sauveur de la mortelle Violeta Ramirez afin de la pousser à m'adorer.

Le lendemain matin, en me réveillant, j'entendis un froissement de draps à côté de moi et son odeur délicatement féminine m'enveloppa tout entier, me faisant tourner la tête. Elle laissa échapper un profond soupir en changeant de position et son si joli derrière café au lait vint s'encastrer dans ma hanche. Je refermai les yeux, saisi par un sentiment proche de l'euphorie, mais plus excessif, plus charnel. Son sommeil était si profond, si paisible, que je m'étonnai de la façon dont Dieu, avec Son immense talent pour l'ironie, appariait des anges comme Violeta et des losers comme Caliz. J'étais sans doute en train de me faire un roman. J'en suis même certain, car à ce stade de ma vie j'en étais encore capable. Peut-être était-elle attirée par les mauvais garçons? Peut-être essayait-elle de régler un compte avec son père en sortant avec un type comme Caliz? Peut-être, comme c'était le cas pour moi, désirait-elle sauver quelqu'un? S'il en était ainsi, Caliz faisait parfaitement l'affaire. L'esprit est tellement tortueux.

Réveillé et couché contre elle, je me demandais si ce qui s'était passé entre nous était romantique ou trivial. Et, vu ce qui a suivi, je n'ai pas eu le loisir de trouver la réponse. L'un des stratagèmes préférés de Dieu, c'est d'obscurcir l'esprit humain au moment de l'accouplement. C'est seulement en repensant plus tard aux événements que l'on peut découvrir leur véritable signification. Nous tombons amoureux, et, au moment de nous rendre à notre quatrième rendez-vous, il nous arrive de nous demander ce que nous fichons avec cette personne. Ce qui est certain, c'est que quand Violeta finit par se lever pour s'habiller elle me parut encore plus belle que la veille. Et je fus touché par ce que le sexe peut avoir de prodigieux. Elle avait beau se déplacer, je me trouvais encore en elle – chaque parcelle de mon code génétique contenant la plus pure essence de moi-même. À l'intérieur de son corps ardent se trouvait chaque détail indiquant qui j'étais, et je me sentais merveilleusement heureux, heureux d'une façon extravagante.

Nous échangeâmes peu de paroles avant son départ. Aussitôt habillée, elle s'éclipsa avec grâce, sans rien imposer ni demander. Elle me laissa avec ma tâche : en d'autres mots, il me restait à faire sortir Miguel Caliz de prison. Le moins que je puisse faire

15

pour elle. Et, après cette nuit, le moins que je puisse faire pour *lui*.

Il fallait que je commence par lui acheter des vêtements, et le fait de les payer de ma poche me parut être une espèce d'acte de contrition. J'étais conscient d'avoir franchi une barrière éthique, même si depuis pas mal de temps ces barrières sont si souvent déplacées que je ne sais plus très bien où elles se trouvent. À ce moment-là, je n'étais certain que d'une chose : la morale de cette histoire m'obligeait à faire triompher sa cause.

J'allai voir Caliz en prison pour lui apporter le costume, et il l'accepta sans prononcer un mot. Je lui laissai le temps de s'habiller avant de revenir sur son témoignage. Il avait l'air correct sans être trop élégant, ce qui était l'objectif recherché. Ne souhaitant pas que les jurés devinent que c'était moi qui avais changé son apparence, j'avais choisi un costume très quelconque et bon marché.

Son procès n'était pas commencé depuis dix minutes que je compris que je m'étais donné bien du mal pour rien. J'avais inutilement établi un plan précis et dressé une liste de précédents arrêtés qui pourraient s'appliquer à son cas. La salle retint son souffle, en voyant le premier officier de police apparaître à la barre. L'expression de son visage trahissait la haine qu'il éprouvait pour tout ce qui était basané dans la bonne ville d'Atlanta. Je me demandai combien de temps durerait ce petit manège. Mais la procureur n'avait pas le choix. Ce policier avait effectué l'arrestation, et il devait témoigner pour que l'affaire ne soit pas classée sans suite. Aussi, malgré ses petits yeux coléreux, son ton sarcastique et son apparence venimeuse, était-elle obligée de continuer à lui poser des questions. Quant au jury – je n'avais pas hésité à demander un jury –, plus de la moitié de ses membres étaient latinos et ils retournaient sa haine à ce flic, avec tout le ressentiment accumulé depuis un bon siècle.

Caliz lui-même avait apporté sa contribution; comme de nombreux voyous, ce gamin était un acteur-né. Son expression – maussade et inquiétante lorsqu'il s'était trouvé en tête-à-tête avec moi – s'était transformée au point de devenir celle d'une victime apeurée. Sa voix tremblait. Les policiers l'avaient obligé à s'arrêter à cause de la couleur de sa peau. Il se sentait humilié.

Ils l'avaient fouillé parce qu'ils n'aimaient pas son accent. Bien sûr qu'il connaissait le problème de la drogue. Tous les habitants de son quartier connaissaient le problème de la drogue. Mais lui n'en avait jamais pris.

Il ne fallut pas une heure au jury pour l'acquitter. J'étais obligé d'en ressentir une certaine satisfaction, je suppose. Je devais d'ailleurs prendre la satisfaction là où je la trouvais, parce que ce n'était pas de Caliz qu'elle viendrait. Il ne me serra même pas la main en entendant le verdict. Il se tourna tout de suite vers Violeta, qui se tenait derrière nous. Et c'est à ce moment-là que je commençai à me demander qui avait conduit le train dans lequel je m'étais embarqué.

Cette nuit-là, je pensai beaucoup à elle. Elle me manquait. J'éprouvais des sentiments confus, je me demandais ce qu'elle était en train de faire. Se trouvait-elle étendue sur le dos, laissant Caliz remplacer joyeusement mon capital génétique par le sien? Ou était-elle en train de déclarer son indépendance, en proclamant qu'elle ne pouvait plus accepter un homme qui passait la moitié de son temps en prison? Je désirais l'attirer de nouveau dans mon lit, je voulais sentir ses jambes s'entortiller autour de mon corps, je voulais me perdre encore dans ses yeux et ses cheveux noirs. Le lendemain matin, je fus repris par la routine, mais son image vint me troubler l'esprit et disparut plusieurs fois, se fondant dans ma mémoire. Je manquai l'appeler pour formuler une question banale ou prétexter un document à signer.

À ce stade, je n'avais pas conscience du gouffre qui séparait les pensées normales des pensées criminelles. Pour Caliz, j'en étais persuadé, cela n'avait aucune espèce d'importance que Violeta se fût ou non sacrifiée pour lui obtenir un avocat dont il n'aurait jamais pu payer les honoraires. Il appartenait à cette catégorie de jeunes hommes en colère qui n'ont pas besoin d'excuses pour battre la femme qui partage leur vie. Si elle m'avait séduit sur son ordre, peut-être la soupçonnait-il d'y avoir pris trop de plaisir? Je ne le saurai jamais. La seule certitude dont je dispose, c'est que, deux jours après sa libération, il l'a battue à mort.

Le coroner m'expliqua que, après qu'il lui eut cassé la mâchoire, elle n'avait pas pu continuer à le supplier de l'épargner. Mais c'est quand il lui avait fracturé les côtes qu'elle avait cessé de respirer. La respiration n'avait pu se prolonger longtemps avec un poumon perforé et le fluide qui s'était tout de suite accumulé autour du cœur. Il déclara qu'elle avait dû survivre entre quatre et six minutes.

Personne ne put comprendre ce que Caliz avait à l'esprit en massacrant Violeta Ramirez. Peut-être se vengeait-il d'elle parce qu'elle avait violé la règle sacro-sainte des voyous : ne triche jamais. D'un autre côté, il peut n'avoir rien ressenti du tout, être resté aussi calme qu'Atlanta par une étouffante journée d'été. Mais, quoi qu'il en soit, Violeta Ramirez était morte.

J'appris ce qu'il en était quand on me fourra dans la main un papier me faisant citer comme témoin, au beau milieu d'un déjeuner avec des clients au 103 West, un restaurant à la mode et dispendieux de Buckhead. Je m'excusai d'un sourire pour cette intrusion, reposai mon verre de pinot noir et lus les quelques lignes qui allaient faire exploser mon monde. Cette fois, l'avocat de Caliz était à la portée de sa bourse – je n'avais même jamais entendu parler de ce cabinet –, mais il n'en avait pas moins compris que le fait que j'aie couché avec la compagne de son client attirerait une certaine sympathie à ce dernier. Ma déposition était donc exigée.

Quelques semaines plus tard, je posai la main sur une bible et jurai que mon nom était Jack Hammond avant de confesser mes péchés. Mais un juge n'étant pas un prêtre, il ne me demanda pas de faire pénitence. Voilà une décision qu'il me faudrait prendre seul. Il utilisa toutefois le mot *répréhensible* dans le blâme qu'il m'adressa avant de me laisser partir. Ce fut le mot rédhibitoire pour le cabinet Carthy, Williams et Douglas. Ils n'avaient aucune envie de garder à leur service une personne qui avait commis un acte qualifiable de cette façon. L'indignité de ce qui était arrivé à la fille ternissait par ma faute l'image de la firme, et je me retrouvai donc à la rue.

Pendant plusieurs semaines, je n'éteignis pas les lumières dans ma chambre. J'y restais assis, observant les heures s'égrener lentement. Finalement, mon corps finit par exiger son dû et je fermai les yeux. Mais je sombrai dans un sommeil dangereux n'offrant aucun repos.

Je me moquais éperdument que Miguel Caliz passe les prochaines décennies dans un pénitencier fédéral. Cela n'effaçait pas le souvenir de Violeta Ramirez. Son image continuait de me hanter jour et nuit.

*La totale débâcle de mes principes.* Voilà ce que j'avais réussi à accomplir. Et, ici, je fais une confession pour le bénéfice de mon âme. Mais, même en me confessant, je sais que la cicatrice va rester. Et jusqu'à ce que je parvienne à réparer cette faute je sais que je ne connaîtrai pas la paix.

# 2

*Deux ans plus tard.*

Les yeux fermés, je remuais des souvenirs. Le vénérable Judson Spence, professeur de droit, rabâchait cette antienne qu'il voulait à toute force enfoncer dans nos jeunes têtes idéalistes : *Évitez le droit criminel comme la peste. C'est l'un des principes bien établis de la vie : si vous fourrez une fois le nez dans la merde de quelqu'un, vous attirerez comme un aimant la merde de tous les autres.* Et il ne ménageait pas sa peine pour guider ses étudiants les plus doués vers le monde bien plus profitable et aseptisé du droit civil. Il obligeait toute la classe à se répéter cette petite phrase comme un mantra : «Placez-vous dans l'orbite des gens qui ont réussi et vous réussirez.» Sinon, nous mettait-il en garde, un amas d'excréments humains vous submergera cycliquement.

Moi, Jack Hammond, je suis la preuve vivante que Judson Spence, professeur de droit, était un véritable génie. Après avoir effectué un long voyage dans le monde contre lequel il nous avait mis en garde, j'ai découvert que mon propre pouvoir d'attraction dans le domaine excrémentiel est considérable. Et cela ne m'a pas enrichi. Mon cabinet d'avocat est tout juste fonctionnel, à commencer par l'endroit où il est situé : un centre commercial aux trois quarts inoccupé dans un quartier du sud-ouest d'Atlanta où le pire côtoie le meilleur, et en continuant par son ameublement peu reluisant, loué à bas prix. La peinture choisie — une laque assez brillante, couleur coquille d'œuf, qui a la fâcheuse tendance à refléter les lumières violentes du plafond dans le linoléum recouvrant le sol — s'étale si uniformément sur les murs, les portes et le plafond qu'elle donne le vertige aux visiteurs.

Sur la porte d'entrée, une plaque indique : «Jack Hammond & Associés». Simple embellissement. À part moi, le cabinet n'a qu'une seule employée, ma secrétaire Blu McClendon. Mais mentionner des associés fait plus sérieux dans l'annuaire téléphonique, alors pourquoi s'en priver? La période de ma vie que je traverse ne me permet pas d'être scrupuleux sur ce genre de détail. L'idée principale est de survivre.

Pour être honnête, parer Blu du titre de secrétaire est aussi un embellissement. Bien qu'elle ne possède pas la moindre qualification, elle est généreusement dotée d'un salaire lui permettant de subsister et d'un fauteuil confortable dans lequel elle peut consulter *Vogue* et le catalogue de Pottery Barn [1]. Comment puis-je la décrire? Une enfant de l'amour qu'aurait eue Marilyn Monroe avec quelqu'un ne maîtrisant pas très bien l'anglais. Disons Tarzan. Ses cheveux – pour le moment blond foncé avec des mèches plus claires, mais l'évolution est permanente – encadrent un visage d'une symétrie quasi mystique. La façon dont la douce courbure de son dos rejoint le renflement arrondi de ses fesses peut faucher bien des hommes à la hauteur des genoux. Toutefois, une seule paire de genoux est essentielle pour la survie de Jack Hammond & Associés : ceux de Sammy Liston, le greffier du juge Thomas Odom.

Le principe qui me permet de payer la belle miss McClendon trois dollars de plus que le salaire horaire minimal est contenu dans cette phrase : «Si vous n'avez pas les moyens de régler les honoraires d'un avocat, le tribunal vous en désignera un d'office.» Pour les affaires de drogue, le système de justice criminelle d'Atlanta ne considère pas les citoyens comme égaux. Il a tendance à se spécialiser dans les prévenus noirs à faibles revenus. Et, parce que la salle d'audience de Thomas Odom – le cloaque même dans lequel j'avais détruit ma future brillante carrière – est envahie par ce genre de clients, le bon juge est obligé d'énoncer plusieurs fois par jour les mots magiques qui me permettent

---

1. Pottery Barn : chaîne de magasins aux États-Unis vendant uniquement de la poterie il y a une cinquantaine d'années et proposant aujourd'hui meubles et objets de décoration. (*N.d.T.*)

de payer mon loyer. Il laisse à Sammy Liston, son dévoué greffier et l'amoureux transi de ma secrétaire, le soin de désigner les avocats. Sammy et moi avons donc conclu l'arrangement suivant : je suis disponible à perpétuité, je suis affablement disposé à convaincre mon client de plaider coupable pour obtenir une réduction de peine, et je fais semblant de le croire, lui, Sammy, quand il me dit qu'il a ses chances avec Blu. L'amour monomaniaque du greffier à son égard le consume en vain. Blu McClendon n'accepterait même pas de sortir avec Sammy après un holocauste postnucléaire. Je fais semblant de l'ignorer et je l'encourage hypocritement, afin de ne pas avoir à placarder mon visage sur les Abribus pour attirer le chaland. En d'autres termes, chaque fois que le téléphone sonne dans le bureau de Jack Hammond & Associés, j'espère entendre Sammy à l'autre bout de la ligne. Chacun de ses coups de fil me rapporte en moyenne cinq cents dollars.

Un matin de mai où il faisait une chaleur de juillet, vers dix heures, le téléphone sonna. Blu fit pivoter son torse parfait dans ma direction pour m'annoncer :

— C'est Sammy qui appelle du tribunal.

J'ouvris les yeux et laissai mes souvenirs s'envoler afin de reprendre pied dans la réalité. Je pris l'appareil en m'exclamant :

— Sammy ? J'espère que tu as de bonnes nouvelles pour moi, l'ami. Les autorités compétentes de la Géorgie insistent pour que je paie mes impôts dans les meilleurs délais.

Car, à part le fait que Blu qualifie son profil de chevalin, je ne garde aucun secret envers le greffier du juge Thomas Odom.

Sa voix teintée d'un fort accent du Sud me parvint au milieu de la friture.

— Tu connais la nouvelle ?

— Quelle nouvelle ?

— Alors, tu sais rien ? Il s'agit d'un de tes clients. Enfin, je devrais dire un ancien client, parce qu'il est mort.

Il y a un mantra que je réserve à ce genre de circonstance. Un mantra que je suis obligé de me répéter plus souvent que je ne le souhaiterais. *Tu n'y peux rien, Jack, alors laisse faire.*

— C'est qui ? demandai-je.

— Ça va te faire un choc, éluda-t-il.

— Tu veux dire qu'il y en a, parmi mes clients, que je n'aimerais pas savoir morts?

— Si la plupart de tes clients étaient morts, la Justice, avec un J majuscule, se montrerait reconnaissante.

— Accouche!

— Il s'agit de Doug Townsend. Il a repiqué au truc et il est mort d'une overdose.

*La dérision qui gouverne ma vie passe à la vitesse supérieure. Doug Townsend, à cause de qui je suis devenu avocat, n'est plus.*

— Une overdose? insistai-je. Es-tu en train de me dire qu'il a voulu se suicider?

— Qui peut le dire? Tu sais ce qu'il en est, Jack. Quand on trouve pas le corps tout de suite, c'est difficile de se faire une opinion.

— Mais bon Dieu, Sammy, il n'y a pas trois jours que j'ai parlé à son agent de probation. Il m'a assuré que tout allait bien.

— Désolé, mon vieux.

— Ouais.

— Écoute, Jack, le vieux aimerait que tu fasses un petit tour dans l'appart de Townsend.

— Qu'est-ce qu'il a derrière la tête?

— Il veut savoir s'il y a des trucs de valeur pour la succession.

— Des gens de sa famille vont venir? Je sais qu'il a une cousine dans l'Ohio.

— Je viens de l'avoir au téléphone. Elle veut pas entendre parler de lui.

— Charmant.

— Qu'est-ce que tu veux que je te dise? Les familles n'aiment pas les moutons noirs.

— Entendu, acquiesçai-je. Je peux essayer de sauver quelque chose. Je prendrai soin de l'expédier à sa gentille cousine qui ne veut même pas se donner la peine de sauter dans un avion pour venir l'enterrer.

— Ils n'étaient sans doute pas très proches, Jack. Et c'est tout de même un toxico.

— C'était, Sammy. C'était!

— Alors, passe chercher une clef avant d'aller là-bas. Et surtout sois prudent. Le quartier n'est pas très sûr.

Le moins qu'on puisse dire. Accro, Townsend ne s'était plus soucié que d'une chose et avait dégringolé la pente pour finir par atterrir dans un immeuble merdique baptisé Jefferson Arms.

– Je sais, Sammy. Je ferai attention.


L'ironie de la mort stupide de Doug Townsend ne m'échappait pas. Dix ans auparavant, je l'avais vu faire la chose la plus courageuse qui fût. Nous avions lié connaissance à l'université – j'étais en première année et lui en dernière – grâce au service intracampus de leçons particulières. Il m'aidait en maths, car j'étais peu doué et mon intérêt pour cette matière plus faible encore. Mais c'était l'un des cerceaux à travers lesquels je devais sauter, alors j'étais obligé de faire l'effort. Nous étions tous les deux très occupés, en ce temps-là. Moi, avec les programmes de première année destinés à éliminer un maximum d'entre nous, et Doug, plus vieux de trois ans, avec ses cours d'informatique. Nous nous retrouvions généralement le soir, autour de dix heures.

Doug m'avait confié que, lors de sa première année à l'université, il avait sollicité chacun des clubs d'étudiants du campus et s'était fait refuser partout. Ensuite, l'attitude sociale qu'il adopta le condamna à la solitude. Aux yeux de certains, il pouvait paraître aussi bizarre qu'un oiseau à une patte, ce qui ne l'empêchait pas d'être brillant dans deux ou trois domaines particuliers. En tête venait l'informatique. Il aimait les ordinateurs, les adorait, les ouvrait pour exposer leurs viscères électroniques. Ils étaient tout à la fois pour lui l'ami, l'amant, le sauveur. Et c'était aussi bien, parce que ses amis humains pouvaient se compter sur les doigts d'une main.

Tard, un soir, Doug étant parvenu à me faire saisir la différence entre une ligne tangente et une ligne sécante, nous traversions le campus en direction des dortoirs. Je marchais les yeux fixés sur le béton en me concentrant sur ce qu'il me disait, quand je le vis filer droit devant lui. Ce qu'il avait vu, et pas moi, c'était une fille disparaître contre sa volonté dans les haies bordant l'allée que nous suivions. J'étais toujours en train d'essayer de comprendre son cours de géométrie quand Doug projeta l'intégralité de ses soixante kilos dans les buissons en poussant un cri de guerre haut perché. Il était tout en bras et en jambes, ignorait ce qu'il allait faire, mais ce fut superbe à voir.

Deux garçons se trouvaient dans les fourrés avec la fille. En d'autres circonstances, ils auraient pu se débarrasser de Doug Townsend en dix secondes. Mais, comme ils étaient fin soûls, il leur en fallut douze. Au moment où j'arrivai – et, croyez-moi, j'avais foncé –, Doug avait déjà pris quelques mauvais coups.

D'une droite bien ajustée, je me débarrassai de l'un des deux individus, et me retournai juste à temps pour voir Doug encaisser un méchant pain sur la tempe. Quand l'impact se produisit, son visage affichait un sourire étrange, presque détaché. Il me fit penser à un bébé dans les bras de sa mère. Puis, tout de suite après, il s'écroula en tas aux pieds de son agresseur. Ce dernier se pencha alors pour vomir dans les broussailles avant de tomber dans les pommes, ce qui me dispensa de l'assommer.

La fille paraissait un peu moins ivre que les deux gars. Elle regagna l'allée en progressant à quatre pattes de côté, comme un crabe. Elle tenta alors de se redresser, mais retomba sur les genoux. Quand je fis mine de vouloir l'aider à se relever, elle me repoussa et parvint à le faire seule. Ensuite, marmonnant des paroles incohérentes, elle s'éloigna en direction des dortoirs. Logiquement, j'aurais dû l'escorter. Mais je n'en fis rien. Doug Townsend, son héros oublié et cabossé, gémissait à mes pieds, et, obligé de faire un choix, je déterminai tout de suite qui j'allais aider.

Aucune plainte ne fut déposée. La fille laissa ces salopards s'en tirer, ce qui n'était pas de nature à nous surprendre. Mais cette nuit-là marqua un grand tournant dans ma vie. Ce fut le moment où des préoccupations d'adulte pénétrèrent pour la première fois mon esprit encore juvénile, le moment où mon adolescence prit définitivement fin, le moment où je découvris qu'il existait des choses vraiment importantes pour lesquelles il valait la peine de se battre. Cette nuit-là, j'abandonnai Dothan et le lycée loin derrière moi, et conclus que, si le monde abritait des salauds de ce genre et des filles soûles, ainsi que des types aussi faibles et braves que Doug Townsend, c'est qu'il y avait d'horribles iniquités à réparer. Avec une bouffée d'orgueil dont je préférerais ne pas me souvenir, je décidai sur-le-champ de devenir avocat ; et, depuis lors, j'essaie de sauver des gens.

Mon amitié avec Doug dura tout au long de sa dernière année, puis nous nous perdîmes de vue après qu'il eut obtenu son diplôme. J'achevai mes classes préparatoires, enchaînai sur mes études de droit et débarquai enfin à Atlanta. J'avais presque oublié son existence, quand un jour il me fit la surprise de me téléphoner. Au bout du fil, il me parut différent – agité comme s'il avait trop bu de café –, mais pas mal de temps s'était écoulé et je devais sans doute avoir changé moi aussi. Nous prîmes rendez-vous pour déjeuner ensemble. L'homme que je vis entrer dans le restaurant ce jour-là n'était qu'une coquille, une mince capsule de peau pouvant à peine contenir une âme humaine. Grâce à mon nouveau genre de travail peu glorieux, dix secondes me suffirent à analyser son problème : Doug Townsend se droguait.

Il refusa de répondre à ma question directe. Il avait des problèmes plus urgents. Il avait été arrêté. La caution fixée à deux mille dollars. Rassembler dix pour cent de cette somme pour trouver un garant l'avait complètement nettoyé. Il ne lui restait rien pour payer un avocat. J'acceptai naturellement de le défendre. Après tout, je lui devais ma vocation.

C'était sa première mise en examen et je parvins à le tirer de là sans trop de dégâts. Il a ensuite replongé plusieurs fois, risquant une sérieuse peine de prison. Puis, quelques mois plus tard, il s'était racheté une conduite. Ayant touché le fond, où il avait fini par se voir en train de faire, de penser, de ressentir des choses qu'il aurait considérées naguère comme inimaginables, il avait pris la décision de vivre. Et les semaines qui s'étaient écoulées ensuite n'avaient fait que renforcer sa décision. Au cours de nos dernières rencontres, il m'avait rappelé le garçon plein de rêves et d'optimisme qu'il avait été. Et maintenant, inexplicablement, il était mort.

Toutes ces pensées s'agitaient dans mon esprit, tandis que je traversais Atlanta en voiture pour gagner son appartement. Je pris la sortie I-75, en faisant bien attention à ne pas rater le pont routier permettant de gagner Crane Street. Sinon, avec ma voiture qui avait connu des jours meilleurs, j'allais me retrouver égaré dans le plus vaste quartier de taudis municipaux de tout le sud-est de la ville : le McDaniel Glen. Une fois sur le viaduc, je jetai un coup d'œil en bas, vers le Glen – comme les habitants de ce ghetto l'ont baptisé –, et poursuivis en direction des quartiers sud. J'étais déjà venu plusieurs fois dans le coin, en compagnie d'un flic en uniforme, à la recherche de témoignages pour des affaires de drogue. Mais je ne m'y aventurais jamais sans une raison sérieuse.

L'appartement de Townsend ne se trouvait qu'à deux rues du Glen, ce qui donne une idée exacte de la qualité de l'environnement. Malgré le nom ronflant de Jefferson Arms, l'immeuble en brique de deux étages avait bien piètre apparence. Et la rangée de vieilles bagnoles cabossées, garées là en plein milieu de la journée, indiquait clairement que la plupart des loyers étaient payés par les services sociaux. Mais tous les appartements n'étaient pas dans le même état de décrépitude. Townsend avait été heureux de m'apprendre qu'il s'était vu octroyer un trois pièces à l'angle du deuxième étage, pour avoir su gratifier le gérant d'un branchement indétectable sur le câble. Une personne douée pour le bricolage arrive presque toujours à s'en sortir grâce aux petites combines et à l'économie parallèle.

Après m'être garé, j'observai soigneusement les alentours. Doug s'était laissé emporter bien loin dans sa dérive, depuis l'époque des rêves universitaires. Il avait lancé plusieurs petites affaires d'ordinateurs qui avaient foiré lamentablement. Mais ses mauvaises habitudes minaient toute chance de réussite. Je me l'imaginais en train de combattre ses vieux démons, d'ignorer un moment l'envie compulsive qui s'emparait de lui, puis finissant par y céder. Je le voyais alors sortir pour acheter sa dose ou, pis, ouvrir une cachette secrète où il trouvait ce qu'il lui fallait. J'avais l'impression de l'entendre se parler à lui-même – l'autojustification, l'illusion. Puis la grande secousse, l'horrible surprise, la lutte pour respirer.

Je sortis de la voiture et grimpai jusqu'à la porte de Doug. Je respirai une fois à fond avant de tourner la clef et pénétrai dans l'ancien espace vital de mon défunt ami. L'air y semblait immobile. Je jetai un coup d'œil circonspect autour de moi. Ce qui me frappa tout d'abord, ce fut la netteté des lieux. En général,

27

quand la police fouille sérieusement un endroit, elle le laisse dans un état bien pire que celui dans lequel elle l'a trouvé. Mais l'appartement de Doug paraissait immaculé. Il y avait même une certaine provocation dans la façon dont chaque objet se trouvait à sa place, dans un local situé à un jet de pierre du chaos du Glen. Je me le représentais en train d'empiler soigneusement les magazines sur sa table, à peine quelques secondes avant de s'avouer qu'il ne pourrait pas vivre un instant de plus sans sa dose.

Comme je m'y attendais, le mobilier était réduit au strict minimum : un canapé, deux fauteuils, une table basse. J'ouvris les stores, qui faisaient partie des installations fixes de l'appartement, et un système d'air conditionné intégré à la fenêtre se mit en route, sans doute à cause de l'air chaud que j'avais laissé entrer en ouvrant la porte. Il faudrait que je pense à faire couper l'électricité. En général, c'est le genre de détail qu'on oublie de régler quand une âme solitaire vient à s'éteindre. Alors, l'électricité, le téléphone, le câble, les souscriptions à des magazines, tout continue comme avant, comme si le corps de Doug Townsend était encore chaud, alimenté par les fluides vitaux, comme s'il bâtissait toujours des plans pour l'avenir.

Je me rendis ensuite dans la cuisine, où mon regard s'attarda sur les trois assiettes et les couverts plantés dans l'égouttoir. Ouvrant ensuite le placard, j'y vis du riz, des pâtes et de la semoule, ce qui ne me surprit pas. Comme bien des mordus d'informatique, Townsend était un petit gabarit, aussi mince qu'un brin d'herbe. Je retraversai le séjour, en allumant les lumières au passage, pour gagner la première chambre. Assez vaste, elle lui servait aussi de bureau. Le lit était constitué d'un simple sommier pourvu de pattes, mais il était méticuleusement fait. En face se trouvait un bureau avec un ordinateur, un classeur et deux combinés téléphoniques. J'aurais parié que Southeastern Bell, la compagnie du téléphone, ignorait tout de ces deux appareils. Ou alors, si quelqu'un en réglait les factures, c'était très certainement une société qui ignorait tout de Townsend. J'avais abordé plusieurs fois le problème du piratage informatique avec lui et il n'avait pas souhaité s'étendre sur le sujet ; mais, comme je l'ai déjà dit, ce garçon était doué.

J'ouvris le classeur qui contenait les détails de ses futurs projets. Je pus constater qu'il avait beaucoup progressé. Nous avions déjà discuté tous les deux de ce qu'il comptait faire, car je tenais à insister sur ce point en le défendant. Townsend m'avait un jour assuré qu'il pouvait programmer de façon presque improvisée un code d'instructions, comme si c'était aussi simple que fredonner une mélodie. J'avais le choix entre une grande quantité de chemises cartonnées et j'en ouvris quelques-unes au hasard. J'y trouvai surtout des devis pour des programmations, rien de très substantiel. Townsend s'en serait bien mieux sorti en travaillant pour un patron en charge du côté commercial et le laissant libre de créer. Mais il préférait rêver à l'idée de génie qui allait révolutionner le marché et faire de lui un homme riche.

Les toxicomanes tombent ou sautent du train en marche. Tous les jours. Mais, au cours de ces deux dernières années passées à défendre des dealers à la petite semaine, j'avais acquis, en ce domaine, une espèce de sixième sens quasi infaillible. Je n'étais pas le seul. Tous ceux qui gravitent autour de la salle d'audience d'Odom le possèdent également. À chaque nouveau cas, nous nous interrogeons : *Est-ce que ce type est foutu ou, au contraire, est-ce qu'il va s'en sortir et tirer un trait sur cette période noire de sa vie?* Je peux lire la réponse dans les yeux du prévenu, dans son attitude, dans son âme amochée et impossible à racheter. Le juge Odom y voit clair lui aussi, c'est certain. Et il fait de son mieux pour tenir compte du moindre reliquat d'humanité; une tâche considérable pour un homme qui passe huit heures par jour à envoyer des gens en enfer. Mais il est vrai que, pour certains inculpés, le juge sait, de même que nous qui l'entourons, qu'il ne fait que retarder l'inévitable. Peut-être ce simple fait a-t-il aussi quelque valeur.

Quant à Doug Townsend, il avait choisi de vivre, avec détermination. Surtout qu'il avait dans sa vie quelque chose d'aussi important que la drogue, qui est la clef de la survie. Le regarder en train de parler d'ordinateurs, c'était comme regarder Sammy Liston en train de délirer à propos de Blu McClendon. Il m'arrivait d'offrir un café à Doug rien que pour le plaisir de l'entendre concevoir l'avenir. Il voyait un monde où les ordinateurs seraient partout, même à l'intérieur des gens, transformant les malades en bien portants et les vieux en jeunes.

M'efforçant de chasser mes souvenirs, je repassai dans le séjour pour me rendre dans la deuxième chambre au fond de l'appartement. La porte ouverte, je restai paralysé sur le seuil. Presque tout le mur qui me faisait face était tapissé des photos d'une femme. La première surprise passée, je m'en approchai pour les examiner. La femme était noire et d'une beauté stupéfiante. Elle me paraissait friser la trentaine. *Qu'est-ce que ça peut bien vouloir dire ?* Les photos constituaient un mélange, quelques-unes étaient des clichés professionnels, d'autres avaient été découpées dans des magazines et des journaux. Je commençai par me dire qu'il devait s'agir d'une actrice, car plusieurs des photos la représentaient harnachée de divers costumes d'un autre temps, sur une scène de théâtre. Mais l'un des clichés était un portrait de la dame sous lequel était inscrit : *Michele Sonnier, cantatrice.* Je restai à contempler ce portrait et les pensées se bousculaient dans ma tête. *Michele Sonnier. Ça sonne bien. On dirait un nom français. C'est peut-être un pseudonyme ?*

Je m'arrachai à la contemplation des photos pour examiner le reste de la pièce. Elle était meublée de deux lits jumeaux, d'une petite commode, d'un vieux bureau en bois avec fauteuil assorti. Je m'y assis. Deux ou trois feuilles se chevauchaient sur le bureau. Townsend y avait gribouillé quelques idées et ce qui me parut être des codes d'accès. Plus surprenant, une photo encadrée de la même Michele Sonnier y trônait à la place d'honneur. Un instantané avec beaucoup de gens à l'arrière-plan. Elle souriait, mais il était difficile de dire si c'était à la personne en train de prendre la photo. Je cherchai vainement une inscription et essayai de me rappeler si j'avais déjà vu ce visage-là quelque part. *Si tu avais déjà rencontré cette femme*, pensai-je, *tu t'en souviendrais à coup sûr !* Je reposai le cadre pour ouvrir le tiroir central du bureau. Ce fut pour y trouver le mélange habituel de trombones, d'élastiques et de stylos. À ma gauche se trouvait une rangée de trois petits tiroirs supplémentaires. Le premier était plein de paperasses, le deuxième pratiquement vide. Dans le troisième, bien rempli, je fus éberlué de trouver, sur le dessus, un paquet d'imprimés rectangulaires saucissonné par des élastiques : des billets d'avion, beaucoup de billets d'avion.

Je les éparpillai devant moi. *Baltimore. Miami. San Francisco.* Je comptai les billets et me laissai aller en arrière contre le dossier de mon siège, interloqué. Townsend avait effectué plus de vingt voyages au cours de l'année, vingt voyages payés en liquide. Pour l'avoir défendu si souvent, j'étais bien placé pour connaître l'état de ses finances. Il ne possédait pas un sou vaillant. *Quel était le but de ces voyages ? Et comment, bordel, avait-il pu payer tous ces billets ?*

Je vidai le tiroir de tout ce qu'il contenait. J'y trouvai encore une bonne vingtaine de photos de Michele Sonnier en provenance de différentes sources. Et sous les photos, parmi d'autres papiers, toujours du Sonnier, rien que du Sonnier. Des critiques de ses spectacles, dithyrambiques dans leur grande majorité, et quelques affiches. Mon regard revint vers les billets d'avion et j'en calculai mentalement le coût. *Peut-être que mon copain volait pour les payer ? Peut-être que c'était elle, sa véritable drogue ?* Je fourrai billets et photos dans ma mallette avant de me lever. *Il était plus qu'un fan. Elle était pour lui une espèce d'obsession.*

De tout ce que contenait l'appartement, seul l'équipement informatique avait quelque valeur. Je le chargeai donc dans le coffre de ma voiture. Connaissant Doug, il faudrait un sacré expert pour pouvoir en percer les secrets. Et j'étais loin d'avoir ce genre d'aptitude. Je remontai ensuite jeter un dernier coup d'œil. *L'opéra. La musique des riches.* Relier ce monde à celui de Doug Townsend se présentait à moi sous la forme d'une énigme que j'étais bien en peine de résoudre. Tout en sachant que mon geste était futile, je refermai la porte à clef. Il ne faudrait pas longtemps pour que la nouvelle de sa disparition se propage et le pillage s'ensuivrait.

Je montai dans ma voiture et repris la direction de la ville. *Suicide présumé.* D'après Sammy, c'est ce que la police avait inscrit sur son rapport préliminaire. Ce qui me poussa de nouveau à me demander pourquoi Doug aurait choisi ce moment-là pour fiche sa vie en l'air. Et j'avais beau me creuser l'esprit, je n'arrivais pas à trouver une seule raison.

31

Il faut bien reconnaître que la moitié des flics sont malhonnêtes. Je ne veux pas dire gravement malhonnêtes, mais un peu tout de même. Je ne les juge pas. Et je vais vous dire qui m'a donné ce chiffre de cinquante pour cent : un flic. Mais que voulez-vous, ils sont si mal payés que la plupart d'entre eux sont obligés d'accepter un boulot d'appoint de gardiennage pour arriver à joindre les deux bouts. Imaginez un jeune gars qui doit rembourser un crédit d'études, et qui doit choisir entre la surveillance de nuit d'un parking privé dans une zone à risques et piquer deux mille dollars à un dealer qu'il vient de coincer. Comme dit l'autre, y a pas photo.

Je ne suis pas en train de dire qu'il n'y a pas de bons flics. Billy Little, qui s'est occupé des formalités concernant la mort de Doug, en est un. C'est quelqu'un à qui je pourrais faire avaler deux bouteilles de scotch, lui dire que j'ai violé sa mère, lui tendre un revolver et le supplier de me tuer. C'est dire à quel point je lui fais confiance. Billy Little ne s'écarte jamais du règlement.

Contrairement à ce que suggère son nom, c'est un Samoan. Il en a les épais cheveux noirs et le visage assez large. Avec son mètre quatre-vingt-dix et ses cent cinq kilos, il pourrait calmer un excité sans cesser de mastiquer son cheeseburger. Il a fait ses premières armes dans l'immense quartier du Glen avec la brigade à bicyclette; car, aussi surprenant que cela puisse paraître, ils patrouillent dans cette monstruosité à bicyclette, du moins durant la journée. Il faut dire que, de cette façon, ils peuvent emprunter des allées inaccessibles aux voitures. Après trois ans de ce genre d'exercice, Billy, qui suivait en même temps des cours du soir pour obtenir sa licence en gestion, a été nommé lieutenant. Quatre ans plus tard, il était promu détective, alors qu'il n'avait pas encore fêté ses trente ans. Et j'étais persuadé qu'il en savait plus sur le commerce de la drogue à Atlanta que n'importe quel autre membre de son service.

Billy travaillait au quartier général de la police d'Atlanta, situé dans l'immeuble est de l'administration municipale. C'est là que je me rendis en quittant l'appartement de Townsend. Je l'avais toujours vu tiré à quatre épingles, et, cette fois encore, il ne faisait pas exception à sa règle. Un type s'apprêtant à faire un test pour un film : pantalon brun sans un faux pli, chemise de golf verte, mocassins de cuir marron. Et, comme je m'y attendais, ses bras musclés disparaissaient dans la paperasserie. Quand j'entrai dans son bureau, il leva le nez et demanda avec un sourire :

— Qu'est-ce qui t'amène du côté des taudis, Jack ?

Je lui serrai la main et m'assis sur la chaise placée devant son bureau.

— Sammy Liston m'a dit que tu étais chargé de l'affaire Doug Townsend, répondis-je. Est-ce qu'il y a quelque chose de spécial que je devrais savoir ?

— Tu veux dire, à part le fait qu'il est mort ?

— Townsend était mon ami.

— Désolé, Jack, dit-il en cessant de sourire. Vous étiez proches ?

— En fac, oui. Puis j'ai perdu sa trace jusqu'au moment où il s'est attiré des ennuis et a eu besoin d'un avocat.

— Alors, c'est toi qui le représentais ?

— Exact.

— Eh bien, pour le moment, dit-il en hochant la tête, on pense qu'il s'est suicidé.

Je plongeai la main dans ma poche et en sortis la photo de Michele Sonnier que je lui tendis.

— Ça te dit quelque chose ?

Billy y jeta un rapide coup d'œil.

— Oui, on m'en a parlé. Il avait des tas de photos d'elle.

— Tu la connais ?

— C'est une chanteuse d'opéra. Très connue dans le milieu musical. C'est la femme de Charles Ralston.

Je ne pus dissimuler ma surprise.

— Charles Ralston le millionnaire ?

— Non, Charles Ralston le multimillionnaire. Lui-même.

— Ça alors ! m'exclamai-je en regardant la photo avec un intérêt renouvelé.

Ralston, fondateur et P.-D.G. des laboratoires pharmaceutiques Horizn, était un scientifique superbement éduqué, un orateur impressionnant et un brillant homme d'affaires au flair étonnant. Et il montrait tout autant d'agressivité pour résoudre les problèmes sociaux d'Atlanta, sans jamais se soucier des critiques que cela lui attirait. Il était considéré presque comme un saint par les activistes de l'association municipale Paix et justice. Il avait par exemple mis sur pied un programme de distribution de seringues neuves et de ramassage de seringues usagées, allant jusqu'à le financer lui-même, puisqu'il n'avait trouvé personne ayant assez de tripes pour le faire voter et financer par la municipalité. Et, si l'on considérait qu'il avait bâti sa fortune grâce à un traitement pour l'hépatite, il était difficile de contester la noblesse de ses intentions. Chaque toxicomane qu'il sauvait était un client potentiel perdu. Ce n'était pas là une conduite à laquelle les compagnies pharmaceutiques nous avaient habitués. Non content des millions qu'il avait accumulés, il se préparait à faire entrer sa compagnie en Bourse et à en tirer un bon milliard. Et tous les gens convenables d'Atlanta espéraient qu'il allait engranger un maximum de dollars, parce qu'il avait l'excellente réputation de réinvestir son pactole dans la vie sociale et culturelle de la ville. Billy m'observait avec une certaine appréhension.

— Qu'est-ce que sa femme a à voir avec Doug Townsend?

— À part le fait qu'il avait tapissé toute une pièce de son appartement de ses photos, j'ai trouvé ça dans un tiroir, dis-je en sortant les billets d'avion de ma poche pour les lui donner. Il y en a une vingtaine.

Billy les feuilleta avant de s'exclamer :

— Ces billets n'étaient pas mentionnés dans le rapport.

— Dis-moi, détective, est-ce que tu ne pourrais pas obliger tes gars à s'intéresser d'un peu plus près aux déshérités ? Ils ont droit eux aussi à de vraies investigations.

— Ne remets pas ça, Jack! Tu sais que je fais ce que je peux. La ville est fauchée.

Je respectais trop Billy pour insister.

— Les voyages correspondent au programme des représentations de la dame, soulignai-je. Et ils ont tous été réglés en liquide.

— C'était un vrai fan, commenta Billy en pianotant sur son bureau.

— C'est le moins qu'on puisse dire. Il a élevé un monument à sainte Michele Sonnier.

— Ma fille a quatre affiches d'un groupe de rap sur les murs de sa chambre.

— Tu sais bien que ça n'a rien à voir, Billy.

Il se laissa aller en arrière contre le dossier de son siège en plissant le front.

— Es-tu en train de me dire que ton copain l'a importunée? Qu'il a tenté de s'en approcher de trop près?

Je revis Doug en train de se faire tabasser par ces deux types ivres en essayant de protéger une fille.

— J'en doute. Ça ne correspond pas du tout à sa personnalité.

— Alors, s'il n'y a rien d'illégal là-dedans, ce n'est pas mon problème. Il y en a qui ont des passions plus bizarres, tu sais.

Perdu dans mes pensées, je ne répondis pas tout de suite.

— Qu'en pense le médecin légiste? demandai-je enfin. Qu'il s'est suicidé?

— À première vue, oui. Mais je n'aurai le rapport définitif que dans une semaine.

— Et jusque-là, il reste à la morgue?

— On garde le corps jusqu'à la publication du rapport définitif, exact. Je sais à quoi tu penses, Jack, mais réfléchis. Ton pote était déprimé, son problème de drogue ne date pas d'hier, ses projets étaient du genre foireux, il n'avait apparemment aucune vie sociale... Pas grand-chose à quoi se raccrocher.

— Il n'a pas laissé une lettre?

— Ça, c'est un mythe, mon vieux. Les gens qui se suicident laissent rarement une lettre. À mon avis, on a affaire à un DPS.

— Un DPS?

— Décès par stupidité, expliqua Billy. Ou accidentel, si tu préfères. Ça arrive tout le temps. (Il ouvrit un dossier pour feuilleter le rapport préliminaire.) Il n'y a aucune trace de lutte, aucun hématome sur le corps. La porte d'entrée de l'appartement n'a pas été forcée, aucun meuble, aucun objet de valeur n'a été volé. Nous allons bien sûr approfondir l'enquête, mais si tu ne peux prouver aucun lien entre la mort de Townsend et ces billets d'avion, c'est retour à la case départ.

— Est-ce que tes hommes ont emporté quelque chose? Des papiers?

— Oui, laisse-moi voir. (Il farfouilla de nouveau dans la chemise.) Son matériel de toxico, bien sûr, et un carnet qui se trouvait par terre près du corps.

35

— Il contient quoi?

— Toutes les pages sont vierges, sauf une.

Billy ouvrit le carnet bon marché et me montra la page en question, la première, où s'inscrivaient trois lettres majuscules.

— Qu'est-ce que c'est?

— LAX. L'aéroport de Los Angeles. C'est pas surprenant, vu le nombre de voyages qu'il faisait.

— Elles sont vachement mal écrites, ces lettres. Un vrai gribouillage, constatai-je.

— Ouais.

— Alors tu vas creuser la question?

— Qu'est-ce que tu veux que je creuse? La dernière fois que j'ai vérifié, l'aéroport était toujours là. (Me voyant abattu, Billy me regarda d'un air compatissant.) S'il y a du nouveau dans le rapport définitif, tu seras le premier à l'apprendre, promis. (Là-dessus, il se leva.) À bientôt chez Fado's pour s'envoyer une bonne bière. O.K., Jack?

— Entendu, acquiesçai-je en me levant à mon tour. (Au moment de sortir, je me retournai pour demander :) Tu as dit qu'ils avaient ramassé «son matériel de toxico»; c'est quoi, exactement?

— Eh bien, les trucs habituels, des fioles et une seringue.

J'eus une poussée d'adrénaline. Townsend m'avait répété bien des fois qu'il ne se piquait pas.

— Une seringue?

— Oui.

— Il y a quelque chose qui ne colle pas! Doug avait une peur bleue des seringues. Il me l'a rabâché au moins cent fois.

— Pas mal de gens oublient leur peur des seringues quand ils deviennent accros, affirma Billy avec un haussement d'épaules. Et c'est peut-être tout ce qu'il a pu trouver sur le moment.

— Mais, putain, il habitait à deux rues du Glen. Il aurait pu se contenter de passer la tête à sa fenêtre et de crier : «De la poudre, s'il vous plaît!»

— Écoute, je ne vais pas dire le contraire. Mais il n'en est pas moins vrai qu'on a trouvé le gars avec un trou dans le bras et une seringue à côté de lui.

— Billy, crois-moi! C'était une véritable phobie, insistai-je en secouant énergiquement la tête. Si un type décide de se suicider, il ne va pas le faire avec une méthode qui l'a fait flipper toute sa vie. Et, de toute façon, Doug était accro au *speed*. Et on s'injecte pas le *speed*.

Billy me regarda d'un air surpris et prononça cinq mots qui changeaient tout.

– Qui a parlé d'amphétamines?

# 3

— Deux choses peuvent pousser un homme à prendre un engagement.

Sammy Liston, greffier de la cour du juge Thomas Odom, m'écoutait en mastiquant son steak, occupation qui le mettait toujours de bonne humeur. Il n'avait pas encore atteint le moment où la goutte de trop anesthésiait son cerveau; il était encore dans la zone où l'alcool lui donnait envie de philosopher. Et il tenait à savoir pourquoi je cherchais à approfondir l'enquête sur la mort de Doug Townsend.

— Premièrement : l'intuition, précisai-je.

— Comme quand on se dit : «À la minute où je l'ai vue, j'ai su que cette fille était pour moi»?

— Non, comme quand on se dit : «À la minute où je l'ai vue, j'ai su que c'était la bagnole qu'il me fallait.» Ou alors le chien.

— Et la seconde raison?

— Quoi?

— Tu as commencé en disant : «Premièrement...»

Sammy coupa une bouchée de son morceau d'aloyau, la planta au bout de sa fourchette et l'examina à la lumière.

— Du bœuf, dit-il. Voilà ce qu'il y a pour dîner.

— Sammy.

— Oh ouais. La loyauté, Jack. Le code de l'honneur.

— Un truc de mec. Si quelqu'un démolit ton ami, ça t'oblige à intervenir.

— Absolument. (Sammy enfourna la bouchée et se mit à la mastiquer lentement, en savourant le goût. Soudain, son visage devint sérieux. Il fit descendre la viande avec une gorgée de Seagram's.) Mais comment peux-tu le savoir? demanda-t-il. Je veux dire, que quelqu'un l'a démoli. Ce type était un drogué. Et il n'est pas rare qu'il leur arrive des malheurs.

— C'était du Fentanyl, Sammy. Du Fentanyl.

— Oh, merde! s'exclama-t-il, après avoir laissé échapper un sifflement entre ses dents. J'en savais rien. (Il avala une autre bouchée avant de répéter :) Du Fentanyl.

Le problème avec l'alcool — et je parle d'après une expérience personnelle très poussée —, c'est qu'il donne aux gens l'impression de devenir plus intelligents quand, en réalité, c'est le contraire qui se produit.

— Avec le Fentanyl, déclarai-je, l'homme a porté à son apogée sa faculté de mépriser la vie de ses semblables s'il peut en retirer un profit. Un pharmacologue a découvert qu'en modifiant subtilement la structure moléculaire de la morphine il pouvait obtenir un produit beaucoup plus puissant. Tellement puissant, en fait, que sa seule utilisation légitime est l'anesthésie.

— Tu veux dire que ça t'envoie dans les vapes direct?

— On peut le dire comme ça. Mais ensuite, de sales cons pourvus d'imagination ont commencé à couper le Fentanyl pour l'utiliser à des fins récréatives. Et ils ont obtenu la drogue parfaite. D'autant plus parfaite qu'ils n'avaient plus à s'emmerder avec ces bâtards infréquentables d'Amérique du Sud pour obtenir le produit de base.

— Ceux qui sont du genre à te descendre d'abord et à discuter ensuite? demanda Sammy.

— Ceux-là mêmes.

— Mais? insista-t-il en haussant les épaules.

Il se référait implicitement à l'une des lois immuables de la pharmacologie : il y a toujours un «mais». Aussi parfaite une drogue puisse-t-elle paraître, il est impossible d'en ignorer les inéluctables effets secondaires. C'est exactement comme si Dieu avait décidé que le plaisir et la souffrance devaient s'équilibrer de façon cosmique. Plus vous vous sentez bien grâce à une drogue, mieux elle vous démolira à la fin.

— Mais, précisai-je, c'est si puissant qu'une dose courante pèse le même poids qu'un timbre-poste. Et il est pratiquement impossible de couper le Fentanyl avec précision, surtout si l'opération est faite par un toxico. Et si la dose est trop forte, l'effet est foudroyant.

— On y reste?

— Si tu en prends assez, oui. Autrement, tu as le temps de regretter de ne pas être mort.

— Ce qui veut dire? insista Sammy.

— Que tu présentes immédiatement les symptômes de la maladie de Parkinson à un stade avancé.

— J'ai tout de même du mal à te croire, Jack. Tu es sûr qu'il ne s'agit pas d'un de ces racontars qui courent les rues?

Je fis non de la tête avant d'ajouter :

— Billy Little m'a fait un véritable exposé. Des types déconnent avec les éléments universels, Sammy, avec les forces cosmiques. Ils travaillent dans des laboratoires pour fabriquer des produits avec lesquels le corps humain n'a jamais été en contact. On court tout droit à la catastrophe.

— Putain, Jack! La maladie de Parkinson?

J'acquiesçai d'un signe de tête.

— Les tics et tout le tremblement, l'impossibilité de contrôler les fonctions de son corps. La totale. Et personne ne sait pourquoi, sauf peut-être le salaud qui l'a inventé.

— C'est effrayant.

— Et ce n'est pas tout : même en collant son œil dessus, il est impossible de distinguer cette saloperie de l'héroïne.

— Ça ressemble à de l'héroïne?

— Ça fait plus qu'y ressembler, c'est exactement pareil. Sauf que c'est entre quatre cents et six cents fois plus puissant. Tout est terminé avant que le mec ait réussi à vider la seringue. Billy m'a dit qu'il avait vu de ses yeux des cadavres qui avaient encore l'aiguille piquée dans le bras.

— Et tu penses que c'est ce qui est arrivé à Townsend?

Je hochai pensivement la tête.

— Je n'arrive pas à y croire. Il ne s'était jamais mis à l'héroïne, alors pourquoi maintenant? Il voulait changer de vie, il y a des mois qu'il ne prenait plus rien. Et, qui plus est, il était terrorisé par les seringues.

— Tu en es sûr?

— Il avait une véritable phobie des piqûres. Alors personne ne parviendra à me persuader qu'il s'est piqué lui-même.

Sammy prit son verre de whisky à la main et se mit à observer le liquide ambré, qu'il faisait tourner légèrement d'un air méditatif.

— Jack, déclara-t-il enfin d'une voix douce. Ton copain s'est fait avoir.

— Tu l'as dit, acquiesçai-je, en me laissant aller en arrière sur mon siège.

Le lendemain, j'arrivai tôt au bureau, bien décidé à découvrir tout ce que je pourrais sur les derniers jours de Doug. À mon sens, le fait que la police penche pour le suicide ne reposait sur aucun argument recevable. Car, après avoir mûrement réfléchi, je demeurais persuadé que personne ne se shooterait au Fentanyl, si quelque part, dans son subconscient altéré, n'existait pas une envie de mourir. J'étais loin d'être un expert en tendances suicidaires, mais jamais je n'avais vu Doug aussi plein d'allant qu'au cours des dernières semaines. Et j'en sais assez sur la dépression pour ne pas ignorer que le plus grand obstacle au suicide est la peur. Alors personne ne m'en fera démordre, Doug aurait choisi un autre moyen de se tuer. Il n'aurait pas tenté de vaincre sa phobie des seringues au moment où il essayait de rassembler tout son courage pour se tuer. C'est pourquoi, en entrant dans mon bureau, j'avais en tête d'en apprendre autant que je le pourrais sur Michele Sonnier. Non pas que je l'imaginais mêlée à la mort de Doug. Elle était sans doute aussi éloignée du Fentanyl et du Jefferson Arms qu'il était possible. N'empêche que je n'avais aucune autre piste.

Je regardai dans la direction de Blu, qui se concentrait sur un magazine. Elle arborait un air si béat, en se bourrant le crâne d'horoscopes et d'articles du genre «Quand deux sœurs désirent le même homme», qu'il me parut mesquin de la perturber. Pendant un moment encore, j'allais la laisser fantasmer à dix dollars de l'heure. C'est tellement réjouissant de pouvoir rendre quelqu'un heureux pour une somme si dérisoire. Un peu plus tard, cependant, je me permis de la déranger.

— Blu, vous voulez bien faire quelques recherches pour moi?

Ma secrétaire tourna la tête dans ma direction, les cheveux brillants et la peau parfaite.

— À propos de quoi? demanda-t-elle.

— À propos d'une chanteuse d'opéra. Michele Sonnier.

Elle inclina légèrement la tête sur le côté.

— J'ai vraiment du mal à vous imaginer à l'opéra, proféra-t-elle.

Je clignai plusieurs fois des yeux pour éviter de la dévisager trop ouvertement. À la vérité, je n'avais pas encore pu déterminer si ma secrétaire était un parfait génie ou la reine des courges. Il m'arrivait de l'imaginer en train de quitter mon bureau et de se dire à elle-même, en allumant une cigarette : *J'ai vraiment été géniale aujourd'hui.*

— Ah bon? Et où est-ce que vous pouvez m'imaginer?

Elle plissa son front sous l'effort. Même ridé, il était toujours aussi beau.

— Plutôt à un match de base-ball, dit-elle.

— Un match de base-ball?

— Oui, en train de manger un hot-dog.

Suivit un long moment de silence. Blu, satisfaite de sa collaboration, replongea le nez dans son magazine et en tourna une page. Je l'observai quelques instants, ouvris la bouche pour parler, puis changeai d'avis. Avec un haussement d'épaules résigné, je retournai dans mon bureau, allumai mon ordinateur et tapai le nom de Michele Sonnier sur un site de recherches. La page disparut et après quelques secondes on m'indiqua «MicheleSonnier.com». Clic, et je vis une photo de la diva se dérouler devant mes yeux. L'une de celles que possédait Doug Townsend : la Sonnier très élégante dans une robe longue en lamé argent. Je fis défiler le portrait pour en arriver à sa biographie que je lus attentivement. *Michele Sonnier possède la voix de soprano au registre le plus étendu qu'on ait pu entendre sur une scène d'opéra depuis Maria Callas. Fille unique d'un médecin et d'un professeur, elle fit la preuve de son prodigieux talent déjà très jeune. Après être sortie diplômée de la Julliard School[1], elle remporta à vingt et un ans le concours du*

___

1. Julliard School : célèbre conservatoire privé de New York où Maria Callas elle-même a enseigné. (*N.d.T.*)

*Metropolitan Opera de New York. Le premier prix, un concert en solo à Carnegie Hall, préluda à sa fabuleuse carrière. Ses débuts, l'année suivante, avec l'opéra de San Francisco, lui valurent un triomphe mérité. Malgré son jeune âge, elle a tenu les rôles principaux dans des productions du Metropolitan, de la Scala de Milan et du Kirov de Saint-Pétersbourg. Certains critiques n'hésitent pas à la comparer à son idole : Maria Callas.*

Ralston et elle formaient un couple avec lequel il fallait compter. L'argent de Ralston devait leur ouvrir les portes de la nouvelle élite sociale, les talents artistiques de la Sonnier ceux de l'ancienne. Je continuai ma lecture par le programme des apparitions de la diva, en commençant par les représentations de l'année passée et en en comparant les dates avec celles des billets d'avion trouvés dans l'appartement de Doug. *17 janvier : Portland, Oregon.* Et, comme je m'y attendais en feuilletant les billets, j'en trouvai un correspondant à un vol Atlanta-Portland de la Northwest. Je poursuivis mes vérifications avec deux dates en février, la première à New York, la seconde à Miami. Les deux correspondaient à de brefs voyages de Townsend. Après en avoir vérifié quelques autres, toujours avec le même résultat, je m'appuyai au dossier de mon fauteuil. *Enfin, nom de Dieu, qu'est-ce que ça veut dire ?* Je parcourus alors les dates des futures apparitions de la Sonnier sur une scène et l'une d'elles retint mon attention : *15 juin, Atlanta Civic Opera.* Dans quatre jours. Après, quelques concerts étaient mentionnés, mais dans des lieux bien trop éloignés. Je notai le numéro indiqué pour les réservations et m'empressai d'appeler. Une femme à la voix agréable me répondit en annonçant :

— Opéra d'Atlanta.

— Vous présentez bientôt une production avec Michele Sonnier, c'est exact ?

— Oui, monsieur. *Les Capulet et les Montaigu*, de Bellini.

— Vous voulez dire comme *Roméo et Juliette* ?

— Oui, monsieur.

Ça me paraissait un moindre mal parce que je connaissais l'histoire.

— Ce sera en anglais ?

Un légère expression de commisération altéra soudain la voix de mon interlocutrice.

— Non, monsieur, en italien. Mais il y aura des surtitres en anglais.

— Michele Sonnier va chanter le rôle de Juliette?

— Non, monsieur, celui de Roméo.

J'eus du mal à articuler autre chose que :

— Roméo?

— Oui, monsieur, c'est un rôle de travesti, expliqua la voix à l'autre bout du fil. C'est assez courant dans les opéras.

Pendant quelques instants, tout ce que j'ignorais de l'opéra me parut faramineux. Et je ne me sentais pas très motivé à l'idée de combler cette ignorance. Je n'ai rien contre la musique qui se lamente pour traduire des peines de cœur, mais je ne vois pas pourquoi il faut qu'elle soit vieille de deux cents ans. Parlez-moi plutôt d'un CD de John Prine.

— Combien coûtent les billets? m'enquis-je, un peu circonspect. Je veux dire les moins chers.

— Les moins chers sont tous vendus depuis longtemps, monsieur.

Voilà qui ne faisait pas mon affaire. Je raclais déjà les fonds de tiroir.

— Qu'est-ce qu'il vous reste?

— Rien en dessous de quarante-six dollars.

Je fis un rapide calcul : quatre-vingt-douze dollars pour deux billets, plus le restaurant et le parking, on arrivait facilement à deux cents dollars. À une certaine époque, dépenser deux cents dollars en une soirée ne me posait aucun problème. Je le faisais même par principe, rien que pour me rappeler que je pouvais me le permettre. Cette époque ne m'avait jamais paru aussi lointaine. Mais aller à l'opéra n'était pas suffisant; je voulais avoir un contact personnel.

— Vous pensez qu'après le spectacle Michele Sonnier signera des autographes?

— Pardon?

— Si ensuite quelqu'un veut faire signer son programme, ce sera possible?

— Les vrais fans de Michele Sonnier vont avoir une occasion unique.

— C'est-à-dire?

— Êtes-vous un vrai fan ?

Je jetai un coup d'œil à mon écran et me mis à réciter d'un ton convaincu :

— Elle possède la voix de soprano au registre le plus étendu qu'on ait pu entendre sur une scène d'opéra depuis Maria Callas.

— Excellent, dit la voix d'un ton satisfait. Après la représentation, Michele Sonnier a gentiment accepté de participer à une petite réception pour un groupe sélectionné de ses plus fervents admirateurs. C'est organisé au profit de l'opéra d'Atlanta. Champagne et canapés seront au rendez-vous. Ce serait l'occasion idéale de faire signer votre programme.

— Et combien cela me coûtera-t-il ?

— Deux cent cinquante dollars par personne, répondit la femme. Mais ce prix comprend un fauteuil d'orchestre pour la représentation.

— Deux cent cinquante dollars par personne, répétai-je.

— C'est exact, confirma-t-elle patiemment.

Je faillis lui dire merci et au revoir, avant de raccrocher pour renouer avec le fil de mon existence. Et si je l'avais fait tout eût été différent par la suite. Votre vie peut basculer d'un côté ou de l'autre pour une raison banale. Mais puisque je venais de découvrir que la chose la plus importante dans celle de Townsend avait été cette femme, dont j'ignorais auparavant jusqu'à l'existence, et vu que le programme de ses représentations, qui s'étalait sous mes yeux, indiquait qu'elle ne rechanterait pas à Atlanta avant un an, je pris une décision rapide.

— Allô, vous acceptez la carte Visa ?

La première chose à faire était de me trouver une compagne. J'avais besoin de quelqu'un qui m'aiderait à me mêler à la conversation générale. Je trouvais impensable de me rendre seul à une soirée de gala à l'opéra. Or, à ce moment-là, ma vie sociale se résumait à quelques beuveries en compagnie de Sammy Liston. La raison pour laquelle je n'étais sorti avec aucune fille après m'être fait éjecter de chez Carthy, Williams et Douglas était simple : c'était la partie de ma vie que je devais contrôler avec le plus de fermeté. J'avais appris cette leçon d'une façon on ne peut plus pénible ; c'est en donnant libre cours à mes sentiments que j'avais provoqué un drame dans l'existence de plusieurs personnes.

Je contemplai un moment l'étendue blonde que constituait l'arrière de la tête de Blu McClendon. *Mauvaischoix.com*, pensai-je. Tout en sachant qu'elle serait parfaite dans le rôle. Jeune, superbe, et très certainement déshabillée par une robe qui ferait regretter leurs belles années à toutes les femmes de plus de quarante ans. Je repensai alors à une fille qui travaillait au tribunal ; mignonne, mais qui n'impressionnerait personne... Je reportai mon attention sur Blu.

Même si mes sentiments pour elle n'étaient pas très différents de ceux de Sammy Liston, je n'avais jamais eu le moindre geste équivoque à son égard. Je l'appelais «baby» à l'occasion, une épithète néandertalienne qu'elle acceptait avec aplomb, car Blu avait une qualité devenue rare : elle ne s'offusquait pas de ce genre d'attitude. Et pouvoir appeler une femme comme elle «baby» me maintenait la tête hors de l'eau, en me donnant l'impression que j'étais toujours un homme, un homme qui commençait une nouvelle vie. Quoi qu'il en soit, l'inviter à m'accompagner à l'opéra, c'était m'aventurer en territoire inconnu. Je sortirais de mon rôle, et cela risquait de rendre nos relations confuses. Je ne voulais surtout pas qu'elle se fasse des idées à mon sujet. En outre, si je ne l'avais jamais rencontrée lors de sorties en ville, je n'en étais pas moins persuadé que, pour obtenir le privilège de l'escorter, il fallait être riche ou bodybuildé. Et, au fond de moi, je me disais aussi que si elle se faisait une fausse idée à propos de mon invitation et qu'elle l'acceptait ce serait encore pire. Une histoire d'amour entre nous deux tournerait à la bluette acidulée avant la fin de la nuit. Mais le fait est que j'avais besoin d'elle. Les jours passés chez Carthy, etc., m'avaient appris qu'une fille dans son genre était idéale pour rompre la glace. Vous pouvez être certain que les hommes que vous croiserez tourneront la tête, en se demandant quelles qualités cachées peuvent vous attacher une telle compagne. Je me rassis et cherchai une solution à mon problème pendant un bon moment. Puis je fus frappé par une évidence, et trouvai sur-le-champ un moyen de formuler mon invitation à miss McClendon d'une façon qui ne provoquerait aucune équivoque. C'était du cousu main, c'était ciselé par le burin de Michel-Ange.

— Blu, demandai-je. Qu'est-ce que vous diriez de rencontrer tout un bataillon d'hommes très riches?

# 4

La veille de la représentation, la pensée me vint que, pour assister à une réception privée organisée pour une célèbre diva, la tenue de soirée s'imposait. Grâce à la libéralité qui m'animait lors de mon emploi précédent, je possédais un superbe smoking signé Hugo Boss. Je l'avais porté deux fois en tout et pour tout. Je fis un essayage devant le miroir de ma chambre. J'avais l'habitude de bien m'habiller, car l'habit fait l'avocat. D'ailleurs, chez Carthy, Williams et Douglas, le mot d'ordre était : soyez élégant ou allez vous faire voir ailleurs. Dès le premier jour, j'avais fait en sorte de ressembler à quelqu'un qui n'aurait jamais mis les pieds à Dothan, Alabama. Et j'étais pointilleux sur les retouches apportées à mes complets de confection. Je restai un long moment à m'observer en smoking, non par narcissisme : si je fermais un instant les yeux en faisant le vide en moi, quand je les rouvrais, je pouvais presque m'imaginer que j'étais toujours chez Carthy, Williams et Douglas. J'avais l'air aussi riche, aussi important, aussi puissant.

Le lendemain, vers dix-huit heures, je me garai devant chez Blu, qui vivait à Hunter Downs : un ensemble d'immeubles occupés par des gens qui possèdent assez de crédit pour se donner l'apparence de la richesse. L'ensemble de ces bâtisses, qui se veulent impressionnantes, est ceint d'une clôture percée d'une grille imposante. Le parking m'apparut comme un océan de dettes aux carrosseries étincelantes en train de se déprécier.

Je frappai à la porte de Blu, qui ne mit que deux ou trois secondes à venir m'ouvrir. Quand une femme se met sur son trente et un, elle est transformée. Même si elle a les avantages

48

naturels de Blu. Elle avait relevé et attaché ses magnifiques cheveux, mais de petites mèches caressaient son superbe cou d'une façon exquise. Elle portait des perles qui mettaient en valeur le plus beau décolleté qu'il m'ait été donné d'admirer. Quant à la robe, essayez d'imaginer un riche satin azur qui aurait été peint sur la femme idéale.

Durant le dîner, elle discourut sur *Roméo et Juliette*, ce qui me fit plaisir. Je cédai même devant son insistance à commander une bouteille de vin de trente-quatre dollars, alors que deux jours plus tôt j'avais vu la même affichée à douze dollars dans un supermarché. Lui refuser cette bouteille aurait chamboulé sa vision du monde, et je me sentais incapable de faire ce genre de chose.

— J'adore *Roméo et Juliette*, affirmait-elle. Il n'y a jamais rien eu de plus tragique. (Elle s'interrompit pour siroter son vin à trente-quatre dollars.) Pourquoi est-ce qu'on ne laisse pas les gens s'aimer en paix?

— Je sais, baby. Comment trouvez-vous vos fettucine?

— Délicieux.

— Tant mieux.

— Et vous, Jack, vous n'adorez pas *Roméo et Juliette*? demanda Blu.

— Je suppose.

— Vous supposez?

Elle parut offensée par mon indécision, ce qui me fit hausser les épaules.

— Vous savez, Blu, de nos jours, Roméo et Juliette iraient se marier à Las Vegas et diraient à leurs parents d'aller se faire voir. (Je vis Blu se figer devant moi, me faisant regretter mes paroles. Je m'empressai de changer de sujet :) Votre coiffure est vraiment magnifique, ce soir, c'est du grand art.

Elle me pardonna d'un sourire.

— Pourquoi l'opéra? demanda-t-elle.

— Un cas dont je m'occupe, répondis-je. Nous sommes là pour apprendre tout ce que nous pourrons au sujet de la célèbre Michele Sonnier.

— Qui tient le rôle de Roméo?

J'acquiesçai d'un signe de tête.

— Dites-moi, Blu, beaucoup d'hommes vous demandent de sortir avec eux, non?

— Hum-hmm.

— J'aimerais vous poser une question. Supposez que vous entriez dans la chambre à coucher d'un type dont les murs sont tapissés de photos de vous. Quelle serait votre réaction?

Son expression s'assombrit.

— Combien de photos?

— Disons une vingtaine.

— Ça ne me plairait pas, énonça-t-elle avec une grimace.

— Vous ne vous sentiriez pas flattée?

— Si j'en trouvais deux ou trois, oui. Mais pas vingt.

— Et que pensez-vous des gens qui sont allés voir *Cats* quatre cents fois? Ils sont inoffensifs, non?

— Je n'en suis pas sûre, dit-elle. En tout cas, je ne voudrais pas les fréquenter car ils ont forcément quelque chose qui ne va pas dans leur tête.

Notre conversation se poursuivit pendant tout le dîner. Blu me fit profiter de ce qu'elle avait appris sur l'obsession des hommes. Et, à en juger par l'attention qu'elle recevait de leur part dans ce restaurant, j'étais obligé de me dire qu'elle savait de quoi elle parlait. Le repas terminé, je réglai l'addition et nous fîmes en voiture le court trajet qui nous séparait de l'imposant théâtre Fox où avait lieu la représentation. Un groupe de personnes impeccablement habillées s'était formé à l'extérieur, principalement des fumeurs qui avaient besoin de leur dose de nicotine avant une abstinence de trois heures. Je tendis mes billets à deux cent cinquante dollars à l'ouvreuse, et elle nous conduisit jusqu'aux premières rangées de fauteuils d'orchestre.

Le théâtre Fox est l'un des principaux monuments d'Atlanta, un tribut au caprice de gens qui peuvent se permettre de rétribuer des artistes pour enjoliver leur monde. En pénétrant dans le foyer, vous avez l'impression d'être transporté dans un palais marocain, et l'ouverture de la scène est cernée de tourelles et de murs de pierre qui rejoignent le plafond. Au-dessus de vous clignotent des étoiles qui font tout de suite penser aux *Mille et Une Nuits*. En d'autres mots, estimer la distance séparant le monde tel qu'il se présentait à l'intérieur de ce théâtre et ce qui se passait, n'importe quelle nuit, dans les pires quartiers d'Atlanta était un problème que seul un astrophysicien pouvait tenter de résoudre. Je ne suis pas en train de dire qu'il est mal de consacrer de l'argent à l'entretien d'un tel édifice historique, je pense seulement que, si un habitant de certains quartiers que je connais se retrouvait soudain à l'intérieur du Fox, ce qu'il imagine de pire sur la forme que prend «la vie de l'autre côté» se trouverait confirmé.

Imaginer Doug dans un tel milieu me mettait plutôt mal à l'aise. Je m'étais adapté à mes junkies, je parvenais à les convaincre de plaider coupable pour alléger leur condamnation, ils restaient enfermés un petit moment, et la vie continuait. Mais l'opéra était une musique de riches, et je me disais que Doug avait pu être aussi fasciné par toute cette ambiance qu'il l'avait été par Michele Sonnier elle-même. Je l'imaginais à tous ces concerts, vêtu du seul veston correct en sa possession, traversant le foyer, rejoignant sa place, oubliant pendant quelques heures qu'il habitait le Jefferson Arms. Par la pensée, je le voyais même engager la conversation avec quelqu'un à l'entracte en s'exclamant : «N'est-ce pas bouleversant?» Et je me retenais pour ne pas pleurer.

Blu et moi nous installâmes dans nos fauteuils capitonnés de velours rouge et attendîmes le début de l'action. Étant donné que cette soirée était très largement au-dessus de mes moyens, j'espérais au moins ne pas mourir d'ennui. L'orchestre joua l'ouverture, puis, tout d'un coup, la scène fut envahie par une foule de gens vêtus de costumes somptueux. Pour deux cent cinquante dollars, nous étions assis si près de la scène que les voix faisaient vibrer l'air qui nous entourait. Le décor – une villa en Italie, structures en faux marbre et immenses toiles peintes – était tout à fait convaincant. Je sentis avec plaisir que j'allais m'intéresser au spectacle.

Il fallut attendre quelques minutes l'apparition de la Sonnier. Quand elle pénétra sur la scène, elle fut accueillie par une immense ovation. Qu'elle ignora. Elle appartenait tout entière à son personnage. C'était la première occasion que j'avais de la voir en chair et en os, et elle me sembla très différente de ses photos. Il est vrai qu'elle était travestie en homme, les cheveux tirés et ramenés en arrière. Un gilet dissimulait sa poitrine. À ma grande surprise, elle était tout à fait crédible. Sa démarche était parfaite. La plupart des femmes qui prétendent marcher comme un homme en font trop, on dirait qu'elles essaient d'imiter John Wayne. La Sonnier, elle, avait réussi à en assimiler toutes les nuances. Jouer le rôle d'un homme ne vous oblige pas à vous frapper la poitrine constamment à grands coups de poing. C'est plus subtil ; il s'agit d'une attitude qui prend naissance en dessous de la ceinture. Pourtant, quand elle ouvrit la bouche, il en sortit les plus beaux sons féminins qu'il soit possible d'imaginer. Même si le rôle est écrit pour une mezzo, Bellini n'a même pas essayé d'écrire des notes très graves pour le rôle afin de le rendre plus masculin. Mais la Sonnier chantait comme si sa vie en dépendait, faisait l'amour à Juliette avec la plus belle voix de femme du monde, tout en parvenant à nous faire croire au personnage de Roméo qu'elle incarnait.

La distance est également grande entre une représentation d'opéra et l'endroit où j'étais né et avais grandi, à Dothan, Alabama. Alors, j'avoue que j'ignorais ce que j'étais censé éprouver, assis là, en train d'écouter des acteurs aux visages peinturlurés et engoncés dans des costumes Renaissance, communiquer entre eux en chantant. Au début, entendre Roméo chanter avec une voix de femme me laissa désorienté ; mais après un moment je me mis à le considérer d'une façon différente. Cette voix plus aiguë lui rendait son caractère d'adolescent, ce qu'il était dans la pièce originale. Or, pour une raison ou une autre, au théâtre, le rôle n'est jamais tenu par un garçon de seize ans, mais par un acteur qui a parfois dépassé la trentaine. Cela fait une sacrée différence. Parce que, en écoutant la voix de Michele Sonnier, je m'avisai que Roméo, désarmé et naïf, n'était qu'une victime du système. En réalité, il était aussi vulnérable que Juliette ; ils étaient tous les deux des enfants. Et il combattait des forces bien supérieures. Sans le savoir. Chaque fois qu'il ouvrait la bouche, on devinait que son destin serait tragique. On avait confié le rôle du père à un homme imposant doté d'une voix grave et vibrante, ce qui rendait la situation encore plus poignante. Quand Roméo essayait de discuter avec lui, en lui représentant combien il était stupide que les Capulet et les Montaigu passent leur temps à se chamailler, c'était comme regarder un galet rebondir contre un mur. Roméo n'avait pas la moindre chance d'obtenir Juliette. En ce qui me concernait, je trouvais le scénario parfaitement crédible. Ils enduraient tous ces malheurs parce qu'ils étaient incapables de laisser les choses suivre leur cours. Pourtant, s'ils s'étaient résignés, ils auraient souffert le martyre pendant un certain temps, puis une autre solution se serait présentée. Chacun d'eux aurait sans doute noué une relation agréable avec une autre personne qu'il aurait épousée. Mais ces deux-là en furent incapables. Et ils en sont morts.

Même si tous les spectateurs, ou presque, connaissaient l'histoire, beaucoup craquèrent quand Roméo avala le poison. La Sonnier n'était pas seulement une immense chanteuse, c'était aussi une brillante actrice. Son Roméo était si fragile et vulnérable qu'on croyait réellement voir une vraie personne confrontée à la mort. Pas de simagrées, de jeu outré avec les bras levés au ciel. Elle chantait avec un sérieux mortel, et sa voix me faisait penser à la flamme d'une bougie éclairant un vaste hall. Elle affrontait le fait que, parfois, la vie va tellement de travers qu'elle ne vaut plus la peine d'être vécue. À mon humble avis, c'est le fin mot de l'histoire.

Et puis ce fut terminé. Des torrents d'émotion ayant emporté Blu, je dus lui laisser le temps de se remettre. Le gros du public sortait du théâtre, mais nous, les privilégiés aux billets à deux cent cinquante dollars, nous empruntâmes une sortie privée pour gagner le parking. Une fois là, je guidai Blu vers ma voiture dans une obscurité quasi totale. L'hôtel Quatre Saisons ne se trouvant qu'à quinze blocs du théâtre, il ne nous fallut pas plus de cinq minutes pour nous y rendre. J'évitai de me garer devant l'entrée et de confier ma LeSabre cabossée au voiturier, faisant ainsi à Blu une grande faveur. Elle était particulièrement en beauté et je ne voulais pas lui faire rater son entrée.

Nous gravîmes un grand escalier derrière une petite foule, avant de nous noyer dans un océan de smokings et de robes du soir. Je perçus très vite l'excitation qui gagnait ma secrétaire à la vue de tous ces hommes si visiblement pleins aux as. Et ils l'observaient eux aussi, je puis vous l'assurer. Même que je n'avais encore jamais vu autant d'hommes regarder d'un air détaché pardessus le bord de leurs verres.

Dans ce genre de soirée, tous les participants font preuve d'une politesse exquise. Ils font aussi preuve d'un esprit de clan, mais pas toujours dans une mauvaise intention. Ils subissent plutôt une espèce de fatalité. Les gens qui se trouvaient dans cette salle constituaient l'épine dorsale financière d'Atlanta. Ils avaient donc bien des choses en commun. Et c'était palpable quand ils se saluaient. Un million de parties de golf, de cocktails, de prêts bancaires étaient sous-entendus dans chaque poignée de main. Les femmes – d'une dizaine d'années plus jeunes que leurs maris, en moyenne – paraissaient gracieuses et bien éduquées. Mais l'effet McClendon n'en fut pas moins dévastateur. Magique. Je n'ai jamais entendu autant de papotages que ce soir-là.

Toutefois, même si je n'avais rien contre, je n'étais pas venu ici dans l'unique dessein de présenter Blu à la haute société d'Atlanta. Je ne perdais pas de vue que j'avais fait cet investissement pour apprendre tout ce que je pourrais sur Michele Sonnier. Et, bizarrement, il était très difficile de lancer la conversation sur ce sujet. Surtout parce que la seule chose qui intéressait les femmes, c'était de savoir où Blu avait trouvé sa robe, tandis que les hommes ne rêvaient que de la lui enlever. Tout ce que je pus tirer d'eux, c'est que la Sonnier était rapidement devenue une star dans le monde de l'opéra, et qu'elle avait été promise au succès très jeune. Élevée à Manhattan, la Julliard School l'avait acceptée comme la jeune prodige qu'elle était. Dès sa sortie de ce conservatoire de l'excellence, sa carrière avait démarré. Et elle était devenue célèbre à la seconde où elle avait posé le pied sur une scène pour la première fois. Mais le sujet principal des conversations devint rapidement Charles Ralston et Horizn. Les hommes parlaient de la meilleure stratégie à adopter pour entrer dans le capital de la firme et supputaient la cotation possible des actions sur un an. Ils convinrent qu'être parmi les premiers à investir rapporterait gros. Ils avaient donc tous posté leurs brokers le doigt sur la détente.

Au bout d'un certain temps, je me sentis obligé de laisser à Blu la bride sur le cou. Elle pouvait difficilement aller à la pêche au gros en ma compagnie, et elle avait joué à la perfection le rôle que je lui avais attribué. Je lui tapotai donc le bras, et, sans se faire prier, elle mit les voiles en souriant. Elle me faisait penser à une chatte s'apprêtant à plonger la patte dans un bocal plein de poissons rouges.

Le buffet n'était pas mauvais; il y avait toutes sortes de crudités, des champignons farcis et des tas de petites ombres imprécises emballées dans des tortillas. Je fendis la foule au hasard pendant quelques minutes et acceptai une deuxième coupe de champagne. Il ne me fallut pas longtemps pour repérer un homme impeccablement habillé qui se rapprochait insensiblement mais inexorablement de Blu. De toute évidence, il cherchait un moyen de l'aborder. Je me mis à compter à rebours en commençant à dix. J'en étais arrivé à sept quand il contourna habilement un serveur; à cinq, il s'empara de deux coupes de champagne sans ralentir le pas; à un, il lui toucha le bras et lui tendit l'une des deux coupes. *Atterrissage réussi.* Son visage ne m'était pas inconnu; je me rappelais vaguement avoir lu un article à son sujet dans un journal, article qui l'accusait de s'être comporté comme un oiseau de proie envers quelqu'un, mais impossible de me souvenir des détails. Ce qui était clair, en revanche, c'étaient ses intentions envers ma secrétaire. C'était un joueur dans tous les sens du terme. Je le voyais écrit sur son visage tandis qu'il baratinait Blu. Il avait l'air intelligent et devait être sans doute un brillant homme d'affaires. Mais, quels que soient les objectifs qu'il poursuivait actuellement, le plus important était de sauter Blu.

Fasciné, je restai un moment à les observer. Même si j'étais persuadé que ma secrétaire était aussi perspicace que moi et saurait retourner la situation à son avantage, je décidai de lui donner un coup de pouce. Le contexte joue toujours un grand rôle. Ici, dans le cadre de ce pince-fesses-postopéra, l'homme au smoking à deux mille dollars pouvait passer pour un James Bond miniature. Sans son fric, ç'aurait été un gars en blue-jean, possesseur d'une Corvette vieille de cinq ans, draguant les filles dans les bars des aéroports. Je laissai Blu se faire adorer pendant encore deux ou trois minutes avant de me joindre à eux. Le sourire de l'homme se figea sur son visage.

— Jack Hammond, me présentai-je. Ravi de faire votre connaissance.

— Derek Stephens, dit l'homme. (Il avait environ quarante-cinq ans et il se dégageait de lui une légère odeur de cigare.) J'étais en train de bavarder avec votre...

— Cousine, précisai-je. Ma très chère cousine Blu McClendon, de l'Arkansas.

Son visage retrouva sa souplesse et il se rapprocha sans vergogne de ma secrétaire.

— Mr. Stephens était en train de me dire qu'il est avocat, comme toi, annonça Blu, entrant dans le jeu. Il travaille pour Horizn Pharmaceuticals. C'est eux qui sponsorisent les spectacles de miss Sonnier.

— Alors, cette soirée est un événement pour vous, poursuivis-je.

— C'est un événement pour l'opéra d'Atlanta, Jack, précisa-t-il. (Je le sentais en train de m'évaluer.) Ainsi, vous êtes avocat vous aussi. (L'accent était Nouvelle-Angleterre pur jus.) Vous êtes associé dans quel cabinet?

Pour un type du calibre de Stephens, il n'y avait que quatre réponses possibles. Et «Jack Hammond & Associés» n'en faisait pas partie.

— Je travaille seul, annonçai-je. Je me consacre presque uniquement au droit criminel.

À partir de ce moment, je sentis qu'il cherchait à éloigner Blu de moi en créant le minimum de vagues. Des gens peuvent vous fixer, comme s'ils étaient fabuleusement intéressés par ce que vous êtes en train de raconter, mais, si vous plongez votre regard dans le leur, vous pouvez voir des mécanismes en train de chercher la solution d'un autre problème. Il avait beau se moquer éperdument de ce que j'allais répondre, il demanda :

— Êtes-vous un fan d'opéra en général, Jack? Ou de Michele en particulier?

— Les deux sont une nouveauté pour moi, admis-je. (Notre conversation commençait à m'amuser. Ce type me faisait penser à un bolide de course.) Et en ce qui vous concerne?

— Je fais partie du conseil d'administration de l'opéra d'Atlanta, répliqua Stephens. Et le côté amusant de la chose, c'est que je n'y connais strictement rien.

— Vous devez avoir d'autres qualifications.

À regret, il décolla ses yeux de Blu pour les ramener vers moi.

— N'importe quel plouc peut faire partie du conseil d'administration d'un opéra, s'il est en mesure de signer un assez gros chèque. (Il regarda la coupe de Blu qui était encore à moitié pleine. *Mon temps est écoulé*, pensai-je.) Miss McClendon, dit-il, permettez-moi d'aller vous chercher une autre coupe.

— Je vous accompagne, susurra Blu, radieuse, je meurs d'envie d'essayer ces petits riens au fromage.

Et je les vis disparaître.

Je me sentais responsable de Blu, mais je devais aussi m'avouer que je n'en savais pas assez sur le compte de Stephens pour m'inquiéter. Et, par ailleurs, je n'avais jamais abordé avec ma secrétaire le sujet de sa vie sexuelle. Très certainement parce que je trouvais plus agréable d'imaginer qu'elle n'en avait pas. De toute façon, je n'eus pas le temps de m'appesantir sur la question, car l'atmosphère de la salle changea brusquement.

La Sonnier et Ralston venaient de faire une entrée royale qui déclencha un tonnerre d'applaudissements. Grand, dépassant le mètre quatre-vingts, Ralston était mince et musclé. Seuls quelques cheveux gris trahissaient son âge. J'avais entendu dire qu'il frisait la soixantaine, mais il paraissait beaucoup plus jeune. Sa peau était foncée mais lisse – l'avantage de passer une grande partie de sa vie à l'abri des intempéries. Son épouse, elle, était transfigurée. L'image tragique de Roméo avait cédé la place à une femme magnifique qui ignorait le code vestimentaire avec une sublime indifférence. Elle portait un ersatz du style ghetto lancé par une vingtaine de designers qui cherchaient à se faire un nom ; autrement dit, elle avait payé deux mille dollars pour des vêtements qui paraissaient en avoir coûté vingt. La Sonnier apparut dans la salle de bal des Quatre Saisons, entourée de smokings et de robes du soir, dans un pantalon collant noir et un top orange ajusté et décolleté qui mettait en valeur une poitrine modeste mais bien dessinée et la perfection de ses bras nus. Une chaîne d'argent, dont chaque maillon avait été soigneusement patiné pour paraître ancien, lui encerclait les hanches. Son nombril était percé et trois anneaux, du même argent mat que la ceinture, s'alignaient sur son oreille gauche. L'effet général était limite, mais elle se comportait avec un tel naturel que tous ceux qui l'entouraient eurent soudain l'air endimanché. Elle paraissait être la seule à avoir lu l'invitation correctement. Et sa peau! L'idée que je m'en étais faite en regardant ses photos chez Townsend était correcte. Elle était chocolat et lumineuse sous l'éclairage des lustres. Grandie par des talons hauts, elle n'aurait pas pu causer plus forte impression si elle était arrivée en chevauchant une Harley-Davidson.

Ralston fut tout de suite assailli par un petit groupe de smokings ; l'argent qui se trouvait dans cette salle était de nature vorace. Visiblement conscient de sa position, le mari de la diva serrait des mains en affichant une expression vaguement intéressée. Il s'agissait de la nouvelle élite noire : la femme, non conformiste et artiste, le mari, élégamment habillé par Armani, jouant le jeu des Blancs à la perfection.

Le couple se sépara rapidement : un assistant pilota Michele Sonnier à travers la foule de ses admirateurs, son mari s'éloigna dans la direction opposée. Les gens s'agglutinaient autour d'elle, de la façon polie qu'adoptent les nantis amateurs d'art, surtout quand ils ont payé deux cent cinquante dollars afin d'avoir l'occasion de prouver qu'ils ont suffisamment bon goût pour mériter d'être riches. Je laissai Ralston disparaître ; j'étais venu pour la Sonnier. Je la suivis à distance, la regardant s'adresser aux gens qui faisaient mine d'adorer son air branché si parfaitement étudié. J'étais certain qu'elle savait exactement ce qu'elle faisait. Elle aurait pu se mettre à chanter un couplet sur la fourberie des Blancs. Mais elle préférait laisser ses tout nouveaux meilleurs amis lui dire combien elle était prodigieuse.

Je l'observais, en pensant à l'obsession de Doug Townsend. Avec ses talons, elle paraissait grande, mais j'estimai que, sans eux, elle devait mesurer à peine un mètre soixante-dix. Ses traits fins, délicats et précis étaient éclairés par de grands yeux marron foncé. Le tout couronné par une chevelure brune spectaculaire, éclairée de reflets roux et rassemblée dans une queue-de-cheval. *Mon Dieu*, pensai-je, *Doug n'a jamais eu la moindre chance*. Finalement, elle s'approcha du coin où je m'étais posté et s'arrêta devant moi. Son assistant s'entretenait avec quelqu'un d'autre, et pendant un bref moment nous allions rester en tête-à-tête. Elle tendit vers moi une très jolie main et je me présentai :

– Jack Hammond.

— Bonsoir, Mr. Hammond, dit-elle d'une voix cultivée.

— On a organisé pour vous une soirée impressionnante.

— Je déteste toute cette ostentation, déclara-t-elle avec un sourire.

— C'est tout de même en votre honneur.

Son sourire se fit plus doux.

— Sans doute, en effet.

— Cela vous plaît-il de chanter un rôle d'homme?

— La musique n'est pas mal, répondit-elle avec un haussement d'épaules.

— Seulement pas mal? m'étonnai-je.

Michele Sonnier se pencha en avant. Impossible de mettre un nom sur son parfum fruité, subtil et frais.

— Je veux bien vous faire part d'un secret, si vous me promettez de le garder pour vous, dit-elle.

— Je pense en être capable.

— Cet opéra n'est pas un de mes préférés. Je le chante pour une autre raison.

— Je peux savoir laquelle?

— La délicieuse ironie, bien évidemment.

— Je fais mes premiers pas à l'opéra. C'est sans doute pourquoi la subtilité de votre réponse m'échappe.

Elle s'approcha encore de moi, comme en veine de confidences. J'espérais que Blu saurait me dire quel parfum elle utilisait.

— Vous me surprenez, Mr. Hammond. Je vous avais pris pour un expert.

Ma seule réponse fut un sourire. Et pourtant j'étais quelque peu agacé, car, tout en sachant qu'elle me faisait marcher, je me sentais prêt à tomber dans le panneau. Elle savait que je savais, et cela ne faisait aucune différence. Les femmes vraiment belles aiment à briser les tabous. Je ne parvenais pas à détacher mes yeux de sa bouche douce et brillante. Elle commençait à m'irriter... non, je compris soudain que c'était Charles Ralston que je détestais, simplement parce que c'était lui qui l'embrassait.

— À l'époque de Shakespeare, poursuivit-elle, c'était un homme qui jouait le rôle de Juliette. Il n'y avait d'ailleurs que des hommes dans la distribution. Les femmes n'avaient pas le droit de monter sur scène.

— Oui, je me rappelle avoir lu ça quelque part. Alors la fameuse scène du balcon...

— Deux Anglais prétendant être un couple d'Italiens en train de faire l'amour. Alors Bellini, qui était italien, a voulu égaliser le score. Il a composé le rôle de Roméo pour une femme.

— Vous voulez dire qu'il s'agit d'une espèce de vengeance musicale ?

Michele Sonnier éclata de rire, et le son de sa voix envoya des frissons le long de ma colonne vertébrale. Elle se serra encore plus contre moi.

— Mr. Hammond, si vous voulez comprendre l'opéra, il faut que vous reteniez une chose. Quoi qu'il se passe sur scène, le thème est toujours la vengeance.

Avant que j'aie pu faire un commentaire, son assistant apparut à côté d'elle et la prit par le bras pour l'entraîner ailleurs. C'était le moment où jamais de mentionner Doug Townsend, et je lui saisis l'autre bras pour l'arrêter. Pendant quelques secondes, elle fut écartelée entre nous.

— Oui, Mr. Hammond ? fit-elle sans s'émouvoir.

— Je me demandais si vous aviez appris ce qui était arrivé à un ami commun...

— De qui voulez-vous parler ? demanda-t-elle, sans chercher à dissimuler sa surprise.

C'était quitte ou double. Si le nom lui était inconnu, j'allais retourner au bureau sans avoir obtenu rien d'autre, avec mes cinq cents dollars, que quelques amuse-gueule, une soirée de musique italienne, et mon premier coup de foudre pour une Noire. Je la regardai droit dans les yeux en disant :

— Doug Townsend.

Pas un muscle de son visage ne bougea. Ses traits restèrent impassibles.

— Je ne pense pas connaître ce monsieur, affirma-t-elle. Je le regrette.

Et son sourire était aussi aguicheur que jamais.

— Ne regrettez rien, lançai-je. C'est heureux pour vous, au contraire.

Son assistant essaya une nouvelle fois de l'entraîner, mais j'eus le temps de sentir le muscle de son bras se contracter. Presque rien, mais quand on est entouré de menteurs nuit et jour, c'est une astuce qu'on apprend et qui ne trompe pas. Elle ne chercha pas à m'échapper.

— Et pourquoi donc? voulut-elle savoir.

— Parce que depuis quatre jours, quand on parle de lui, il faut dire feu Doug Townsend. Une overdose.

Son sourire se figea sur ses lèvres, comme mort. Elle le connaissait. La célèbre Michele Sonnier connaissait Doug Townsend, tout comme moi.

# 5

Après deux années passées dans la salle d'audience du juge Thomas Odom, je peux affirmer une chose avec certitude : les gens ne mentent pas pour s'écouter parler. Ils mentent parce qu'il y a un fait qu'ils ne veulent pas que vous appreniez, au point d'accepter de perdre un peu de leur intégrité pour le dissimuler. Aussi, quand j'arrivai à mon bureau le lendemain matin, la question principale qui me taraudait l'esprit, c'était de savoir de quoi il pouvait bien s'agir dans le cas de Michele Sonnier, et quelle part de son intégrité elle était prête à perdre pour garder le secret. Je me heurtai tout de suite à un mur, bien sûr ; la vie de Doug et celle de la diva étaient séparées par un gouffre financier et culturel infranchissable. Elle passait son temps avec des chefs d'orchestre originaires d'Europe, qui parlaient tous au moins quatre langues, et Doug, qui vivait aux portes de l'enfer, passait son temps à essayer d'éviter la prison. Mais le fait demeurait qu'il avait réussi à franchir ce gouffre une vingtaine de fois, avec des billets d'avion payés en liquide. Cela, combiné avec ma certitude absolue que la Sonnier m'avait menti en prétendant ne pas le connaître, m'empêchait d'abandonner mes recherches.

Le désir de mettre au jour la relation qui existait entre la cantatrice et Doug n'allait cependant pas m'aider à trouver l'argent dont j'avais besoin pour payer le salaire de Blu à la fin du mois. Alors, en dépit de l'envie qui me tenaillait de consacrer mon temps à découvrir ce qui était arrivé au pauvre Townsend, je dois avouer que c'est avec une certaine satisfaction que je me dirigeais vers le tribunal. Grâce à la générosité de Sammy Liston, j'avais deux clients à défendre ce matin-là.

Comme d'habitude, je fis la connaissance de mes deux clients peu de temps avant le procès. La première – il s'agissait d'une jeune fille de vingt ans, jolie, mais avec les yeux tristes qu'ont la plupart des gens que je défends – en était à son second délit pour simple possession. Elle fut condamnée au temps déjà passé en préventive, et eut droit à un sermon sévère du juge Odom qui comportait les classiques : «Je ne veux plus vous revoir devant cette cour, miss Harmon», et : «Si j'entends dire que vous avez manqué un seul de vos tests antidrogue, je vous renvoie en prison.» Le bla-bla habituel.

Mon travail était si répétitif que j'étais heureux d'avoir à défendre mon second client, Michael Harrod. Pour une fois il ne s'agissait pas de drogue. Et son crime n'en était pas vraiment un : vol à l'étalage.

Son apparition fit sensation, ce qui est tout dire, quand on voit les drôles d'oiseaux qui défilent habituellement devant le juge Odom. Harrod était coiffé avec les cheveux en épi, et, comme le fameux manteau de Joseph, les épis étaient en Technicolor. Les nombreux piercings qu'il arborait un peu partout étaient fort pénibles à regarder. Son T-shirt, qui affichait le logo du groupe musical Nine Inch Nails, et recouvrait une poitrine un peu concave, aurait eu grand besoin d'être lavé. Mais en dépit de l'air terrifiant qu'il voulait se donner, avec son mètre soixante-cinq et ses soixante kilos tout mouillé, il était à peu près aussi effrayant qu'un premier communiant. À en juger par son teint blafard, qui rappelait le pain pas encore cuit, il n'avait pas dû voir le soleil depuis plusieurs années. Il semblait si nerveux que le moindre bruit inattendu l'aurait probablement soulevé du sol. Je le rencontrai à l'extérieur du tribunal, environ une heure avant son procès.

– Jack Hammond, annonçai-je. (Il fit mine d'ignorer ma main tendue.) Vous êtes bien Michael Harrod?

– Appelez-moi Nightmare, répondit-il.

J'éclatai de rire. Impossible de m'en empêcher. L'effet comique du nom qu'il se donnait, par rapport à son apparence, était irrésistible.

– Je m'adresse à Mr. Nightmare, ou est-ce que Night est votre prénom et Mare[1] votre nom?

---

1. En anglais, *nightmare* signifie cauchemar, *night*, nuit et *mare*, jument. (*N.d.T.*)

Fermant à demi les yeux, Harrod me jeta un regard soupçonneux, sans doute sa façon à lui de se montrer arrogant.

— Bon, dit-il. Vous feriez mieux de me dire ce que je dois faire pour me tirer de ce merdier. C'est pour ça que vous êtes ici, non ?

Je sais faire preuve d'une patience infinie avec mes clients mal embouchés ou mal lunés. Il me suffit de ne pas oublier que la plupart d'entre eux n'ont jamais eu de papa et que, dans quelques minutes, ils vont affronter le père Fouettard. Je veux parler du juge Thomas Odom. C'est un homme plutôt conciliant mais, s'il le faut, il est capable de se montrer très rébarbatif ; et les fautifs savent qu'il détient le pouvoir de les envoyer en enfer. Alors, son sermon est le plus souvent assez efficace. Il suffit en général de deux minutes pour que l'attitude de quelqu'un ayant commis son premier délit – celle du jeune connard revenu de tout, par exemple – se transforme progressivement pour en arriver à celle du bébé pleurnichard. Il ou elle remonte le temps, franchissant péniblement son adolescence douloureuse, pour atteindre l'époque où un véritable père aurait réglé son excès d'insolence par une fessée.

— Écoutez, Nightmare, dis-je d'un ton calme, même si personnellement je vous trouve charmant, je vous conseille néanmoins d'adapter votre comportement à la circonstance. Le juge Odom aime que ses victimes soient un peu plus contrites.

Nightmare m'observa un moment en silence, comme s'il pesait mes paroles.

— Je sais sourire, dit-il enfin, et je me sens même capable de faire des courbettes au juge.

— Parfait, commentai-je en ouvrant son dossier. D'après ce que j'ai pu lire, vous n'avez pas bien compris à quel moment vous auriez dû payer les marchandises que vous veniez de choisir dans un magasin ?

— J'en avais besoin, et ce que j'ai pris coûtait presque rien.

— Alors pourquoi ne pas le payer ?

— Je n'avais pas l'argent. De toute façon, tout ça, c'est de la vieille économie.

— De la vieille économie ?

Nightmare me regarda d'un air vaguement dédaigneux.

– Vous, par exemple, vous êtes vieille économie. Vous êtes un dinosaure. (Il fit un geste arrondi qui englobait tout le tribunal.) Tout le système est vieille économie.

– Ainsi, nous sommes des dinosaures ?

Ce gamin commençait à me taper sérieusement sur les nerfs.

– Oui, comme les gouvernements, les armées, les guerres... Tout ça, c'est de la vieille économie. C'est en train de crever et vous ne vous en rendez même pas compte.

– Laissez-moi deviner : ne pas payer ce dont on a envie, c'est la nouvelle économie ?

– Avez-vous la moindre idée de la rapidité avec laquelle le monde change ? Vous croyez vraiment que je devrais renier mon propre monde pour cinq dollars de composants électroniques ?

Je baissai les yeux vers le dossier.

– C'est vrai ? Il s'agit de cinq dollars ?

– Tout à fait vrai. Cinq dollars de connecteurs pour un composeur automatique.

– C'est quoi, un composeur automatique ?

– Un machin qui compose les numéros automatiquement.

– C'est pour un ordinateur ?

– Possible, admit-il à regret.

Je compris en un éclair que Nightmare était un pirate informatique. La seule différence avec le cambrioleur de base, c'est que lui se servait de son ordinateur pour commettre ses effractions. Dix secondes après que j'ai eu cette illumination, je mettais au point un plan dans ma tête. J'étais certain d'avoir affaire à un expert dont les talents me seraient précieux pour faire cracher à l'ordinateur de Doug Townsend ce qu'il avait dans le ventre. Comme ce garçon me paraissait être du genre à rendre service seulement s'il y était contraint et forcé, je devais me débrouiller pour qu'il devienne mon débiteur. Il me suffisait de cinq minutes pour y parvenir.

Je regardai de l'autre côté du hall où l'assistante du *district attorney*[1] assignée à son affaire discutait avec un homme brun obèse d'environ trente-cinq ans. Je restai à les observer attentivement pendant une ou deux minutes en réfléchissant à ma straté-

---

1. Le *district attorney* – abréviation *DA* – est l'équivalent américain du procureur de la République. (*N.d.T.*)

gie. Puis, sûr de moi, je me redressai brusquement de toute ma taille, et Nightmare, surpris, parut se recroqueviller de quinze centimètres. Je baissai les yeux vers lui en me demandant combien de fois on lui avait botté les fesses à l'école. Mais je demeurais persuadé qu'il était aussi redoutable avec un ordinateur qu'un champion de boxe avec ses poings. L'idée avait beau me déplaire, ce gamin avait raison : le monde *changeait*, et les petits morveux dans son genre allaient hériter des clefs du royaume. Mais pas dans l'immédiat, et en attendant j'avais besoin qu'il me fasse une fleur.

— Écoutez-moi bien, dis-je d'un ton sans réplique. Je suis certain que je vais adorer le monde que vous et vos potes techno-anarchistes êtes en train de construire. Mais, pour l'heure, la vieille économie va vous foutre en tôle si vous ne faites pas à la lettre — j'insiste, à la lettre — ce que je vais vous dire.

— Personne ne va me foutre en tôle pour cinq dollars.

— Michael...

— Nightmare, me reprit-il.

Cette fois-ci, je montrai les dents. Je n'étais pas en colère, tout juste pressé. Si nous étions appelés maintenant devant Odom, il serait alors trop tard.

— D'accord, Nightmachin de mes deux. J'en ai rien à cirer de ton nom. Mais tu as intérêt à m'écouter, parce que je suis vieille économie et l'établissement dans lequel tu te trouves aussi! (Là-dessus, je sortis mon portefeuille et lui fourrai un billet de dix dollars dans la main.) Suis-moi, intimai-je, et fais exactement ce que je te dirai de faire.

Interloqué, Nightmare n'en fourra pas moins le billet dans sa poche et nous traversâmes le hall ensemble. L'homme brun nous aperçut tout de suite et s'écria :

— Voilà le petit voyou qui m'a chapardé du matériel électronique!

— Je ne vous ai rien volé à *vous*. Radio Shack est une multinationale qui ignore jusqu'à votre existence. Rien qu'en papier-cul, ils dépensent plus que le salaire qu'ils vous versent.

Je pris Nightmare par le bras et serrai très fort. Il fit une vilaine grimace, ce qui ne me surprit pas, car il avait à peu près autant de muscles qu'un cure-dents. Je saluai l'assistante du district attorney d'un signe de tête, avant de me tourner vers l'homme brun en affichant mon plus beau sourire.

— Et vous êtes? demandai-je.

— Vincent Bufano, répondit-il. Le directeur de Radio Shack.

— Mr. Bufano, continuai-je. Mr. Harrod, ici présent, a de l'argent à vous remettre.

Bufano regarda Nightmare qui se tortillait car je n'avais pas relâché la pression de ma main sur son bras.

— Donnez-lui l'argent, Michael, conseillai-je.

Il ouvrit la bouche pour parler, et je pressai si fort mon pouce sur son biceps atrophié qu'il parut se ratatiner. De sa main libre, il fouilla dans sa poche où il prit le billet de dix dollars pour le tendre à Bufano.

— Et maintenant, repris-je, Michael aimerait vous dire quelque chose. (Comme il se taisait, j'insistai :) Dites au monsieur que vous regrettez, Michael.

Nightmare essaya de se dégager, mais il n'était pas de force. Il murmura alors deux ou trois mots entre ses dents et Bufano laissa échapper un ricanement méprisant. J'accentuai la pression de mon pouce en cherchant l'espace entre deux tendons. Puis je le fis glisser d'avant en arrière. Nightmare se redressa avant d'énoncer d'une voix claire :

— Je regrette. (Encore un aller et retour de mon pouce.) Je vous prie de m'excuser.

— Et vous m'avez promis de ne jamais plus recommencer, n'est-ce pas, Michael?

— Oui, acquiesça-t-il, j'ai promis de ne jamais plus recommencer.

Bufano l'observa pendant quelques instants de ses yeux enfoncés dans la graisse de son visage, puis il plia le billet de dix dollars qu'il mit dans sa poche en disant :

— Ne t'avise surtout pas de remettre les pieds dans mon magasin, petit voyou.

Je regardai alors la représentante du DA, qui avait assisté à notre échange avec un sourire déconcerté. Elle n'avait pas plus envie que moi de perdre deux heures avec une affaire aussi futile.

— Je suppose que je peux laisser tomber les charges, dit-elle, si Mr. Bufano n'y voit aucun inconvénient.

Le gros homme regarda encore une fois Nightmare, visiblement réjoui de cette façon de pratiquer la justice, et laissa tomber :

— Ça ira comme ça. Mais comme je l'ai déjà dit, qu'il ne s'avise pas de revenir dans mon magasin.

— Alors, nous en avons terminé ? demandai-je à l'assistante du DA.

— Eh bien, oui, acquiesça-t-elle en riant franchement. Vous pouvez partir, ajouta-t-elle en s'adressant à Nightmare.

Ce qu'il ne fut pas en mesure de faire, car je le tenais toujours solidement par le bras.

— Dites merci à la vieille économie, Michael, exigeai-je.

— Merci, murmura-t-il.

Je le libérai enfin, et il traversa le hall en se massant le bras. Je serrai la main de Bufano et pris congé de l'assistante du DA avant de rejoindre Nightmare.

— Vous m'avez fait vachement mal, mec, se plaignit-il. C'était pas nécessaire.

— Laissez-moi vous poser une question. Dans quelle économie vous classez la prison ?

— N'essayez pas de me faire croire que je serais allé en prison pour une histoire de cinq dollars !

— Mon cher Nightmare, vous êtes peut-être l'avenir du monde, mais vous ne connaissez pas grand-chose à la législation de l'État de Géorgie.

— Où voulez-vous en venir ?

— Les législateurs ont estimé que les juges étaient trop laxistes, et maintenant la loi les oblige à prononcer une condamnation minimale, même pour un petit vol à l'étalage. Vous auriez hérité d'une amende de cinq cents dollars plus les dépens.

— J'ai pas cinq cents dollars.

— Plus les dépens.

— Ça change pas le problème.

— Dans ce cas, vous auriez pris dix jours dont quatre avec sursis.

— Pour cinq dollars.

— La vieille économie ne rigole pas.

Je voyais les engrenages se mettre en route dans la tête de

Nightmare. La gratitude était un concept relativement nouveau pour lui, voilà pourquoi il lui fallut un certain temps avant de dire :

— O.K., mec, merci.

— Je me suis contenté de faire mon boulot.

— Mais vous m'avez tiré de cette embrouille. Sans vous, j'étais dans la merde.

— C'est vrai.

— Je regrette, mais j'ai pas les dix dollars.

— Vous pouvez me rembourser d'une autre façon.

Son expression se fit faussement indifférente.

— Nous y voilà, dit-il.

— Je peux parfaitement vous imaginer dans la prison du comté, où ils dorment à trente par salle sur des lits de camp. Un petit gars blanc et mince comme vous aurait beaucoup de succès vers deux heures du matin.

Nightmare fut agité d'un frisson.

— D'accord, qu'est-ce que vous voulez? Mais attention à ce que vous allez me demander.

— Quelque chose qui est parfaitement dans vos cordes, assurai-je. Je veux que vous piratiez un ordinateur.

Le visage de Nightmare, tout pétri d'insolence, exprima alors la surprise, puis ses lèvres se retroussèrent en un sourire narquois.

— En effet, admit-il. C'est dans mes cordes.

# 6

Derek Stephens n'attirait pas ma sympathie, c'est le moins qu'on puisse dire. Sa marque de fabrique, une attitude d'une arrogance décadente, n'avait jamais été ma tasse de thé. Sans doute parce que, à Dothan, on n'aurait pas hésité à lui botter le cul pour lui ouvrir une perspective différente sur la vie – après quoi il aurait pu quitter la ville pour gouverner le monde, mais avec moins d'arrogance. Voilà pourquoi, en arrivant au bureau, vers midi, je me mis à fulminer intérieurement en trouvant ma secrétaire perdue dans la contemplation des fleurs qu'il lui avait fait livrer. Blu tenta de minimiser l'importance du geste, disant que c'était par simple politesse et que, pour lui, cela représentait bien peu de chose. Elle ne se rendait sans doute pas compte à quel point c'était vrai. S'il avait déjà beaucoup d'argent avant l'introduction en Bourse d'Horizn, il allait devenir fabuleusement riche après. Quoi qu'il en soit, trente-six roses représentent une déclaration sans équivoque, fussent-elles jaunes.

Blu arborait un air radieux. Atlanta regorge de femmes qui mènent des existences en papier mâché, une pâle copie de la vie dont elles rêvaient secrètement. Elles ressemblent à des millionnaires, elles se conduisent comme des millionnaires, elles saisissent la moindre occasion de faire partie de l'entourage des millionnaires, mais elles ne possèdent pas un centime. Pour de telles femmes, Derek Stephens avait la valeur du plutonium. Il était sans prix.

Personnellement, surtout depuis que j'étais devenu un avocat en disgrâce, je ne jugeais pas les gens d'après ce critère. Après avoir regardé Blu renifler ses roses pendant un petit moment, je

70

partis manger un morceau avec Sammy au Rectory, le bar où naguère il vendait les boissons et où aujourd'hui il les achète.

La vie même de Sammy est la preuve qu'une théorie pourtant douteuse est vraie : si vous êtes malheureux, essayez d'oublier vos aspirations. Vous serez surpris de découvrir que vous êtes bien plus heureux sans elles. C'est ce qui s'est passé avec Sammy. Après avoir tiré des bières à la pression pour des avocats durant plusieurs années, sans perdre un mot de leurs conversations, il prit la décision irrévocable de rejoindre leurs rangs. En d'autres termes, il se mit à espérer. Il fit des rêves. Malheureusement, la seule école de droit qui voulut bien l'accepter donnait des cours du soir dans les sous-sols d'une YMCA. Considérant les laissés-pour-compte avec lesquels il fit ses études, il aurait pu reconnaître que le fait d'avoir été reçu dix-neuvième sur dix-neuf n'augurait rien de bon pour son avenir. Au cours de l'année qui suivit sa sortie de l'école, il échoua trois fois au concours d'avocat. Il finit par accepter le poste de greffier du juge Thomas Odom au tribunal criminel du comté de Fulton. Dès la première semaine, il fit une découverte surprenante : en fait, ce qu'il désirait avant tout, c'était porter un costume et posséder un minimum de pouvoir. En résumé, il était satisfait de son sort. Sammy tenait, entre ses mains qui sentaient le whisky, la destinée de plusieurs centaines d'avocats. Il en était ravi.

Quand j'arrivai enfin au Rectory, mon ami greffier avait pris sur moi une avance de plusieurs verres. Boire autant n'améliorait pas vraiment son apparence. La graisse de bébé qui l'avait enveloppé jusqu'au lycée commençait à s'accumuler de façon peu seyante. Il avait le sourire facile, mais les cent et quelques nuits de soûlographie s'alignant derrière lui avaient laissé leurs marques indélébiles sur son visage qui s'empâtait. S'il ne décidait pas sur-le-champ de se prendre en main, il aurait l'air d'un barbon dans six mois.

La première chose que je fis fut de lui commander un whisky. Il allait boire de toute façon, et je m'efforce de ne pas porter de jugement de valeur sur ce que les gens appellent leurs distractions. Je m'apprêtais à lui soutirer des renseignements et j'allais flanquer sa journée en l'air ; alors je ne pouvais faire moins que de lui offrir un verre. Sammy, ne se doutant pas une seconde

71

des mauvaises nouvelles que j'avais à lui annoncer, divisait équitablement son attention entre la glace en train de fondre dans son whisky et la serveuse qui s'activait de l'autre côté du bar. En le voyant dans cet état, je me dis qu'il fallait que j'active un peu les choses, sinon, nous allions avoir une conversation à trois verres chacun.

— Sammy, commençai-je en m'asseyant à sa table, j'ai besoin de te poser deux ou trois questions.

— Quel genre de questions?

— J'aimerais d'abord savoir qui fait la loi au McDaniel Glen, de nos jours.

Il n'eut pas besoin de réfléchir longtemps.

— Jamal Pope.

— Pope? Mais je croyais qu'il était...

— Non, il en est sorti. Et il fait même d'excellentes affaires, à ce qu'on raconte. (Il avala une gorgée.) C'est toujours au sujet de Townsend?

— Oui, avouai-je. Je veux savoir où il a pu se procurer ce putain de Fentanyl et essayer d'apprendre dans quelle disposition d'esprit il se trouvait au cours des derniers jours de sa vie.

— Je ne pense pas que Mr. Pope soit du genre bavard.

— Moi non plus. Tu n'as rien sur lui qui m'aiderait à le convaincre?

Sammy s'appuya au dossier de son siège. Fort heureusement, il n'avait pas encore ingurgité assez de Seagram's pour avoir l'esprit brumeux.

— Peut-être bien que oui, dit-il au bout d'un petit moment de réflexion. Tu t'es débrouillé pour faire relaxer cette ordure de Keshan Washington il y deux ou trois mois, pas vrai?

— Exact, Sammy. Mais ce n'est pas moi qui ai fait la loi. Un feu rouge cassé ne donne pas le droit à un flic de fouiller au corps un automobiliste.

— Ouais, je sais, tes clients sont de grands incompris. N'empêche que grâce à toi, Mr. Washington est de nouveau libre d'arpenter les rues d'Atlanta. Ça t'intéresse de savoir quelles sont ses occupations, présentement?

Je me tournai vers lui.

— Il bosse pour Jamal Pope?

— En plein dans le mille! acquiesça Sammy. Alors, d'après la loi du milieu, le roi du Glen t'est redevable. Possible qu'il t'invite à dîner.

— Merci, Sammy, dis-je sincèrement. Je peux faire quelque chose pour toi?

— Oublie ton manuel de droit et aide-nous à faire coffrer les méchants.

— Je vais y penser.

— Écoute, Jack, si tu veux vraiment aller là-bas, tu devrais demander à Billy Little de te faire accompagner par un flic en uniforme.

— Ce serait le meilleur moyen pour que Mr. Pope se referme comme une huître.

— Si tu as envie de te faire descendre, c'est ton problème. Pour ce que j'en ai à faire.

Sur ces bonnes paroles, Sammy attira d'un grand geste l'attention de la serveuse, qui se dirigea vers notre table. Vêtue d'une minijupe, elle était tout en jambes et en seins. Je passai commande de mon sandwich et mon compagnon se contenta de dire :

— Encore deux, en faisant le signe de la victoire avec deux doigts. (Puis il ajouta :) Et un pour vous, mon ange.

La serveuse, âgée d'une vingtaine d'années, ne leva pas les yeux au ciel, ce qui est à porter à son crédit. Elle se contenta de sourire et de regagner le bar d'une démarche souple, en pensant très certainement à son petit copain maître nageur. Mais il ne fallut pas plus de trente secondes à mon pauvre compagnon pour oublier la serveuse, parce que c'est exactement le temps qu'il me fallut pour lâcher ma bombe sur lui.

— Sammy, j'aimerais aussi que tu me dises ce que tu sais sur Derek Stephens.

— Pourquoi t'intéresses-tu à Stephens? demanda-t-il en haussant les sourcils.

— T'occupe! Dis-moi ce que tu sais.

— Il passe son temps à la cour fédérale où il réduit des gens en bouillie pour le compte d'Horizn Pharmaceuticals. C'est presque toujours des questions de propriété intellectuelle, de petits concurrents qui grignotent les brevets d'Horizn.

— Ça ne doit pas être un tendre.

— Chaque fois qu'il vient au tribunal, on entend chuchoter de tous les côtés. Parce que personne ne peut le blairer.

— Pourquoi?

— Le type même du parfait connard, assura Sammy en levant les yeux au ciel. Il traite tout le monde comme de la merde et il s'en sort parce qu'il est brillant, il faut bien l'admettre. Au bout d'un moment, ça devient tout de même un peu casse-cul! Sans compter qu'il saute sur toutes les chouettes nanas qui passent à sa portée.

— Il n'est pas marié?

Sammy fit non de la tête.

— Il a une copine, même si à le voir faire c'est difficile à croire. Pourtant, je l'ai aperçue trois ou quatre fois. Très élégante et distinguée. Je crois qu'elle est prof de fac, ou un truc dans le genre. En tout cas, ce que je peux te dire, c'est qu'à sa façon de marcher on croirait qu'elle a son diplôme enfoncé dans le cul.

— Elle est coincée?

— Plus que ça! Elle avance sur la pointe des pieds comme si elle avait peur de salir ses chaussures. Et j'ai vu qu'elle portait une énorme bagouse, un vrai bouchon de carafe.

— Tu veux dire qu'ils sont fiancés officiellement?

— Ça m'en a tout l'air. Mais je suis sûr qu'elle n'est pas du genre à se coucher quand on lui dit de s'asseoir. C'est sans doute pourquoi il chasse les petites secrétaires. (Il se rafraîchit la gorge.) Elles ont beau savoir qu'il se moque d'elles, elles le suivent comme des toutous. Après elles pleurent.

— Elles le considèrent peut-être comme un défi, une bête sauvage à apprivoiser?

— Elles le considèrent plutôt comme le sac de fric qu'il est. Il s'est même débrouillé pour obtenir l'autorisation de se garer dans le parking souterrain, pour ne pas laisser sa Ferrari de merde exposée aux éléments.

— Il roule en Ferrari?

— Seulement quand il fait beau et qu'il n'y a pas le moindre petit nuage en vue. Mais ce n'est pas ce qui compte.

— Et qu'est-ce qui compte?

— Que Derek Stephens est capable de convaincre n'importe qui de faire n'importe quoi.

Je hochai la tête en silence, l'imaginant en train d'utiliser ses talents pour persuader Blu de lui céder. Je n'aurais pas dû intervenir. Je n'avais aucun droit de le faire. Mais une occasion pareille serait difficile à retrouver. J'ouvris donc la trappe de la soute à bombes.

— Mon vieux Sammy, dis-je, je vais te donner une nouvelle raison de vivre.

— Allons donc.

— À partir de ce moment précis, tu sauras pourquoi tu te lèves le matin, c'est pour rendre impossible la vie à Derek Stephens.

— Et pourquoi diable ferais-je une chose pareille, cher ami?

Je regardai une dernière fois dans le viseur avant de lâcher l'engin infernal.

— Parce que la prochaine fille qu'il va faire pleurer, c'est celle que tu aimes : Blu McClendon.

L'expression de Sammy Liston m'apprit tout ce que j'avais besoin de savoir. La guerre était déclarée. Sans ultimatum préalable.

D'un côté, je me disais qu'il fallait que Blu sache à quoi s'en tenir sur Stephens, et, de l'autre, je jugeais que ce n'était pas à moi de le lui apprendre. Surtout parce que notre relation employeur/employée n'avait encore jamais franchi la barrière de la vie privée. Je me disais aussi qu'à vingt-huit ans, belle comme elle était, se faire draguer par des hommes mariés ne devait pas être exceptionnel; alors elle devait savoir depuis longtemps à quoi s'en tenir. En outre, j'ignorais jusqu'à quel point je devais me méfier de Stephens. Briser les concurrents faiblards d'Horizn et s'occuper de toutes les jolies femmes qui passaient à sa portée ne devrait pas lui laisser beaucoup de temps libre pour conter fleurette à ma secrétaire. Et, de toute façon, je venais de monter Sammy contre lui, ce qui allait probablement faire diversion.

En ce qui me concernait, je voulais me consacrer à mon enquête sur la disparition de Doug, découvrir les véritables circonstances de sa mort. Et se lancer dans une investigation quand on ne possède pas le moindre indice est simple comme bonjour. Ça consiste en gros à secouer des arbres, en espérant qu'il va en tomber quelque chose. Si les circonstances de la mort de mon ami restaient floues, j'avais au moins une certitude : il avait mis la main sur une quantité suffisante de Fentanyl pour quitter le triste monde dans lequel il s'était enfermé. Alors, au début du même après-midi, vers deux heures et demie, je pris la sortie Ralph Abernathy, après avoir emprunté l'I-75, tournai à gauche dans Pollard et fonçai tout droit vers le quartier McDaniel Glen.

Atlanta est une ville en perpétuelle démolition et reconstruction, et les quartiers qui entourent le Glen ne font pas exception. Tandis que d'importantes sommes d'argent sont envoyées vers le nord, en un flot quasi continu, tout ce qui a été bâti entre le centre et les quartiers périphériques sud semble avoir rouillé. Quelques immeubles ressemblent à ceux de Beyrouth après les bombardements. Un vrai ghetto, loin des faubourgs où s'élèvent de superbes demeures sans âme entourées de pelouses soigneusement dessinées et tondues. Et le maire noir de la ville s'est servi du prétexte des Jeux olympiques pour démolir les constructions les plus délabrées, obligeant leurs occupants à émigrer plus au sud. Résultat, quelques Blancs reviennent s'installer dans les plus vastes et les plus solides monstruosités architecturales de ces quartiers. De vieilles usines sont transformées en lofts très chics, à quelques mètres de maisons condamnées et de voitures rouillées. Différentes classes sont ainsi amalgamées, et il s'ensuit une étrange incohérence. Les investissements faits pour les Jeux olympiques n'ont pas profité au Glen. Il survit pourtant, stoïque et inchangé, relique d'une époque particulièrement hideuse. D'une façon générale, ce n'est pas un endroit qui respire la joie de vivre. Il s'agit davantage d'un bouillon de culture pour la désespérance, et le crime s'y propage comme la peste en Europe au Moyen Âge.

Pour s'approcher du Glen, il faut tourner à gauche à la hauteur de l'entreprise de pompes funèbres Pollard – judicieusement placée pour rappeler que tout n'est pas rose en ce bas monde –, puis passer devant l'hospice si bien nommé de Notre-Dame-du-Perpétuel-Secours. Ensuite, il reste à traverser Pryor Street et à longer les domiciles des quelques chanceux qui ont réussi à emménager dans des maisons décentes, construites pour les Jeux olympiques, au milieu d'un environnement assez correct. Mais, au virage suivant, vous découvrez la publicité, haute de dix étages, qui vante la production de la défunte usine de pneus Toby Sexton. Cet édifice énorme n'a plus de fenêtres, ses murs tombent en ruine et disparaissent sous les graffiti. C'est à cet endroit exactement que tous ceux qui ne vivent pas dans le Glen s'exclament : «Oh, mon Dieu, non!» et essaient de localiser un endroit où ils pourraient faire demi-tour. L'instinct de conservation, exacerbé par la diffusion de programmes violents et autres journaux télévisés, injecte à tout va de l'adrénaline dans le sang. Dès que vous avez repéré un endroit où vous pouvez manœuvrer, vous vous arrêtez avec naturel, comme si vous veniez juste rendre visite à une vieille tante, puis vous foncez vers les zones civilisées d'Atlanta, sillonnées par des patrouilles de police.

Une grande partie de cette adrénaline aura été gaspillée en vain. S'il fait jour – si vous n'êtes pas au volant d'un véhicule tout-terrain à quatre roues motrices arborant un drapeau confédéré sur ses plaques d'immatriculation –, il y a peu de chances qu'on vous agresse. Si vous conduisez une Buick déglinguée comme la mienne, on essaie de vous vendre de la drogue le long des dix premiers pâtés d'immeubles, puis les gens vous prennent pour un assistant social et vous fichent plus ou moins la paix.

Le monstre McDaniel Glen n'est qu'uniformité, engourdissement – c'est un broyeur d'âmes. Le quartier est gigantesque, plus de onze cents bâtiments identiques, en brique rougeâtre. Bâtisse après bâtisse, allée après allée, la même brique sale, les mêmes bagnoles rouillées garées le long des rues, les mêmes lessives tristes pendues aux fenêtres. Pour ceux qui vivent ici depuis longtemps, concevoir le monde extérieur devient de plus en plus difficile.

Je suivis l'avenue principale qui traversait le Glen, espérant rencontrer Pope. Des dealers, et des mômes qui traînaient sans savoir quoi faire, me suivirent des yeux jusqu'à ce que je gare ma voiture. Je savais où j'avais une chance de le trouver. Si, par malheur, votre vie devenait extrêmement difficile, et que la nécessité vous poussait à habiter dans ce genre de quartier, permettez-moi de vous donner un conseil. Chacun de ces monstres plus ou moins semblables abrite en son sein un bureau représentant la municipalité, et les immeubles les plus proches de ce bureau sont les mieux entretenus. On y fait des travaux, et il arrive même que les réverbères bordant les rues qui y mènent fonctionnent. La raison en est simple : quand de gros bonnets arrivent de Washington pour une prétendue visite d'inspection, ils restent toujours dans les environs immédiats du bureau municipal.

Jamal Pope n'est pas seulement le boss du trafic local de drogue, il est aussi fonctionnaire. Les contribuables d'Atlanta ont donc la satisfaction de savoir qu'ils paient son salaire. Il gagne six cent cinquante dollars par semaine comme chef d'entretien pour le Glen, et il y a une photo du Capitole sur son chèque bimensuel, ce qui le rend impossible à contrefaire. Ce salaire est de l'argent de poche, comparé aux trente mille dollars nets d'impôts qu'il récupère tous les mois comme P.-D.G. des «Produits pharmaceutiques McDaniel Glen».

Si vous vous demandez pourquoi il garde son poste de chef d'entretien, la réponse est simple : ce job en fait l'un des hommes les plus puissants qui soient, en dehors des potentats de certains pays du tiers-monde. Cette fonction l'oblige à vivre sur place, ce qui pourrait représenter un certain inconvénient. Mais, d'un autre côté, le monde triste, en ruine, effrayant qui l'entoure constitue un extraordinaire terrain de chasse.

Le symbole du pouvoir de Pope est un trousseau de clefs. Derrière les portes qu'elles ouvrent se trouvent toutes les ampoules électriques, les poignées de porte, les cuvettes de toilettes, tous les robinets, les hectolitres de peinture, les kilomètres de fil électrique, et, comme nous sommes à Atlanta, n'oublions pas les *climatiseurs* que ne cessent de réclamer les résidents (qui réclament sans cesse quelque chose), sur lesquels il règne en maître absolu. Et ce n'est qu'un aperçu de son pouvoir, car il existe un deuxième trousseau de clefs.

Ce deuxième trousseau de clefs – symbole ultime de sa puissance – ouvre les portes des appartements. Il peut pénétrer dans n'importe quelle résidence lorsqu'il lui en prend la fantaisie. Perturber des existences, ou les rendre soudain meilleures, relève entièrement de son bon vouloir. Mais ce n'est pas tout. Il dispose d'un troisième trousseau de clefs qui ouvre les appartements inoccupés.

Dans le commerce de la drogue, fournisseurs et consommateurs préfèrent la discrétion. Et ces appartements vides représentaient la solution idéale pour Jamal Pope, qui faisait à la fois le commerce de gros et de détail. Il contrôlait le tout.

Je sortis de la voiture et avançai le long de la rue qui passe devant le bureau municipal. Je n'avais pas fait vingt pas que Pope, gardien des clefs du Glen, apparut au coin d'un immeuble pour m'observer avec méfiance, essayant d'apprécier si j'étais un client potentiel ou un problème. Il avait une solution pour chacun de ces deux cas. Jamal n'avait pas l'air riche. Frisant la quarantaine, il portait un pantalon de travail très ample et un T-shirt bleu ciel qui portait l'inscription : *Glock Around the Clock* [1]. Nous nous immobilisâmes à une dizaine de mètres l'un de l'autre.

— Vous êtes au courant pour Doug Townsend? demandai-je.

Pope ignora la question et continua de me fixer. Il n'était pas menaçant, il cherchait à me situer. Puis un sourire illumina son visage.

— C'est vous le mec qu'a fait sortir Keshan de tôle. (C'était un peu déconcertant de savoir que le simple fait de faire mon boulot me valait la reconnaissance d'un type dans son genre; mais pour l'instant il était disposé à m'écouter, et c'était le plus important.) J'ai pas vu mon petit Dougie depuis un bon bout de temps, dit-il. Il se montre plus.

— Un demi-gramme, c'est pas exactement le genre de transaction qui vous intéresse, affirmai-je. Mais vous pourriez peut-être poser la question aux sous-fifres.

— 0,49 gramme, corrigea Jamal Pope. (J'acquiesçai d'un signe de tête. Une quantité inférieure à un demi-gramme étant considérée comme une infraction mineure, les dealers s'efforcent de ne pas dépasser cette quantité.) Je vais demander à Rabbit [2], ajouta-t-il. Lui est sûrement au courant.

Rabbit, le dealer en chef de Pope, avait obtenu son job, son surnom et sa renommée dans le quartier pour avoir tué un homme qui essayait d'usurper le territoire de Jamal. Il gagnait

---

1. Jeu de mots avec la chanson *Rock Around the Clock*. Le Glock est un pistolet. (*N.d.T.*)

2. *Rabbit* : lapin. Un lapin a la réputation de courir vite et les jeunes trafiquants sont baptisés *runners* : coureurs. (*N.d.T.*)

mille dollars par semaine et dirigeait une équipe d'une dizaine de dealers. Âgé de quatorze ans, il était aussi le fils de Pope.

Jamal Pope sortit un téléphone portable de sa poche et composa un numéro. Moins de cinq minutes plus tard, Rabbit vint nous rejoindre à vélo.

— Ouais ? interrogea-t-il.

Il paraissait plein d'énergie, mais je vis qu'il était mort au fond des yeux. Malgré la chaleur, il portait un sweat-shirt noir à manches longues de l'équipe de football américain des Oakland Raiders.

— Réponds aux questions de cet homme, négro, lui dit son père. Jusqu'à ce que je te dise de t'arrêter.

L'affection mutuelle que se portaient le père et le fils était touchante.

— Écoute, Rabbit, dis-je, j'essaie d'apprendre ce qui est arrivé à Doug Townsend.

— Mort, répondit-il avec un haussement d'épaules. Depuis plusieurs jours.

— Ça, je le sais. Mais ce que je voudrais savoir, c'est s'il continuait à consommer.

— Y a longtemps qu'il était pas venu traîner son cul de Blanc par ici.

— Tu ne l'as jamais vu acheter du Fentanyl, des fois ? demandai-je.

Pope intervint avec véhémence.

— Je touche pas à ce genre de produit, dit-il. Je tiens pas à tuer mes clients.

— Je vais vous dire un truc, dit Rabbit. Le mec Dougie s'envoyait un produit bizarre.

— Bizarre.

— Ouais, même que j'peux pas me rappeler le nom. Trop compliqué. Un vrai nom de médicament à la con. Je vous jure que je suis pourtant calé sur la question.

En dépit de son jeune âge, Rabbit était aussi à l'aise pour parler de tous les produits illicites en circulation qu'un homme d'affaires discutant du cours du blé en Ukraine.

— Les analyses ont montré qu'il avait pris du Fentanyl avant de mourir, précisai-je. Toi, tu n'en vends pas, c'est une affaire entendue. Alors où est-ce que quelqu'un qui en cherche doit s'adresser?

Rabbit réfléchit pendant une minute.

— Moi, je dirais Dilaudid Avenue[1].

Je hochai la tête en signe d'assentiment. La 7e Rue, surnommée Dilaudid Avenue parce qu'elle était la plaque tournante du trafic de drogue, se trouvait en face du quartier Perry Homes.

— Tu connais quelqu'un dans le coin? demandai-je. (Rabbit consulta son père du regard, et, cette fois, Pope fit non de la tête.)

— C'est vachement dur à trouver dans la rue un truc pareil, poursuivit-il pour noyer le poisson.

J'essayai d'imaginer Townsend dans le rôle de vendeur de drogue lui-même, une supposition impossible à écarter d'emblée, quand on a affaire à un junkie. Si le pauvre Doug avait emprunté cette route, elle l'avait très certainement conduit vers des difficultés accrues. Je me tournai vers Pope.

— Si quelqu'un voulait obtenir certaines substances médicamenteuses en grosse quantité, il devrait s'adresser où?

Jamal Pope réfléchit un bon moment. Dieu sait ce qu'il lui passait par la tête et quels rouages de son cerveau s'étaient mis en branle. Pourtant, quand il parla enfin, sa solution était la simplicité même.

— Moi, je me trouverais un toubib, laissa-t-il tomber. Je passerais un accord avec lui, vous savez, une histoire de pourcentage. Ou mieux encore un pharmacien. Ça dépend de quelles quantités on cause. Un pharmacien peut en manipuler de plus importantes.

— Je ne pense pas que vous connaissiez...

— Vous avez épuisé votre temps de parole, me coupa-t-il.

Il n'avait pas l'air en colère. C'est simplement qu'avoir près de lui un Blanc tenant un vieil attaché-case à la main, ce n'était pas bon pour le business.

— Dernière question, tentai-je. Vous avez entendu parler d'une femme qui s'appelle Michele Sonnier?

— Sonnier.

---

1. En français, dilaudide, dont le nom savant est dihydromorphinone. (N.d.T.)

– Ouais. C'est une chanteuse d'opéra.

Le visage de Pope se plissa d'un sourire malicieux.

– Ah oui. Ça c'est une musique qui me fait bander. (Sur ces paroles imagées, il regarda ma Buick d'un air plein de commisération et, la désignant à son fils, il déclara :) Regarde bien, négro. Tu vois où ça mène d'être honnête.

Là-dessus, ils éclatèrent de rire tous les deux et disparurent dans le labyrinthe des immeubles rectangulaires et identiques.

# 7

Je m'étais plongé dans cet état de semi-indifférence qui aide à supporter la circulation automobile d'Atlanta aux alentours de midi, mais les paroles de Pope résonnaient toujours dans mes oreilles. Je me dirigeais vers les quartiers sud pour regagner mon bureau, et faisais pour ainsi dire du surplace sur une rampe d'accès en béton complètement engorgée. En outre, j'avais prévu de m'arrêter en route afin d'effectuer une visite devenue sacrée pour moi.

Avec, parfois, des vitesses de pointe de quarante kilomètres/heure, je finis par atteindre la rue Martin Luther King – très encombrée elle aussi –, qui mène au cœur de la partie la plus ancienne et la plus délabrée d'Atlanta. Je m'arrêtai un instant devant une boutique, toujours la même, pour y prendre le petit paquet que j'avais fait préparer : mon offrande. Encore quelques minutes d'embouteillages, et j'escaladai une colline en pente douce pour déboucher sur Oakland Avenue[1]. Arrivé là, je pouvais apercevoir l'entrée du lieu où je me rendais.

Comme l'avenue du même nom, le cimetière d'Oakland devait son nom à ses arbres, et datait de l'époque où une acre de terre verdoyante d'Atlanta ne valait pas des millions de dollars. Se promener à travers cette étendue paisible, non seulement plantée de chênes, mais aussi de sapins du Canada et de saules inclinant gracieusement leurs branches vers le sol, c'est échapper au tohu-bohu urbain et se retrouver dans un lieu où l'âme peut prendre un peu de repos. Il y a là une cinquantaine d'hectares de tranquillité et de souvenirs historiques. Les bruits de la ville

---

1. *Oak* : chêne ; *Oakland* : terrain planté de chênes. (*N.d.T.*)

qui parviennent à s'y frayer un chemin s'étouffent dans les feuilles frémissantes d'arbres qui ont connu Abraham Lincoln.

Je me garai, sortis de ma voiture et laissai la paix qui régnait en ces lieux descendre sur moi. J'allais devoir marcher quelques minutes, mais je n'étais pas pressé. Avançant sans hâte, je foulais avec délectation l'herbe verte, laissant le vent tiède me caresser le visage. L'environnement m'était devenu familier et, chaque fois, je déchiffrais au passage les noms sur les pierres tombales. C'était un peu comme une leçon d'histoire. L'histoire de l'héritage des Américains blancs du Sud : Andrews, Sullivan, Franklin, Peery. Rangée après rangée, cent cinquante années de sang sudiste défilaient sous mes yeux. Il fut un temps où cette partie d'Atlanta était le centre de l'univers sudiste. Et l'on avait déjà coutume d'enterrer les gens riches et célèbres à Oakland avant la guerre de Sécession.

Arrivé devant un grand mausolée – bâti par une famille assez riche pour installer ses morts dans une forteresse de solitude –, je tournai à gauche. J'avais presque atteint ma destination. Je comptai encore six tombes en gravissant une petite éminence, m'arrêtai, ému, et dirigeai mon regard vers la droite. Gravés sur une pierre tombale de marbre presque translucide, je pus relire ces mots inattendus : *Ramirez, Violeta. 1974-1997. La flor inocente. Bella como la luna y las estrellas.*

J'avais investi quasiment tout l'argent que je possédais encore en quittant Carthy, Williams et Douglas dans ce petit morceau de terrain et dans la dalle de marbre. Cela n'avait aucune espèce d'importance. La seule chose qui comptait à mes yeux, c'est qu'ici, entourée par l'élite fortunée d'Atlanta, gisait Violeta Ramirez, fleur innocente, aussi belle que la lune et les étoiles.

Je déposai sur le marbre les tulipes rouges qui faisaient penser à une flaque de sang. Je fermai ensuite les yeux en disant une prière fervente pour le repos de son âme et une autre pour la mienne.

De retour à mon bureau, Blu me tendit une longue liste de messages. L'un provenait du district attorney au sujet d'une déposition ; d'autres de clients, certains sensés, d'autres pas ; le plus long était celui de la mère, déchaînée, d'un garçon qui avait été condamné la semaine précédente. Étant donné que j'avais fait la connaissance de son fils trente minutes avant sa comparution, il est fort possible que sa défense ait été quelque peu bâclée. Mais, de toute façon, tout le monde étant persuadé de sa culpabilité, il s'agissait là d'un détail académique.

Je me sentais un peu coupable envers Blu; toutes mes ruminations concernant l'éthique m'obligeaient à me demander si j'avais bien fait de lâcher Sammy aux trousses de son nouveau sigisbée. Stephens trompait sa régulière, ce qui faisait sans doute de lui un être dégoûtant, mais un être dégoûtant qui saurait se défendre; j'en étais certain. Toutefois, Sammy était sudiste et lui pas, d'où un net désavantage dans la partie qu'ils allaient disputer tous les deux. Si jamais vous vous retrouvez en numéro trois dans une liaison, priez pour que l'autre soit du Wyoming ou en tout cas d'ailleurs. S'il est de Géorgie, ou – que Dieu vous vienne alors en aide! – d'Alabama, comme Sammy, vous vous retrouverez en fâcheuse posture.

Ignorant tous les messages, je m'assis pour réfléchir. La référence de Rabbit à des produits pharmaceutiques me taraudait. Je ne voyais vraiment pas ce que Doug aurait pu en faire, même s'il se les était procurés d'une façon légale. Le déclin de Doug Townsend ne présentait aucun caractère particulier; il avait commencé par prendre de l'ecstasy, ce qui collait à sa personnalité, avant de passer à la coke, puis à divers mélanges. C'est ce qu'il y a de pire avec les jeux de la drogue : les utilisateurs essaient de faire preuve d'imagination; ils font des mélanges, coke-ecstasy, speed-ecstasy, Dieu-sait-quoi-ecstasy, passant d'un produit à l'autre. Certaines des substances qui circulent à Atlanta portent même des noms de personnages de dessins animés, comme Daffy Duck. Pourtant, Townsend avait fini par conclure que ce qu'il aimait, c'était la coke, et il avait décidé de se passer d'ecstasy. Ensuite, pendant quelques mois, il avait cru trouver le bonheur; puis sa vie s'était de nouveau retrouvée en lambeaux. Le problème, c'est que mon ami ne pouvait pas se payer de la coke pure et qu'il n'était pas partant pour prendre du crack, la solution habituelle des mecs fauchés. Alors, comme beaucoup de types dans son cas, il avait opté pour les amphétamines. C'est bon marché, et, pour ceux qui souhaitent passer leurs nuits à inventer des codes informatiques, les amphétamines possèdent des pouvoirs magiques.

Rien de ce que je savais de lui ne le reliait à Dilaudid Avenue et à Perry Homes. Aussi n'avais-je pas vraiment envie de me balader dans ce coin; d'autant moins que je n'y connaissais personne, et poser la question qu'il ne faut pas au type qu'il ne faut pas risquait de présenter de sérieux inconvénients pour mon intégrité physique. Dans ce genre d'endroit, les nouvelles circulent à la vitesse de la lumière. Mais il existait heureusement une autre solution, et, pour quantité de raisons, il me semblait judicieux de l'exploiter sans plus attendre.

L'ordinateur de Townsend était installé sur une petite table dans mon bureau, et j'étais persuadé que si on arrivait à lui faire cracher ce qu'il avait dans le ventre les questions que je continuais de me poser trouveraient leurs réponses. Je pensais même y trouver la preuve que mon ami ne s'était pas suicidé. En effet, s'il avait programmé sa mort, on découvrirait qu'il avait effacé tout ce qui était trop compromettant. Même les condamnés qui se trouvent dans le couloir de la mort ne souhaitent pas se trouver humiliés après leur exécution.

Je m'emparai donc du téléphone pour appeler Michael Harrod. Je tombai sur son fichu répondeur qui me transmit le conseil suivant par la voix enregistrée dudit Nightmare : «Magnez-vous le train à enregistrer votre message, vous ralentissez la transmission de mes données.» Suivi d'un bip.

— Michael? dis-je. Ce service que vous me devez... Eh bien, l'heure est venue de me le rendre. Je sais que vous êtes là. Vous n'allez jamais nulle part, quand vous n'effectuez pas un raid à Radio Shack. (Aucune réaction.) Nightmare! insistai-je.

Harrod décrocha enfin.

— Oui? bâilla-t-il. Qu'est-ce qu'il y a?

— Je vous ai parlé d'un petit travail, vous vous rappelez?

— Ouais.

— Alors, ce serait une bonne idée de venir jusqu'à mon bureau.

— Ah bon?

— Laissez-moi vous rafraîchir la mémoire. Je vous ai empêché de devenir le compagnon de jeu des joyeux lurons du club de loisirs du comté de Fulton. Il est temps de venir m'en remercier.

Suivit une longue pause. Puis Nightmare finit par demander :

— Il est à qui cet ordinateur, au fait ?

— Quelle importance ?

— J'aime pas les embrouilles.

— Il était à l'un de mes anciens clients.

— Son nom.

— Doug Townsend.

Silence de mort à l'autre bout du fil pendant une quinzaine de secondes. Puis un laconique :

— Je vois d'où vous appelez.

Suivi de la tonalité.

Je n'avais pas compris ce que Nightmare avait l'intention de faire, et je n'avais même pas encore eu le temps de raccrocher, quand j'entendis Blu s'agiter de l'autre côté de la porte qui séparait mon bureau du sien. Après avoir reposé l'appareil, la curiosité me poussa à aller voir ce qui se passait dans la pièce voisine. Ma secrétaire rassemblait ses affaires comme si elle se préparait à partir. Par acquit de conscience, je vérifiai l'heure à ma montre, et il restait encore une bonne heure avant la fermeture. J'étais surpris, car quelles que soient par ailleurs ses insuffisances Blu avait le respect des horaires. Sans rien dire, j'allai m'installer dans l'un des fauteuils réservés aux visiteurs. Je la regardai fourrer un magazine dans son sac, méditant une fois de plus sur la disparité de nos deux vies. Je me demandais quel effet cela pouvait faire de posséder des avantages si limités en nombre, mais si opulents ; et aussi quels sentiments éprouvait une jeune femme aussi jolie qu'elle en entrant dans un bar quand elle s'apercevait que tous les hétéros présents vérifiaient soudain leur pouls ; et quelles pensées couraient dans la tête d'une personne consciente qu'elle n'a que peu de chances de faire coïncider ses avantages avec les aptitudes d'un homme à concrétiser ses rêves. Serait-il important, dans ce cas-là, de savoir que le type en question est un trou du cul de première ? Blu releva la tête et m'adressa un sourire.

— Je vais partir un peu plus tôt, aujourd'hui, si vous n'y voyez pas d'inconvénient, roucoula-t-elle d'une voix qui exsudait l'excitation sexuelle.

– En fait, il reste encore une heure, fis-je remarquer.

– Oh, vous permettez, Jack, n'est-ce pas ? Le téléphone n'a pas sonné depuis un sacré bout de temps. (Il m'était difficile de la contredire sur ce point.) Et j'ai un rendez-vous, insista-t-elle, en glissant son joli pied dans un escarpin bleu marine à lanières.

Je n'avais pas remarqué auparavant qu'elle était pieds nus.

– Rendez-vous avec le dénommé Stephens ?

Son sourire s'élargit. Le temps parut suspendu tandis que j'attendais la réponse. Trois mots m'apprirent tout ce que j'avais besoin de savoir :

– Quel homme adorable ! (Elle attrapa son sac et s'avança vers la porte.) Bien, si vous n'avez plus besoin de moi, je vous dis à demain. Bonsoir, Jack.

Sur ces belles paroles, elle franchit le seuil d'un pas léger, un peu comme si elle flottait sur un coussin d'air. Je restai un moment assis dans mon fauteuil, imaginant Blu en train d'embarquer dans l'avion privé de la société Horizn pour aller faire mille et une emplettes à New York sans avoir un sou à débourser.

Puis je me mis à faire les cent pas. Je fus interrompu par l'arrivée de Nightmare, qui, contre toute attente, avait changé de T-shirt. Celui-ci était décoré du portrait d'une brebis à l'air étonné avec ce logo : *Dolly – Notre chef spirituel*. Son attitude avait également changé. Son excitation était presque palpable. Je la perçus dès qu'il passa la porte.

– Il est où ? demanda-t-il sans prendre la peine de me saluer.

– Apparemment, j'ai prononcé les paroles magiques, constatai-je, en lui indiquant du menton l'entrée de mon bureau.

– Apparemment.

– Est-ce que je dois comprendre que vous connaissiez Doug Townsend ?

– Jamais rencontré. Mais je sais qui était Killah[1].

– Killah ?

– Doug.

– Le surnom de Townsend était Killah ?

– Bon Dieu, mec, essayez de piger qu'on vit dans un univers

---

1. *Killah* : *killer*, tueur. (N.d.T.)

alternatif. Être rebaptisé Killah ne signifie pas qu'on possède un revolver. Il faut traduire par *tueur de fichiers*.

— Vous voulez dire que Townsend s'était fait une réputation parmi les pirates informatiques.

Le visage de Nightmare s'illumina d'un sourire candide.

— C'est quoi, un pirate informatique? demanda-t-il.

Je le regardai un moment en silence.

— L'ordinateur est par là, dis-je, en le précédant dans mon bureau.

Il s'assit devant la petite table où j'avais installé l'ordinateur de Doug et ouvrit une mallette contenant des douzaines de disquettes zip. Il ne lui fallut pas plus de cinq minutes pour découvrir qu'une visite à l'intérieur de l'ordinateur de feu mon ami allait présenter de sérieuses difficultés, ce qu'il commenta sobrement :

— Oh, l'enculé!

— Problème?

— Il y a quasiment rien, dans ce putain d'ordinateur. Il travaillait en se servant de l'ordinateur central de quelqu'un d'autre. À mon avis, celui de la Georgia Tech[1].

— Pourquoi eux?

— Parce que c'est un établissement gigantesque et que les étudiants n'y surveillent pas les choses de trop près.

— Alors, c'est foutu?

— Ça va seulement demander un peu plus de temps.

— Je peux vous offrir à boire? Un Coca?

— Vous avez de l'eau minérale?

— Non.

— Alors, à tout à l'heure.

Apparemment, Nightmare prenait soin de sa petite santé. Je me dirigeais donc vers l'épicerie la plus proche. Quand je revins, le sourire du jeune homme s'était évanoui.

— Il y a une grosse couille, m'informa-t-il.

— C'est-à-dire?

— C'est-à-dire que je suis dans la merde jusqu'au cou.

— Ah, voilà qui m'éclaire, merci.

— Killah a choisi une protection béton. La plupart des mots

_____

1. Georgia Tech : université d'Atlanta. (*N.d.T.*)

de passe ont six lettres, parfois huit. Le sien en a *vingt-deux*. C'est complètement dingue.

— Vingt-deux?

— Et il y a pire. Killah utilisait un encodage 4096-bits. Alors le nombre de possibilités pourrait être de l'ordre de... Aucune calculatrice ne serait capable de le chiffrer. De l'ordre du milliard de milliards.

— Impressionnant.

— Et sûrement davantage! Au point que j'arrive même pas à l'imaginer. Ça m'éclate le cerveau.

Je le regardais en espérant malgré tout qu'il allait pouvoir accomplir un miracle.

— Alors on fait quoi?

Perdu dans ses réflexions, je suppose qu'il ne m'entendit même pas.

— Je pourrais concocter un programme de force brute, suggéra-t-il enfin. Le genre de programme qui explore toutes les possibilités. Mais il y a un léger hic.

— Quel genre de hic?

— Ça prendrait environ six cents ans.

— Moi j'ai vu plein de films où un gars tape sur deux ou trois touches et bing!

— Le problème, c'est qu'on est pas à Hollywood. Il faut des semaines pour résoudre certains problèmes. Pour l'instant je lui fais bouffer la dernière version de Crack. (Il ne me laissa pas le temps de lui demander de quoi il s'agissait, précisant de lui-même :) C'est une espèce de dictionnaire d'attaque. Il contient absolument tous les mots qui existent dans le dictionnaire anglais et il exécute des combinaisons de mots. Mais ça ne va sans doute servir à rien. Ce qu'a réussi à pondre Killah me paraît inviolable.

Quatre heures plus tard, il était presque vingt et une heures trente, Nightmare déclara qu'il mourait de faim et je proposai de faire livrer des pizzas. Il répondit, je le cite :

— Des pizzas, mon cul! Je rentre chez moi.

— Vous abandonnez?

Il se leva et se mit à faire les cent pas devant l'ordinateur. Je crus comprendre qu'il valait mieux ne pas le déranger.

— Écoutez, dit-il après quelques minutes, j'ai besoin de réfléchir tranquillement. Alors je vous dis à demain matin.

— Demain matin pour faire quoi?

Il me regarda droit dans les yeux en déclarant :

— Killah était doué, mais il n'était pas Nightmare.

# 8

Pour ceux qui veulent idéaliser Atlanta – c'est-à-dire la quasi-totalité des gens qui y vivent –, il faut voir la ville au soleil couchant. Dans la faible lumière du crépuscule, elle semble hésiter entre ses différentes personnalités, sublime et intouchable. C'est une ville construite dans une forêt, ses angles vifs sont adoucis par les cimes des noyers, des chênes blancs, des érables rouges. Il y a de la fragilité dans cette beauté ; fragilité que perçoivent surtout ceux d'entre nous qui passent leurs jours et leurs nuits avec les gens de l'ombre grouillant sous la surface de la cité. Mais quand l'obscurité s'épaissit son sens de l'histoire devient plus trouble, le ton plus urbain, moins formellement sudiste. C'est une ville prise entre le soleil et l'obscurité, entre l'histoire et demain.

Le passé de cette cité est retenu captif par la douce odeur des magnolias en fleur qui, en dépit de la densité des voitures et des immeubles, parviennent étrangement à survivre. C'est un monde dans lequel le drapeau confédéré peut véritablement être considéré comme un symbole romantique. L'usure l'a bien sûr effrangé sur les bords, mais sa résistance a contraint au mutisme nombre de sociologues dont peu étaient sudistes. Dans ce monde-là, il y a toujours des cotillons pour les jeunes filles blanches, dans la mesure où elles sont nées dans les familles fortunées et nostalgiques. Elles s'accrochent alors à ces conventions, parce qu'elles subodorent ce qui arrive : la nouvelle économie de Nightmare. Le présent d'Atlanta essaie désespérément de ne pas se désagréger. Né dans le Sud rural, je sais quel monde les gens veulent fuir en venant ici – monde qui structure néanmoins une partie importante de leur psychisme. Et, maintenant, je travaillais avec les exclus de la ville, des gens que les esprits brillants de la classe dirigeante ne peuvent imaginer que parqués comme du bétail. Pour le meilleur ou pour le pire, je suis devenu un expert indésirable de l'âme pervertie du Sud.

En parcourant la vingtaine de kilomètres séparant mon bureau du théâtre Fox, j'eus droit à un aperçu de tout ce qui fait Atlanta. Je me rendais au Fox pour la même raison qui m'avait poussé à me risquer à l'intérieur du Glen : il ne m'était pas venu de meilleure idée. C'était le soir de la dernière des trois représentations prévues des *Capulet et les Montaigu*, et j'étais persuadé que Michele Sonnier ne serait pas encore partie. Jetant un coup d'œil à ma montre, en passant devant le théâtre, je vis qu'il était un peu plus de vingt-trois heures. Elle avait fini de chanter depuis une demi-heure. Je me garai dans le parking privé sans que personne ne cherche à m'en empêcher. J'abandonnai ensuite rapidement ma voiture pour gagner la sortie des artistes. Une petite foule attendait. Ces gens étaient correctement habillés, mais aucune comparaison avec les spectateurs de la première qui s'étaient ensuite retrouvés au Quatre Saisons. C'était un groupe de fans endurcis, principalement composé d'étudiants.

Pour être certain que je n'allais pas perdre mon temps, je demandai à une jeune femme si c'était bien la Sonnier qu'ils attendaient. Le visage radieux, elle acquiesça d'un signe de tête. Apparemment, la diva avait l'art de se faire désirer. Il ne me restait donc qu'à prendre mon mal en patience.

Toutes les deux ou trois minutes, la porte s'ouvrait et les admirateurs transis prenaient un air malheureux en constatant que ce n'était pas elle qui sortait. J'étais sincèrement désolé pour les chanteurs qui se présentaient en souriant et qui se trouvaient complètement ignorés. Enfin, l'homme qui l'avait escortée à la réception du Quatre Saisons se montra et je décidai de me glisser dans un coin d'ombre. Je tenais d'abord à voir sans être vu. Paraissant las, cet homme alluma une cigarette et se mit à fumer en regardant la petite foule d'un air absent. La Sonnier fit son apparition quelques minutes après lui. En dépit de la chaleur qu'il faisait encore à cette heure-là, elle portait une écharpe entortillée autour du cou. Tous ceux qui l'attendaient l'applaudirent chaleureusement, et elle les remercia d'un sourire. Je fus surpris par son apparence. Elle paraissait complètement exténuée. Visiblement, chanter cet opéra trois soirs de suite avait causé des ravages. C'est sans doute pourquoi peu de cantatrices se risquent à ce tour de force susceptible de leur abîmer la voix.

Ses admirateurs s'agglutinèrent autour d'elle. Deux ou trois l'ayant embrassée dans un geste spontané, son assistant s'empressa de tendre le bras pour lui donner un peu d'air ; et Dieu sait qu'elle paraissait en avoir besoin. On lui posa quelques questions sur l'opéra et le chant qu'elle avait dû entendre cent fois, et, d'où j'étais, je pouvais voir la fatigue dans ses yeux tandis qu'elle écoutait. Mais elle répondit à tout le monde et signa des autographes sans la moindre trace d'agacement. Quand il ne resta plus que trois ou quatre personnes, je sortis partiellement de l'ombre pour me placer dans la périphérie de sa vision. À ce moment-là, elle baissait les yeux pour apposer son paraphe sur un programme. Elle perçut ma présence et jeta un rapide coup d'œil dans ma direction. J'étais très mal éclairé et je ne pense pas qu'elle ait pu m'identifier sur-le-champ. Elle continua de signer, mais je sentais que le simple fait de me savoir là la perturbait, qu'elle se posait des questions. Elle était dotée de cette espèce de radar que possèdent bien des gens célèbres, et qui détecte ceux qui veulent leur soutirer quelque chose. Une limousine s'avança silencieusement, et son assistant alla s'entretenir avec le chauffeur. J'en profitai pour me placer dans la lumière, à sa gauche. Elle regarda de nouveau vers moi, et son stylo se figea au milieu de son nom. Nos yeux se rencontrèrent pendant une fraction de seconde, puis elle détourna rapidement la tête.

Je la sentais rigide et tendue. Sans doute le choc de me revoir. Si, lors de notre première rencontre, elle avait gardé quelque illusion de m'avoir donné le change, elle venait bel et bien de s'envoler. Je me tenais sans bouger, à un mètre cinquante d'elle, sans chercher à la troubler davantage. Elle continuait sa conversation avec les deux derniers de ses admirateurs, mais il était visible qu'elle faisait tout pour l'abréger. Quand il ne resta plus qu'une femme, elle lança à l'homme qui parlait au chauffeur :

— Bob ! Vous êtes prêt à partir ?

Il se retourna et, s'avisant enfin de ma présence, il s'approcha rapidement de la Sonnier. J'ignore s'il se rappelait m'avoir déjà vu au Quatre Saisons, mais de toute évidence il savait interpréter les moindres nuances dans la voix de la diva. Faisant mine de m'ignorer, il sourit à la jeune fille en lui disant :

— Accompagnez-nous jusqu'à la voiture, vous voulez bien ?

Michele Sonnier signa son dernier autographe en avançant vers la limousine dont la portière arrière était grande ouverte. Elle s'engouffra à l'intérieur et je la laissai partir sans esquisser le moindre geste, et sans lui avoir adressé la parole. Qu'aurais-je pu lui dire, à part : «Pourquoi m'avez-vous menti en affirmant que vous ne connaissiez pas Doug Townsend ?»

La limousine s'éloigna dans Peachtree Street, et je vis la lumière rouge de ses feux arrière disparaître dans la nuit d'Atlanta. Je regagnai alors ma propre voiture. Au Quatre Saisons, la Sonnier avait presque réussi à me donner le change. Mais – était-ce dû à la fatigue accumulée, ou au choc de me revoir d'une façon inopinée ? – elle m'en révéla bien plus au cours de ces quelques minutes passées devant la sortie des artistes du Fox. Quelle que soit la distance qui séparait leurs deux mondes, Doug Townsend n'avait pas été un fan parmi d'autres.

Quand mon téléphone sonna, vers une heure et demie du matin, je n'étais pas tout à fait endormi. J'étais encore dans cet endroit critique qui se situe entre l'éveil et les rêves. Toutefois, au premier mot prononcé, je reconnus aussitôt sa voix et, comme la première fois, elle fit naître des frissons le long de ma colonne vertébrale.

— Mr. Hammond ?

Mes yeux se rouvrirent, et je me repassai le son dans mon esprit pour m'assurer que je ne faisais pas erreur.

— La célèbre Michele Sonnier, dis-je d'un ton uni.

— Vous êtes bien Mr. Jack Hammond ?

— Oui.

— J'espère que vous me pardonnez de vous appeler chez vous aussi tard.

— Bien sûr. (Suivit une longue pause. Je finis par demander :) Il me semble deviner que vous avez envie de me parler de quelqu'un en particulier.

— Oui, c'est exact. J'ai envie de vous parler de quelqu'un en particulier.

Sa voix n'avait pas craqué, mais une sorte de tremblement la faisait vibrer étrangement.

— Ce serait peut-être plus facile pour vous, si je vous disais de qui il s'agit?

— En effet. Ce serait beaucoup plus facile.

— Vous voulez me parler de Doug Townsend.

Je l'entendis respirer bruyamment à l'autre bout du fil.

— De Doug, oui, c'est exact.

— Alors vous avez appelé le bon numéro.

— Tout ça est tellement horrible.

— C'est le mot qui convient.

Elle débita la phrase suivante rapidement et en mangeant un peu ses mots.

— Écoutez, Mr. Hammond. Je n'ai pas envie de parler de lui au téléphone. Pouvez-vous venir me rejoindre?

— Vous rejoindre où?

— Au Quatre Saisons. La suite Ansley.

Je fus tout à fait décontenancé par cette proposition et, le téléphone à la main, je restai un instant sans savoir quoi dire.

— Ça ne me regarde pas, bien sûr, mais pourquoi n'êtes-vous pas...

— À la maison avec mon mari?

— Si vous me permettez de le demander.

— Je ne vous le permets pas. Acceptez-vous de venir?

— Je peux être là dans une demi-heure.

— Très bien.

— À tout de suite.

Il pleuvait au moment où je pénétrai dans le parking du Quatre Saisons et je me garai sur le premier emplacement libre venu. Aucun portier ne se tenait à l'extérieur à cette heure si tardive, et pour la deuxième fois en peu de temps je pénétrai dans un monde reconstitué pour correspondre à celui de certains magazines. À lui seul, le prix des bouquets exubérants qui décoraient le hall aurait pu payer mon loyer.

La suite Ansley se trouvait au dix-neuvième étage. Je pris un ascenseur lambrissé de cerisier dont les portes glissèrent silencieusement et qui s'éleva avec un faible murmure. La suite Ansley se trouvait derrière la troisième porte sur la gauche. Je frappai une première fois et il ne se passa rien pendant quelques instants. Puis je vis une ombre obscurcir l'œilleton qui perçait le panneau. J'entendis ensuite deux verrous glisser, et la porte s'ouvrit en grand. Michele Sonnier m'accueillit, le visage baigné de larmes.

Elle me tourna tout de suite le dos pour regagner un canapé recouvert de tissu à fleurs. Je la suivis après avoir refermé la porte. La pièce était spectaculaire, avec deux immenses fenêtres qui paraissaient encadrer les illuminations nocturnes d'Atlanta. La cantatrice, qui continuait de pleurer silencieusement, s'assit lourdement. Je m'installai à l'autre bout du canapé, bien décidé à faire preuve de patience.

J'attendis sans parler et sans faire le moindre geste pendant environ cinq minutes. En fait, le temps s'écoulait si lentement qu'il devenait difficile de le mesurer. Ce qui est certain, c'est que j'eus tout loisir de me demander, avec un peu d'angoisse, si Ralston n'allait pas frapper à la porte d'une minute à l'autre et me demander ce que je faisais en compagnie de sa femme à deux heures du matin. Quand elle leva enfin les yeux vers moi, je crus comprendre qu'elle était surprise que je lui aie laissé le temps de se vider de ses larmes dans son coin de canapé. Il faut dire qu'ayant passé des centaines d'heures avec des gens sur le point de se confesser j'ai appris à reconnaître le moment où le sentiment de culpabilité refait surface. J'ai vu des clients lutter de toutes leurs forces contre la violence de ce courant, pour ne pas être submergés par leur propre conception du bien et du mal. J'ai ainsi acquis une espèce de sens supplémentaire qui m'indique quand il est préférable de donner un petit encouragement ou d'attendre. Et en ce qui concernait Michele Sonnier, je devinais qu'elle allait se confier à moi ; c'était inscrit sur son visage, dans la courbure de ses épaules, dans la fatigue que trahissaient ses yeux.

Elle commença par écarter les cheveux qui lui masquaient le visage. Elle portait un pantalon vert bouteille et un pull-over beige.

— Excusez-moi, commença-t-elle. Pleurer m'a fait du bien, je me sens un peu mieux.

— Ne vous en faites pas pour moi.

— Je dois être affreuse.

Non, même épuisée comme elle l'était, elle restait jolie. Sa peau était si brune et si douce qu'il fallait une volonté de fer pour ne pas tendre la main et la toucher, ne serait-ce que pour s'assurer que cette femme était bien réelle.

— Donc, dis-je, vous vouliez me parler de Doug.

— Oui, pauvre Doug, acquiesça-t-elle, en laissant son regard se perdre au loin. J'ai compris que vous aviez deviné que j'avais menti. Je pensais être une meilleure actrice.

— Vous êtes une merveilleuse actrice, mais je suis un critique difficile à satisfaire.

— Les gens qui ne sont pas obligés de mentir doivent être bien heureux, dit-elle. Et très rares, probablement. (Là-dessus, elle se leva pour se diriger vers le bar et je pus voir les muscles de ses cuisses jouer sous le tissu du pantalon parfaitement coupé.) De nos jours, il est si difficile de faire confiance à quelqu'un. Même aux prêtres ou aux présidents.

— Ce n'est pas moi qui dirai le contraire.

— Cela suffirait à me faire perdre la foi... si je l'avais jamais eue. (Elle se versa un verre d'eau minérale.) Vous désirez boire quelque chose ?

— Je désire surtout que vous me parliez de Doug.

— Quelle est l'opinion de la police ?

— Suicide par overdose.

Elle reposa la bouteille d'eau et but une gorgée avec beaucoup de distinction.

— La police d'Atlanta est excellente, Mr. Hammond. Je suis sûre qu'ils savent de quoi ils parlent.

— Vous adoptez une position pleine de civisme, rétorquai-je.

— Toutes les femmes noires ne haïssent pas la police, vous savez, dit-elle en me regardant franchement.

— Toutes les femmes noires ne sont pas non plus des cantatrices fortunées.

— Vous pourriez m'expliquer ce que vous entendez par là ?

— Ce que je veux dire, commençai-je en haussant les épaules, c'est qu'on a recours à la notion de race à tort et à travers dans cette ville. Et il y a longtemps que j'ai pris la décision de ne pas jouer à ce petit jeu-là. J'ai neuf clients noirs pour un Blanc, et je suis bien content de les avoir. Alors si vous voulez noyer le poisson avec des histoires de race, je préfère retourner me coucher.

Pendant un petit moment, j'ai cru qu'elle allait me mettre à la porte. Puis sa tension parut se relâcher.

— Peut-être ai-je mal compris, dit-elle. C'est que j'en ai tellement assez d'avoir à me défendre parce que je suis trop blanche. Je vous en prie, oublions.

— C'est oublié.

— Savez-vous pourquoi je me sens toujours si mal à l'aise avec les avocats ? demanda-t-elle en évitant de me regarder.

— Pas encore.

— À cause de leur horrible certitude qu'il est préférable de tout déballer pour trier ensuite. Ils n'arrêtent pas de retourner les pierres pour voir s'il y a quelque chose en dessous. Ils s'ingénient à creuser dans le chagrin des gens. Et moi, je suis persuadée qu'il est préférable que certains faits demeurent dans l'obscurité, afin que ceux qu'ils concernent puissent continuer à vivre.

— Quand il y a mort d'homme, les secrets ne sont plus de mise. C'est la règle, assenai-je.

— Même quand il y a des victimes innocentes ? Par exemple, une personne qui se trouve mêlée à cette horrible histoire sans y être pour rien ?

— Vous voulez parler de vous ?

Elle parut sincèrement surprise.

— Moi ? Innocente ? Vous ne comprenez vraiment rien, Mr. Hammond.

— Alors, c'est l'occasion ou jamais de vous expliquer.

— Je ne sais même pas par où commencer, avoua-t-elle.

— Vous pourriez, par exemple, commencer par me dire comment vous avez fait la connaissance de Doug.

Elle acquiesça d'un signe de tête et rassembla ses souvenirs pendant quelques secondes avant de déclarer :

— «Faire connaissance» n'est pas vraiment l'expression qui convient. C'est petit à petit que j'ai remarqué sa présence. Il a fallu du temps et pas mal de représentations avant que son visage finisse par me devenir familier. Il sortait du lot, à la façon de quelqu'un qu'on aurait tiré d'un monde pour le plonger dans un autre. J'ai commencé par être désorientée de le retrouver partout où je chantais. J'en arrivais à ne plus savoir dans quelle ville je me trouvais.

— Vous avez eu peur?

— De Doug? (Elle secoua la tête.) Le monde de l'opéra a son lot de fans excessifs, mais ils ne sont pas effrayants. Juste un peu bizarres, et toujours polis. Doug était tout à fait à part. Il paraissait vraiment inoffensif et connaissait parfaitement la musique des opéras qu'il venait voir. J'ai donc commencé à me sentir à l'aise en sa présence. Surtout que les tueurs en série fréquentent rarement les concerts classiques.

— Donc est arrivé le moment où vous avez discuté tous les deux.

— Oui, opina-t-elle. C'est lui qui a fini par m'adresser la parole, après m'avoir observée de loin pendant longtemps.

— Que vous a-t-il dit?

— *L'amore non prevale sempre*, cita-t-elle avec un tendre sourire.

— Ce qui veut dire?

— «L'amour ne triomphe pas toujours.» C'est tiré des *Capulet et les Montaigu*. Le rôle de Roméo, celui auquel on m'identifie le plus souvent.

— Et où étiez-vous, à ce moment-là?

— À San Francisco, si ma mémoire est bonne.

— Ça s'est passé comment?

— Eh bien, j'étais entourée d'un groupe de spectateurs, comme toujours après la représentation, et, venant d'un peu plus loin, j'ai entendu distinctement une voix qui disait : *L'amore non prevale sempre*. J'ai tout de suite levé les yeux du programme que j'étais en train de signer, et je l'ai vu en train de fixer la pointe de ses chaussures.

— Vous avez fait un commentaire?

— J'ai cité la phrase suivante de Roméo : *E c'è ancora nessun' altra maniera a vivere* – «Et pourtant, il n'y a pas d'autre manière de vivre.» (Elle resta pensive quelques secondes avant de poursuivre :) C'est flatteur, en un certain sens, quelqu'un qui vous témoigne une telle admiration. Quand on sent que cette per-

100

sonne reste dans certaines limites, bien sûr. Mais vous connaissiez Doug, il était gentil. Alors on a pris l'habitude de discuter un peu après les représentations. Quelquefois avant, mais rarement. Il m'a dit qu'il était un as en informatique, et qu'il allait créer une petite société. (Au bord des larmes, elle parvint à sourire tristement.) Je crois qu'il voulait que je sois fière de lui.

— Ça ne fait aucun doute.

— Il avait des côtés enfantins. Alors, je l'ai encouragé, j'écoutais patiemment quand il me parlait de ses petits succès. Il avait besoin de se sentir soutenu. Mon Dieu, quelle fin horrible.

*Oui, horrible. Doug affalé sur son canapé avec une aiguille dans le bras et le corps bourré de Fentanyl.*

— Mais il s'est passé autre chose, affirmai-je. Sinon, je ne serais pas ici.

À peine avais-je prononcé ces mots qu'elle se replia de nouveau sur elle-même, redevenant lointaine.

— C'est vrai que Doug était un as en informatique, mais c'était aussi quelqu'un qui se mêlait de ce qui ne le regardait pas. En vérité, s'il souhaitait m'aider, il n'a fait que compliquer ma vie, allant jusqu'à créer une situation potentiellement dangereuse... (Elle s'arrêta de parler et me tourna le dos. Quand elle reprit son récit, sa voix était si basse que je parvenais tout juste à comprendre ce qu'elle disait.) Un jour, il est venu me voir, et j'ai tout de suite eu un mauvais pressentiment. Il a dit qu'il avait besoin de me parler et j'ai répondu que je l'écoutais. Il s'est alors approché de moi pour me murmurer quelques mots.

— Quels mots?

— *Je suis prêt à faire n'importe quoi pour vous aider.* Et c'était comme si son regard me traversait le corps. Puis il a ajouté : *Pour vous aider à propos de votre secret.* Je ne l'avais encore jamais vu dans cet état. Je crois qu'il aurait pu sauter d'une falaise ou pire si je lui avais demandé.

— Et vous savez ce qui a pu le pousser à vous faire pareille proposition?

Elle ne répondit pas tout de suite.

— Au point où nous en sommes, il ne me reste plus qu'à vous raconter mon histoire, finit-elle par dire en fixant le sol et en lissant de la main le tissu de son pantalon. Tout a commencé

101

dans un appartement de deux pièces, dont les vilains meubles étaient loués et le téléphone coupé à cause de plusieurs impayés. J'avais six ans et il me semble encore entendre ma mère manipuler des objets dans la salle de bains.

— Elle était professeur, n'est-ce pas? Je l'ai lu sur Internet.

Elle laissa échapper un petit rire amer.

— Professeur! Elle avait été secrétaire avant de devenir une droguée. Elle a commencé par le Valium avant de passer à des substances plus sérieuses. C'est surprenant jusqu'où une personne peut aller, sans s'apercevoir qu'il lui sera impossible de faire marche arrière.

— Et j'ai aussi lu que votre père était médecin?

— Il conduisait un camion, d'après ce qu'on m'en a dit; car je ne l'ai pas connu, précisa-t-elle avec une sorte de hargne. Après être passée aux drogues dures, ma mère ne pouvait plus garder un travail longtemps. Alors les problèmes d'argent ont commencé. Mais c'était une femme pleine de ressources. Elle n'a pas tardé à comprendre que, dans certaines circonstances, les hommes peuvent se montrer généreux.

— Et vous aviez quel âge, quand elle a atteint ce stade?

— Huit ans.

— Je suis désolé.

— Nous sommes tous désolés, Jack, s'exclama-t-elle en m'appelant pour la première fois par mon prénom. J'étais désolée de voir que le seul souci de ma mère était de trouver de l'argent pour se procurer de la drogue. J'étais désolée que le simple fait de me voir lui rappelle qu'elle était une mauvaise mère et la rende enragée. Au point qu'un jour, quand je suis rentrée de l'école, elle n'était plus là.

— Elle vous a abandonnée?

— Elle est partie avec un de ses fiancés. Un type atroce. Naturellement, plus elle plongeait dans la déchéance, pires étaient les fiancés.

— Et qu'est-ce que vous avez fait?

— Le grand État de Géorgie est devenu ma maman, répondit-elle en haussant les épaules.

— La Géorgie? Mais je croyais que vous étiez de New York.

— C'est ce que tout le monde croit, en effet.

– Tout le monde? Vous voulez dire...

– Oui, Jack, je veux dire. Charles aussi.

– Alors vous êtes dans une situation délicate.

– À la vérité, après le départ de ma mère, j'ai été placée dans six familles en quatre ans. Y compris dans le Glen.

– Dans le Glen? Vous êtes sérieuse?

– Environ dix-huit mois, précisa-t-elle. Les familles dans lesquelles j'ai été placée me trouvaient trop difficile pour me garder. C'est un euphémisme, j'étais une vraie *terreur*. Et on se demande bien pourquoi, car j'avais une certaine chance : pensez qu'on a abusé de moi dans seulement *deux* de mes six familles d'accueil. Une fois un homme, l'autre une femme. J'aurais dû me montrer plus reconnaissante.

L'image de la diva cultivée était en train de s'effilocher devant mes yeux. Je finissais par avoir l'impression de me trouver avec l'une de mes clientes. Elle était tissée des mêmes fils que ceux qui constituent la trame d'Atlanta : abus sexuels, abandons, les péchés d'une génération d'irresponsables retombant sur la suivante. Et, malgré cela, la femme qui se tenait devant moi était parvenue à s'introduire dans un autre monde, un monde de luxe.

– Comment une personne peut-elle s'en sortir intacte et passer de l'autre côté, quand elle a vécu tant d'horreurs? demandai-je, un peu comme si je me parlais à moi-même.

– Ne soyez pas stupide. Je n'en suis pas sortie intacte.

– Tout de même, comment en êtes-vous arrivée là? questionnai-je en montrant la suite d'un geste large du bras.

– J'ai été une petite fille sans amour, abandonnée. Mais c'était sans rapport avec le don que je possède. Ou, au contraire, c'en est peut-être la source. Alors j'ai tiré un trait sur mon enfance, je l'ai effacée. Jusqu'au moindre souvenir. Et je me suis reconstruit une autre existence. Une existence qui a commencé au moment où les cauchemars se sont transformés en rêves. Et c'est pour cette unique raison que je ne suis pas devenue folle.

– Il doit vous être très pénible de vous y replonger.

– Les blessures étaient profondes et elles ont mis très longtemps à se cicatriser. J'ai eu une longue période de... Comment est-ce que les psychologues appellent ça, déjà... Ah oui! De *mise en acte*. Et j'ai perfectionné mon don.

— Le chant?

— D'abord, la comédie. Quand des couples venaient, je jouais à la petite fille modèle pour qu'ils aient envie de me choisir parmi d'autres. Et j'ai fini par tenir le rôle à la perfection; je pouvais rester tranquillement assise et bavarder les jambes croisées, comme une petite fille bien élevée à un goûter chic pour enfants. *Oui, madame. J'aimerais beaucoup un autre cookie. Merci, madame.* Bien sûr, je l'ignorais à ce moment-là, mais j'apprenais le métier d'actrice.

En l'écoutant, je m'émerveillais, une fois encore, de la résistance de certains êtres humains. Je le constatais avec mes propres clients. Dix-neuf sur vingt sont broyés par le système, mais le vingtième est impossible à détruire. Alors, pour ceux-là, on se sent prêt à remuer ciel et terre, car, en dépit de tout, ils ont du caractère.

— Et qu'est-ce qui s'est passé ensuite? demandai-je.

— Une famille m'a prise à l'essai. Je devais passer quelques mois avec eux avant qu'ils prennent leur décision. Un couple gentil, une belle voiture, une banlieue agréable. J'avais treize ans.

— Il n'y a pas beaucoup de couples qui adoptent une adolescente de treize ans.

— Vous pouvez aller au bout de votre pensée, Jack! Il n'y a pas beaucoup de couples qui adoptent une fille *noire* de treize ans. Mais étant donné les intentions du mari, c'était l'âge idéal. Je pense que s'il existe des statistiques à ce sujet elles doivent indiquer que le nombre de gens généreux pédophiles est plus ou moins identique au pourcentage des autres groupes de population. Cet homme-là a commencé à me regarder d'une façon particulière, puis, une nuit, il a fini par entrer dans ma chambre. (Elle se leva et se mit à faire les cent pas.) Mais j'avais trouvé une parade.

— Qu'est-ce que vous avez fait?

— Je suis tombée enceinte pour qu'il me fiche la paix, répondit-elle d'une voix égale. Et ça a marché. Marchandise avariée. Je n'étais plus la petite fille candide qui l'excitait.

Elle laissa échapper un petit rire qui ressemblait à un sanglot.

— C'était lui le père?

— Non, précisa-t-elle en secouant la tête. Il n'était pas encore allé aussi loin. Il préférait que ce soit moi qui lui fasse des gâteries.

— Alors qui était le père?

— Un garçon séduisant du voisinage. Un garçon que j'ai choisi, ce qui faisait toute la différence. Il avait dix-sept ans et moi treize, comme je l'ai dit. Je me glissais discrètement hors de la maison pour passer du temps avec lui. (Un silence.) Je ne lui ai jamais parlé du bébé. À quoi bon? D'ailleurs il n'a pas tardé à déménager.

— Et quelle a été la réaction de la famille qui vous avait accueillie?

— Ils m'ont renvoyée, évidemment. Et bizarrement, lors de mon départ, le mari n'a pas pu me dire au revoir car il était occupé ailleurs.

— Avez-vous dit à quelqu'un ce qu'il vous avait obligée à faire?

— Non.

— Pour quelle raison?

— Parce que la seule chose qui comptait pour moi, c'était d'avoir réussi à me débarrasser de lui. J'ai accouché à la maternité des services sociaux.

— Et ensuite?

Sa respiration se fit plus haletante.

— Elle est née un mardi. Je revois une salle très éclairée. Il y avait beaucoup de bruit. Je ne l'ai jamais revue.

*Quelqu'un d'innocent qu'elle ne voulait pas mêler à toute cette abjection.* Quand je levai les yeux vers elle, ce fut pour voir finir de se désagréger ce qu'il restait de la crânerie de la petite fille; la carapace de dureté s'était fissurée, et son visage n'était que tristesse et dégoût de soi-même.

— Vous comprenez ce que je vous dis, Jack? poursuivit-elle. J'ai abandonné Briah, comme ma mère m'avait abandonnée. (Elle essuya ses larmes avant de répéter :) Briah, mon bébé s'appelle Briah.

— Un très joli nom.

Elle hocha la tête avec un sourire triste et s'avança vers moi en me tendant la main.

— T'aniqua Fields, dit-elle. Ravie de faire votre connaissance.

Je me levai pour lui serrer la main.

– Moi aussi, T'aniqua.

– On est loin de l'opéra, n'est-ce pas?

J'avais déjà entendu de poignants récits d'enfances profanées dans la salle d'audience du juge Odom, mais pas pires que celui de T'aniqua. Si les gens pouvaient comprendre que leurs folies peuvent transformer la vie de leurs enfants en enfer, ils feraient peut-être l'effort de se contrôler un peu.

– Le bébé est né, remarquai-je d'une voix tranquille. Et que s'est-il passé ensuite?

– Je venais juste d'avoir quatorze ans, et il n'était pas question de me placer dans une famille avec ma fille. Alors, *ils l'ont prise.*

– Donc, vous ne l'avez pas abandonnée.

– Si. Je n'ai pas lutté. Je n'ai pas dit un mot. Je suis restée étendue les yeux fermés, tandis qu'ils l'emportaient.

– La situation vous dépassait. Vous n'aviez que quatorze ans.

Elle se tourna franchement vers moi et ses yeux jetaient des éclairs.

– Vous ne comprenez vraiment rien de rien. Je *voulais* qu'ils l'emmènent. (Puis elle me tourna le dos pour me cacher ses larmes qui jaillissaient de nouveau.) Je me disais que ce serait comme s'il ne s'était rien passé du tout. J'allais retrouver mes rêves de petite fille. J'aurais voulu redevenir un bébé comme celui que je venais de mettre au monde. (Elle faillit s'étrangler avec ses larmes, et elle s'arrêta de parler pour tenter de reprendre sa respiration.) Deux jours plus tard, je me suis sauvée, pendant la nuit. J'ai volé de l'argent à une assistante sociale et j'ai pris un bus. J'ai... commis certains actes.

Actes qu'elle n'avait pas l'air de vouloir décrire. Un silence qui me parut très long s'établit entre nous. Le calme avant la tempête. La cuirasse qu'elle avait revêtue pour protéger son secret s'était désagrégée. Ou – j'avais trop d'expérience professionnelle pour éliminer cette possibilité –, j'étais en train d'assister à un remarquable numéro d'actrice. Je bondis vers elle et la pris par un bras.

– Calmez-vous, je vous en prie.

– Je n'arrête pas de me demander ce qu'elle a pu devenir. Je l'ai laissée...

– Je sais, dis-je. *Vous l'avez laissée en enfer.*

– Et, un jour, Doug est venu me dire qu'il était prêt à faire n'importe quoi pour m'aider.

– Il avait déterré cette histoire?

– *N'importe quoi!* (Sa voix se fit mordante.) Comment s'y serait-il pris?

– Les services sociaux ont forcément des archives. Et Doug était un petit génie de l'informatique.

– *Qu'il soit damné.*

– Il souhaitait seulement vous aider.

– Je commençais à être bien dans ma peau, dit-elle. Et il a réveillé tout mon passé, tous mes regrets enfouis. Je les revois sans cesse emporter mon bébé. Je crois que je vais devenir folle.

– Je vous en prie, essayez de vous calmer, insistai-je.

– Je m'étais fait une autre vie, et je commençais à y croire.

– Je suppose, dis-je posément, que lorsqu'il vous a épousée votre mari n'était pas au courant de votre passé.

Elle laissa échapper un rire moqueur.

– Pour l'amour du ciel! Mon mari est allé à Groton, puis à Yale, ensuite, il a fait sa médecine à Harvard. Pour mieux le situer encore, il suffit de dire qu'il a donné du fric à *Bush!* Charles croit que le ghetto est la conséquence inévitable d'une culture de dépendance. (Elle hocha la tête en soupirant.) Avez-vous eu l'occasion de voir les bureaux d'Horizn?

– Non.

– Tout étincelle, du sol au plafond. Il serait impossible de trouver un seul grain de poussière dans tout l'immeuble. L'air est filtré et purifié. La perfection même! (Elle se dirigea vers le bar, mettant une certaine distance entre nous.) Le monde de mon mari est très ordonné. Le mien est plutôt chaotique. (Elle ouvrit une bouteille d'armagnac et s'en servit un verre.) Les hommes qui sortent de Groton n'épousent pas des fugueuses dont la mère se droguait, Jack. Pas plus que des femmes dont les enfants illégitimes leur ont été enlevés par les services sociaux. Non, c'est du jamais vu!

Je savais qu'elle disait la stricte vérité, mais je ne pus m'empêcher d'insister :

– Vous êtes tout à fait sûre que votre mari n'est au courant de rien?

Elle secoua énergiquement la tête.

— Quand j'ai rencontré Charles, j'étais devenue celle que j'avais choisi d'être depuis sept ans déjà. Au point que j'en étais arrivée à y croire moi-même. J'avais mis au point chaque petit détail du passé que je m'étais inventé; rien ne clochait.

— Comment avez-vous fait la connaissance de votre mari? demandai-je, intrigué.

— Il est venu m'écouter chanter, au début de ma carrière. Je l'ai trouvé splendide. Et pétri d'ambition, ce qui n'était pas pour me déplaire. J'ai eu le coup de foudre. Je n'arrivais pas à croire qu'un homme aussi distingué que lui puisse s'intéresser à moi. C'était tout de même la preuve que ma nouvelle vie était réelle. S'il avait éprouvé le moindre doute, il n'aurait pas pu m'aimer. J'allais épouser le fameux Charles Ralston et le passé ne viendrait plus jamais m'importuner. (Elle se tut quelques secondes avant d'ajouter :) J'avoue qu'il m'a fallu un certain temps avant de prendre la mesure de la situation dans laquelle je me trouvais.

— Que voulez-vous dire?

— Je n'étais pas accoutumée aux habitudes de son milieu, alors il était inévitable que je le déçoive. Mais je savais chanter, ça, c'était tangible. Et Charles s'est servi au maximum de ce talent. Au point qu'il m'est arrivé de penser que j'étais devenue un chien savant. J'ai gardé un moment l'illusion qu'il se conduisait de la sorte parce qu'il s'intéressait à mon art. Mais j'ai fini par y voir clair. Ma carrière, qui s'annonçait brillante, confortait sa position sociale. Car il y en a encore qui ne sont pas impressionnés par un nouveau riche, surtout s'il s'agit d'un Noir! C'est l'art qui lui a ouvert ces portes qui lui restaient fermées. Grâce à moi. (Elle vida son verre.) Ironique, non? Je suis devenue le principal atout de sa vie sociale. (Elle reposa son verre sur le bar pour le remplir de nouveau à moitié.) Charles et moi menons des vies séparées, chacun de nous prend soin de ne pas provoquer de vagues dans le monde de l'autre, et je dois me montrer particulièrement circonspecte en ce moment.

— Parce que... Horizn va être coté en Bourse?

— Oui, c'est le point culminant de tout ce que mon mari a essayé de réaliser. En tant qu'épouse, je n'éprouve plus aucun sentiment pour lui. Mais je n'ai pas le droit de lui causer du tort.

S'il est un mari handicapé sur le plan émotionnel, je ne pense pas que ce soit sa faute. Il est fait comme ça, c'est tout.

— Alors, peut-être devriez-vous attendre un peu que la situation s'éclaircisse?

— Non, Jack. Je n'ai pas l'intention d'attendre une minute de plus. Ma fille est vivante et elle se trouve quelque part à Atlanta.

— Comment le savez-vous? C'est Doug qui vous l'a dit?

— Oui, dans le dernier e-mail qu'il m'a adressé. Il devait être pressé, car il n'a écrit que quelques mots : *Elle est ici et il faut agir maintenant.* Aucune autre indication.

Le verre à la main, elle se dirigea vers une fenêtre. Elle resta un moment à scruter les lumières de la ville, les coins d'ombre. Comment retrouver une adolescente inconnue dans une ville de plusieurs millions d'habitants? Elle fut la première à rompre le silence.

— Je ne peux pas ignorer un tel message, mais qu'a-t-il voulu dire par «ici»? Ça peut être n'importe où.

— Vous ne pensez pas qu'elle ait pu se trouver avec lui?

— Je n'en sais rien. En revanche, ce que je sais, c'est que j'essaie constamment d'imaginer à quoi ma fille peut ressembler aujourd'hui. En fait, je ne pense à rien d'autre.

Elle se retourna pour me regarder avec une expression suppliante.

— J'aimerais vous aider, si je savais par où commencer, déclarai-je malgré moi.

— Quand je vous ai vu ce soir, je me suis dit qu'il fallait que je tente ma chance. Vous étiez l'ami de Doug, alors je veux vous faire confiance. De toute façon, je suis obligée de faire confiance à quelqu'un. Je ne peux pas effectuer les recherches moi-même sans éveiller les soupçons.

— Je veux quelque chose en échange, dis-je.

— C'est bien normal, accepta-t-elle le visage sérieux. Dites-moi votre prix.

— Ce n'est pas de l'argent que je veux. Il faudra que vous m'aidiez pour Doug. Je ne peux pas oublier que si j'ai cherché à faire votre connaissance c'était pour tenter d'apprendre la vérité sur sa mort.

— Et qu'est-ce que je peux faire?

— Je veux savoir exactement tout ce qui s'est passé entre vous.

Elle acquiesça d'un signe de tête, avant de se retourner vers la nuit scintillante.

— Vous m'avez entendue chanter, n'est-ce pas?

— C'est exact.

— Qu'en avez-vous pensé?

— J'ai pensé que c'était magnifique. Vous avez brisé le cœur de tous ceux qui assistaient à la représentation.

— C'est au moins quelque chose. Quelque chose qui me donne la force de continuer à vivre. (Je la vis porter son verre à ses lèvres.) Je chante pour justifier ma vie. Je chante pour que Dieu ne me condamne pas à l'enfer. Je suis fatiguée, dit-elle encore, en se retournant vers moi. Je ne me rappelle pas avoir jamais été aussi fatiguée.

— Nous pourrons continuer cette conversation demain, suggérai-je.

— Oui, je crois que ce serait une bonne idée.

Elle s'avança alors vers moi en me tendant la main. Je la pris et elle me guida vers la porte de sa suite. Elle s'arrêta au passage devant un petit bureau et écrivit quelques chiffres sur un papier.

— C'est le numéro de mon portable, précisa-t-elle en me fourrant le papier dans la main. Nous pourrons parler librement.

— Je vous appellerai demain, quand nous aurons tous les deux dormi un peu.

— En ce moment, j'ai bien du mal à trouver le sommeil. (Elle m'ouvrit la porte, mais posa la main sur mon bras au moment où je franchissais le seuil.) Vous portez une petite bombe à l'intérieur de vous, Jack. Faites très attention qu'elle n'explose pas.

Je me contentai de hocher la tête. *Et dire que tellement de gens envient le sort de Michele Sonnier*, pensai-je en entendant la porte se refermer.

# 9

Le lendemain matin, je pouvais encore sentir la texture de sa peau au bout de mes doigts et humer les effluves de son parfum sur mes vêtements. Ou peut-être était-ce mon imagination qui me jouait un tour. Je regardai sur ma table de chevet et vis le papier froissé indiquant son numéro de téléphone. Je m'assis dans mon lit, essayant de rassembler mes idées. *Ce pauvre Doug n'a jamais eu la moindre chance.* Elle est fantastique, impossible de le nier. Elle est belle, la plus belle femme que j'aie jamais vue. Elle est exotique, elle a de la classe, elle est...

*Bon Dieu, contrôle-toi, Jack. Pense à Doug et oublie le reste. Non, impossible. Elle s'est déchargée de son chagrin sur toi, et maintenant tu dois y faire face.*

Quelque part, probablement à Atlanta, il y avait une adolescente de quatorze ans qui ne connaissait pas sa mère. Quant à savoir si elle désirait la connaître, la question restait posée. Qui sait si elle n'était pas devenue elle aussi la victime d'un système social déficient et indifférent? D'un autre côté, elle pouvait s'en être très bien sortie. Puis mes pensées me ramenèrent au début de cette histoire et au pourquoi de mon enquête : comment Doug était-il mort? Je tentai d'accoupler deux mots dans mon esprit : Doug et suicide. Je les laissai tourbillonner dans ma tête pendant un moment. Si Billy Little pensait qu'ils allaient bien ensemble, c'est tout simplement qu'il avait choisi la solution de facilité pour ne pas garder le dossier de Townsend sur son bureau trop encombré.

Pour moi, Doug Townsend ne représentait pas une surcharge de travail. Il était brave et romantique ; c'était aussi un homme perdu, et à une époque il avait été mon ami. Aussi, quand j'arrivai à mon bureau, vers neuf heures le lendemain matin, je fus heureux de voir Nightmare assis dans ma salle d'attente. Il était furieux parce que Blu lui avait interdit l'accès à mon bureau. Les voir tous les deux en train de se regarder, c'était assister au choc des cultures. Il faudrait que la nouvelle économie soit en place depuis un sacré bout de temps, avant que Nightmare puisse espérer frayer avec ma secrétaire. Je dis bonjour à Blu et conduisis mon ancien client dans mon bureau. Il portait le même T-shirt et le même jean noir, mais il n'affichait plus son air suffisant. Les pirates informatiques peuvent se montrer farfelus, mais ils ne renoncent pas facilement. Ils sont capables de ne pas dormir pendant deux jours pour s'introduire dans un site particulièrement protégé. À la seconde où je le vis, ce matin-là, je devinai que sa motivation pour trouver le mot de passe de Doug avait changé de nature pendant la nuit. Il ne me remboursait plus une dette, il était absorbé par sa passion. Sa mine défaite laissait deviner qu'il n'avait pratiquement pas dormi. Quant à moi, j'étais très heureux de sa présence, car depuis ma rencontre avec la Sonnier je tenais plus que jamais à pénétrer les archives secrètes de Doug.

De toute évidence, Nightmare n'était pas d'humeur à plaisanter. Après avoir posé son sac sur le plancher, il en tira une disquette zip.

— J'ai obtenu ça avec le prix du sang, précisa-t-il. C'est la « scie mécanique » des codes.

— Obtenu où?

— Chez Satan, répondit-il sans sourire.

Mieux valait ne pas le pousser dans ses derniers retranchements. Je ne comprenais rien à ce qu'il me racontait, mais quelle importance? Tout ce que je voulais, c'était pouvoir ouvrir cette boîte. Quatre heures plus tard, il me vira de mon bureau, et je ne pouvais pas lui en vouloir car je n'arrêtais pas de lui casser les pieds. Je lui donnai donc le numéro de mon téléphone portable et partis arpenter Poston Street, la rue la plus proche. Je pris le temps de boire un café, mais bientôt, n'y tenant plus, je retournai près de Nightmare, qui ne fut pas vraiment ravi de me voir revenir.

— Où en êtes-vous?

— J'ai fait un million d'essais et rien ne colle. Vraiment, je pige pas!

Je regardai les astérisques qui nous narguaient sur l'écran.

— Chacune de ces étoiles représente une lettre, exact?

— C'est le style de Killah.

— Killah était assez connu pour vous pousser à étudier son style?

— Nous formons une petite communauté, opina-t-il. J'aimais son ironie. Comme la fois où il a réussi à changer le mot de passe d'un administrateur d'eBay[1] en *piratedudiable*.

— Il a piraté eBay? m'étonnai-je.

— Pendant une dizaine de minutes, précisa-t-il. Alors il est évident qu'un type capable de briser ce genre de code peut se concocter un foutu mot de passe. Aucune combinaison de mots anglais n'ouvre ce système. Et si on essaie des combinaisons au hasard, ça pourrait nous prendre quelques centaines d'années.

— C'est que je suis un peu pressé, là.

— Mais qu'est-ce qu'on cherche, en fait?

— Je n'en sais rien. Des renseignements qui pourraient nous expliquer la mort de Doug.

— C'est plutôt vague.

— Il y a autre chose. (Je marquai un temps d'hésitation, choisissant soigneusement mes mots.) J'essaie aussi de trouver quelqu'un. Une personne disparue.

— Oui, eh bien! on va rien trouver ni personne, mec, si on arrive pas à entrer dans son ordinateur.

— Vous avez dit qu'aucune combinaison de mots ne fonctionnait en *anglais*, c'est bien ça?

— Oui, et quant à essayer les autres, il y a environ quinze langues principales dans le monde et cinq mille dialectes!

— Doug était un fan d'opéra. Alors je pencherais pour du français, de l'italien ou de l'allemand, dis-je.

— Un fan d'opéra? Vous ne plaisantez pas?

— Du tout. Vous pouvez essayer.

— Oui, acquiesça-t-il, mais je dois reconfigurer Crack.

Je le laissai de nouveau seul pour pratiquer sa magie noire. De

---

1. eBay : grand marché mondial en ligne. (*N.d.T.*)

113

retour une heure plus tard, je le trouvai vautré dans mon fauteuil, les pieds sur mon bureau, les yeux clos. Je m'empressai de le réveiller.

— Vous avez trouvé?

— Ne soyez pas ridicule, aboya-t-il. Mais je lui ai fait avaler un dictionnaire italien.

— Alors, c'est ça, le monde fabuleux du piratage? Rester assis sur son cul pendant des heures, tandis que l'ordinateur fait le travail?

Nightmare laissa échapper un petit rire.

— Vous feriez mieux d'aller me chercher à bouffer.

— Vous savez, l'ami, je suis en train de me demander si la prison ne vous aurait pas fait du bien.

— Un sandwich aux champignons de chez Cameli, avec une salade aux trois haricots. J'ai besoin de protéines.

S'étant ainsi exprimé, il me montra la porte d'un geste large du bras, à la façon d'un magnat du cinéma hollywoodien. Je me demandai ce qui se passerait si je le prenais par le col de sa chemise et le fond de son jean pour le balancer dehors, puis me dirigeai vers la porte.

— Une dernière chose, lança-t-il.

— Oui?

— Très forte, la moutarde, hein? Surtout pas la française.

Blu s'était déjà absentée pour aller déjeuner et je ne répondis rien. Je partis chercher le sandwich de Nightmare, la circulation était épouvantable, et il était presque treize heures trente quand je revins. Je jetai sa commande sur mon bureau en demandant :

— Alors?

Ignorant ma question, Nightmare fourragea dans le sac et en sortit le sandwich. Il s'empressa alors de l'ouvrir pour examiner la moutarde d'un œil critique. Satisfait, il le porta à sa bouche et mordit dedans, puis déclara, la bouche pleine :

— Aujourd'hui, un régime carné n'est plus concevable. La quantité de grain qu'il faut pour nourrir une vache...

— Écoutez, Nightmare, si vous le voulez bien, nous parlerons végétarisme une autre fois.

Il haussa les épaules d'un air résigné avant de m'indiquer l'écran de la main.

– Est-ce que cette phrase a un sens pour vous?

Les mots *L'amore non prevale sempre* clignotaient sur l'écran.

– Merde alors! m'exclamai-je.

– Qu'est-ce que c'est?

– Une phrase d'un opéra que Doug aimait particulièrement.

– C'est aussi le mot de passe de son ordinateur.

– Alors ça y est?

– Ça y est.

Nightmare fit pivoter son fauteuil et appuya sur la touche *enter*. Nous allions enfin pouvoir pénétrer dans le monde secret de Doug Townsend.

Je pense que la solitude est l'état naturel de l'homme. Pour moi, c'est la seule explication de ce que nous trouvâmes dans les dossiers de Doug Townsend. Son chaos intime et secret s'y exprimait en nombres binaires et voltages infinitésimaux. Le côté agité de son esprit s'y trouvait répertorié, varié dans sa perversité, singulier dans son expression bizarre. Dans le cyberespace, son obsession pour Michele Sonnier n'était limitée ni par le temps ni par une contrainte physique. À l'intérieur de son ordinateur, elle éclatait en une floraison démente.

Décrire les expériences de cœur de Doug avec Michele me peine d'autant plus profondément que cela perturbe le sentiment de fausse sécurité qui rend la vie normale possible. J'admets qu'il s'agit d'une fausse sécurité, mais je sais aussi qu'elle est essentielle. C'est un peu comme ignorer les risques qu'il y a à prendre l'avion. Il existe une possibilité mathématique pour que l'avion dans lequel vous vous trouvez s'écrase. D'un autre côté, il ne sert à rien d'y penser, on n'en retire aucun bénéfice. C'est exactement comme dans la vie : mieux vaut ne pas se demander comment les hommes et les femmes qui vous entourent réagiraient si on les dépouillait de leur pellicule de normalité.

J'avais passé des heures à discuter avec Doug, et il n'avait pas prononcé le nom de Michele Sonnier une seule fois durant nos longues conversations amicales et agréables. Je suis certain que pendant sa période universitaire il n'avait manifesté aucune instabilité. Pourtant, j'étais bien obligé de reconnaître que cette forme particulière d'obsession avait pris naissance un jour. Fallait-il en conclure que chacun des moments que nous avions passé tous les deux était un mensonge ? Jusqu'aux discussions de ces dernières semaines à propos de la société d'informatique qu'il souhaitait créer ? Par quel gigantesque effort de sa volonté empêchait-il le nom de Michele Sonnier de franchir ses lèvres, luttant seconde après seconde ? Et tout au long de l'histoire qu'il m'avait racontée, par exemple au sujet de son enfance dans le Kentucky, ne rêvait-il que de prononcer son nom ? Ou était-il partagé en deux d'une façon nette, chaque partie de son cerveau indépendante de l'autre ; si bien que le Doug que j'avais devant moi était réel tout en ne formant que la partie d'un tout...

Des réponses que je ne connaîtrais jamais. Doug s'en était allé. Immergé dans son fantasme de la Sonnier, il avait créé d'étranges œuvres d'art, des assemblages de sa photo aux dimensions effarantes. Devrais-je me souvenir de lui à travers ce photomontage où il avait accolé le visage de la diva à son propre corps, créant une sorte de monstre mi-homme, mi-femme ? Et que devais-je penser d'une église entièrement composée avec ses yeux ?

Ayant été amené à constater cette espèce de folie, j'étais bien obligé d'admettre que mon opinion sur les causes réelles de la mort de Doug n'était rien de plus qu'une hypothèse hasardeuse. Pour se rapprocher de la vérité, il aurait fallu savoir quel côté de son cerveau avait pris le dessus à ce moment-là. J'étais persuadé que le Doug Townsend que je connaissais ne se serait jamais suicidé. Mais, je devais bien l'admettre, le Doug Townsend qui se dissimulait dans cet ordinateur me paraissait capable d'accomplir des actions que je ne pouvais même pas imaginer.

L'air éberlué, Nightmare hochait la tête.

— Putain, c'est dingue ! commenta-t-il dans son langage imagé.

— Je suis d'accord. Mais d'un autre côté cela n'a rien d'illégal, soulignai-je.

— Si vous le dites. C'est vous l'avocat.

— Alors toute cette sécurité qu'il a mise en place, c'était pour ça ?

— Pas du tout, mec. Je vais vous montrer le *pourquoi* de tout cet arsenal de défense.

Nightmare se pencha sur le clavier pour pianoter plus à l'aise,

116

et au bout de quelques secondes le logo des laboratoires Grayton Technical apparut sur l'écran, bientôt suivi d'une longue liste qui ne m'évoquait pas grand-chose. Je fixai l'écran pendant un long moment, ne sachant pas trop qu'en penser. J'étais d'autant plus surpris que je m'attendais à voir apparaître des renseignements sur la fille de Michele Sonnier.

— Grayton Technical, lus-je à haute voix. Il les piratait?

— On peut le dire de cette façon, railla Nightmare.

— De quelle autre façon est-ce qu'on pourrait le dire?

— Moi, je dirais qu'il s'agissait, là aussi, d'une véritable obsession.

— Comment ça?

— À vue de nez, il a collecté un téraoctet de renseignements sur eux, déclara mon compagnon après avoir enfoncé quelques touches.

— Et je suppose qu'un téraoctet, c'est beaucoup? demandai-je en affichant mon ignorance.

— Si c'est beaucoup! Pour vous donner une idée exacte, une mouche aurait pas pu chier dans les locaux de cette société sans qu'il le sache. (Il recula son fauteuil.) Pirater, c'est une chose, mec. C'est le plaisir de s'introduire quelque part en faisant fonctionner ses cellules grises. On fait une petite balade, deux ou trois conneries et puis ciao. Mais ça... c'est complètement dément. Pourtant, quelle classe. Il avait touché le jackpot. Il était devenu le *propriétaire* de cette boîte.

— De quoi parlez-vous?

— Il était en position de changer leurs mots de passe. Il s'était aménagé une entrée cachée qui lui donnait l'accès immédiat à Grayton quand il le souhaitait. Planqué sur un terminal du système, il pouvait imprimer tout ce que les gens tapaient. Il aurait pu couler cette boîte et les administrateurs n'auraient pas été plus capables de réagir que les passagers du *Titanic* au moment du naufrage. (Il se mit à rire doucement et laissa échapper dans un souffle :) Sacré Killah.

J'étais complètement désorienté.

— C'est quoi, les laboratoires Grayton?

— Aucune idée.

— Alors il faut jeter un coup d'œil.

L'air résigné, Nightmare se pencha encore une fois sur le clavier pour nous offrir une visite guidée de cette compagnie qui, nous ne tardâmes pas à l'apprendre, se consacrait à la recherche médicale. Plusieurs pages fournissaient la liste des divers traitements que la société était en train de développer. Puis nous fûmes confrontés à une longue liste de lettres et de chiffres ne signifiant rien pour nous.

— Jusqu'où peut-on aller comme ça? demandai-je.

— Absolument où on veut.

Puis une idée me traversa l'esprit.

— Écoutez, dis-je, des gars comme vous...

— Nous les pirates?

— Oui. Je suppose qu'il y a des gens qui aimeraient bien louer vos services pour... disons des missions de confiance.

— C'est une industrie en pleine expansion. Pour ceux qui veulent et qui peuvent.

— Et Killah pouvait.

— Killah pouvait ce qu'il voulait. Il était très, très doué.

— Alors on peut imaginer qu'il travaillait pour quelqu'un d'autre. Un travail qui, en quelque sorte, participait de la nouvelle économie, suggérai-je en me tournant vers lui.

— C'est vraisemblable. Et ce genre de boulot peut rapporter gros.

— Assez d'argent pour acheter des billets d'avion et des places d'opéra quand Michele Sonnier chantait.

Le visage de Nightmare s'illumina.

— Mec, je crois que vous avez mis en plein dans le mille.

Je continuai de remuer des pensées dans ma tête en fixant l'écran. *Alors, tout ce qui se trouve ici, c'est le côté business. Ça servait à payer les factures. Aider la Sonnier est venu plus tard.*

— Bien, conclus-je à haute voix. Si Doug travaillait pour quelqu'un, la marche à suivre est toute tracée. Nous devons découvrir de qui il s'agit et pourquoi il s'intéressait tellement aux laboratoires Grayton.

— En tout cas, il ne s'agit pas d'amateurs, ils voulaient du solide. Parce que Killah s'est livré à un foutu piratage.

Puis il resta silencieux. Tellement silencieux que je me tournai vers lui. Il était encore plus pâle que d'habitude, ce que je n'aurais pas cru possible.

— Killah a piraté Grayton, pas vrai? demanda-t-il.

— C'est ce que nous venons de constater, en effet.

— Et maintenant, il est mort, fit-il remarquer d'un ton lugubre.

Je ne sus que répondre et le silence s'installa de nouveau entre nous. Je regardais les mots *Laboratoires Grayton Technical* clignoter sur l'écran. Je cherchais un argument susceptible de rassurer Nightmare, mais c'était trop tard. D'ailleurs, ce fut lui qui parla.

— Mec, s'exclama-t-il, il faut abandonner ce site vite fait.

— Pas de panique, Michael.

— Pas de panique! Elle est bonne celle-là. Je vous rappelle que Killah est mort.

— Je ne l'oublie pas. C'est pourquoi nous faisons ce que nous faisons. Et c'est foutrement important.

— Vous êtes dingue, ou quoi? Je déconnecte illico.

Je le saisis par le poignet pour l'empêcher d'atteindre le clavier.

— Je veux aller au fond des choses et j'ai besoin de votre aide, insistai-je.

— Vous n'avez pas assez d'argent pour l'obtenir.

— Non seulement je n'en ai pas assez, mais je n'en ai pas du tout. Il faut quand même m'aider, Michael. (Nightmare respirait profondément et je voyais sa poitrine concave se soulever et s'abaisser sous le T-shirt. On aurait dit qu'il venait de voir un fantôme.) Je sais que je vous mets dans une situation dangereuse, déclarai-je d'une voix égale, mais c'est pour une bonne cause.

— Balancez-moi vos arguments, parce que plus vite vous aurez fini, plus vite je pourrai me tirer d'ici.

Je fis pivoter son fauteuil dans ma direction et me penchai vers lui.

— Vous êtes un garçon doué, Michael, intelligent, plein de ressources et, à votre façon, ambitieux. Mais, malheureusement, la vérité, c'est que jusqu'à présent vous n'avez fait que gâcher tout ce potentiel. (Il fit mine de se lever, je le repoussai dans son fauteuil.) Je veux que vous m'écoutiez. Pirater quelques sites pour pouvoir vous en vanter auprès de vos copains, lors d'une réunion secrète où vous n'utilisez même pas vos véritables noms, ça ne veut strictement rien dire.

— Pour vous.

— Pour le dire autrement, Michael, c'est exactement comme si vos copains et vous passiez la journée à vous branler. Et moi, je vous offre une bonne baise.

— Ça veut dire quoi? hoqueta-t-il.

— Ça veut dire que vous allez avoir l'occasion d'agir au lieu de faire semblant. Je sais maintenant que vous êtes doué en informatique.

— Vous voulez dire génial.

— Je l'admets, génial. Mais la vie que vous avez menée jusqu'ici, c'est de la merde. Quand je pense, bon Dieu, que j'ai dû vous éviter la tôle pour vol à l'étalage. (Nightmare étouffait de colère, mais, pour une fois, son air bravache ne cachait pas son embarras.) Servez-vous de vos dons, Michael. Faites quelque chose d'important. Ou alors tirez-vous d'ici et continuez à foutre votre vie en l'air.

Il me regarda d'un air méfiant, et je pouvais voir qu'il avait toujours peur.

— Et si je vous aide, je deviens un gars fréquentable, c'est bien ça?

— En m'aidant, vous aiderez Doug, Michael.

— Personne ne peut plus rien faire pour Doug.

— Je ne sais pas exactement ce qui est arrivé à Doug, mais je suis certain que ça a un rapport avec ce qui se trouve sur l'écran devant nous. Essayez de devenir une vraie personne, Michael, au lieu de rester une ombre.

— J'avais une dette envers vous, je l'ai payée.

— J'ai besoin de vous, Michael. Acceptez de faire quelque chose qui en vaille la peine. Devenez mon partenaire.

Nous restâmes assis en silence pendant un moment. Les minutes s'écoulèrent lentement et enfin, d'une voix basse et posée, il dit :

— O.K. On va être partenaires. Comme dans les films. Comme Jackie Chan et ce type noir.

Je laissai échapper un grand soupir de soulagement et je sentis tous mes muscles se détendre.

— Plutôt comme Abbott et Costello, dis-je à mi-voix.

— C'est qui ces deux-là?

— Deux types qui sont morts.

# 10

Le quotidien est ce qui sépare la vie réelle des scénarios de films. Michael s'en alla aux environs de quatorze heures, surtout parce que j'avais des paperasses à remplir de toute urgence pour le cabinet du juge Odom. C'était l'unique moyen de me faire payer. J'avais ensuite un rendez-vous avec un client de quarante-sept ans qui commettait des délits à répétition. La consommation de drogue n'est pas une spécificité de la jeunesse. L'homme, à qui l'on aurait facilement donné soixante-dix ans, s'était traîné jusqu'à mon bureau d'une démarche vacillante. À son âge, son appétit pour la destruction chimique n'était toujours pas assouvi. Accepter de le défendre représentait ma contribution à la porte à tambour qu'est le système judiciaire américain. Il était donc plus de quinze heures quand je pus enfin appeler Michele Sonnier, qui répondit immédiatement.

— Jack Hammond. Vous pouvez parler?

— Pas de problème, répondit-elle. (Au son de sa voix, elle paraissait aller mieux que lorsque je l'avais quittée.) Je suis dans ma voiture.

— J'ai quelques questions à vous poser, mais je peux vous rappeler.

— Vous avez découvert quelque chose? demanda-t-elle, pleine d'espoir.

— J'ai pénétré dans l'ordinateur de notre ami, répondis-je, mais je n'ai rien trouvé concernant... ce qui vous préoccupe. Pas encore.

— Alors, qu'avez-vous trouvé?

Les images de l'obsession de Townsend me traversèrent l'esprit. Mais il n'était pas question de le mentionner à qui que ce soit. Il était mort, et je tenais à protéger sa vie privée. Je n'avais pas ce genre de scrupule en ce qui concernait Grayton.

— Pas mal d'informations, dis-je. Il faudrait qu'on en parle.

— Je suis en route pour une répétition, précisa-t-elle. (J'entendais le bruit de la circulation à l'arrière-plan.) Mon emploi du temps est très serré aujourd'hui.

— Alors, on se rappelle demain?

— *Non*, s'exclama-t-elle. Venez me rejoindre à dix-huit heures, je pense que j'aurai terminé. Vous connaissez l'Emory Campus?

— Comme ma poche.

— Et vous voyez où se trouve la petite chapelle près du Callaway Center?

— Oui.

— Retrouvez-moi là-bas.

Comme j'avais largement le temps, en quittant le bureau, je fis le détour par mon appartement. Je commençai par regarder les nouvelles à la télévision, et, constatant qu'il s'agissait toujours de la même compilation de la misère humaine, je ne tardai pas à éteindre. Je pensai à Michele pendant un moment et conclus que je devais établir des barrières de protection. Il existe une sorte de femme qui provoque les drames, consciemment ou non, et le même magnétisme peut attirer un homme vers elle. Voilà ce qu'il me fallait éviter à tout prix. En revanche, j'avais besoin qu'elle me fournisse des informations et, en échange de ces renseignements, j'étais prêt à l'aider à rechercher sa fille. Si je parvenais à les réunir toutes les deux, j'en serais heureux. À la différence de Charles Ralston, son mari, j'avais passé suffisamment de temps parmi les déshérités pour comprendre ce qui s'était passé; et je trouvais admirable sa détermination à se racheter, à une étape de sa vie et de sa carrière où cela pourrait lui causer un énorme préjudice. N'empêche que je refusais de perdre de vue mon objectif principal : découvrir comment et pourquoi Doug Townsend était mort.

Fatigué de faire les cent pas chez moi, je partis pour le Callaway Center un peu en avance. Je me garai devant l'entrée de la chapelle et, poussant la lourde porte, je me glissai dans l'obscurité qui régnait au fond de l'édifice. Je fus tout de suite enveloppé par sa voix magnifique. Il n'y avait qu'une centaine de places, et je me trouvais à une quinzaine de mètres de la petite scène. Vêtue d'un pantalon noir et d'un top rouge sang, elle paraissait très peu maquillée. Ses cheveux étaient attachés en queue-de-cheval. Son chant faisait vibrer l'air de la petite salle d'une façon magique. Un homme d'âge moyen et légèrement chauve était courbé sur le piano pour l'accompagner, mais il passait quasiment inaperçu. Avec une apparente facilité, la voix de la Sonnier défiait les lois connues de la physique. Aucune tension, aucune dureté, et la puissance de quelqu'un qui aurait trois fois sa taille.

Fasciné, je m'assis sans faire le moindre bruit pour l'écouter. Je percevais dans son chant, très sensuel, une expression de voracité et de désespérance. J'en avais déjà eu une démonstration dans le rôle de Roméo, l'abandon total au personnage, la violence du désespoir. Ses paroles me revinrent en mémoire : *Je chante pour justifier ma vie. Je chante pour que Dieu ne me condamne pas à l'enfer.* Sur le moment, je me rappelais avoir trouvé ces mots sombres et mystérieux, quelque peu abstraits. Aujourd'hui, ils prenaient toute leur signification. La source de son talent d'artiste m'était connue. Et je constatais qu'il était impossible de la quitter des yeux lorsqu'elle chantait. Sous chaque note perçait une tristesse indéfinissable mais sensible. Cette femme torturée parvenait à sublimer sa douleur en une substance précieuse.

Elle continua de chanter pendant une vingtaine de minutes, s'arrêtant parfois pour échanger quelques mots avec son accompagnateur. Elle avait pris conscience de la présence de quelqu'un et scrutait l'obscurité. Aussi, lors d'une pause, je me levai et m'approchai un peu. Quand elle me reconnut dans la faible lumière, son visage s'éclaira d'un sourire. Et ce sourire, enchâssé dans la souffrance qui sourdait de son interprétation, me parut aussi précieux et fragile qu'une porcelaine fine.

Je crus qu'elle allait mettre un terme à sa répétition en me voyant, mais au contraire, se tournant vers le pianiste, elle lui murmura quelques mots. Il la regarda un instant d'un air surpris, avant de chercher une partition dans le tas éparpillé devant lui. Quant à elle, elle se plaça au centre de la petite scène où elle se tint immobile, les yeux clos, telle une statue d'ébène. Au bout de quelques secondes, elle inclina légèrement la tête et le pianiste plaqua un accord.

Qu'est-ce qu'un garçon élevé à Dothan pourrait dire d'une telle musique? J'ai grandi en écoutant les disques de mon père : Buck Owens et Waylon. J'ai embrassé ma première fille au son d'une cassette usée de Guy Clark. Alors que ce que j'écoutais, c'était une musique écrite pour estomper les mensonges qui s'accumulent entre un être humain et son chagrin. La musique sans cœur qui émerge aujourd'hui de Nashville ne produit aucun effet sur moi. Mais ce jour-là, en écoutant la Sonnier chanter, j'ai compris que toutes les peines de cœur se ressemblent et que le style n'est qu'une façade. Riches et pauvres, Blancs et Noirs, cela ne fait aucune différence. Que l'on entende la voix céleste d'une diva ou le timbre rauque d'une chanteuse de bar, la douleur est la même. Il s'agit d'une expérience humaine commune à tous. Et quand elle nous revient en pleine gueule sous forme musicale, elle produit l'effet voulu. J'écoutais, fasciné, conscient qu'une des plus grandes cantatrices du monde chantait pour moi seul. Comment ne pas être conquis? J'étais persuadé que pour posséder ce don, et le pouvoir qui en découlait, beaucoup accepteraient d'endurer les cauchemars qui étaient les siens. Si l'art véritable se nourrit de douleur, le sien coulait comme une rivière que filtrait son âme.

Procédant par élimination, je me dis qu'elle chantait en russe. Je ne comprenais pas un traître mot et cela n'avait aucune espèce d'importance. Je laissais sa voix me submerger, et les sentiments qu'exprimait la musique parlaient à mon cœur.

Après qu'elle eut fini, étrangement, elle parut très vulnérable pendant quelques brefs instants. Puis elle embrassa son pianiste, ramassa un sac qu'elle accrocha à son épaule, et négocia avec prudence le petit escalier qui allait lui permettre de rejoindre la nef. Je me levai pour aller à sa rencontre. Quand il n'y eut plus qu'une rangée de sièges entre nous, elle se pencha vers moi et m'embrassa sur les deux joues, à la façon européenne.

— Vous voulez bien qu'on aille s'asseoir dans ma voiture pour discuter? demanda-t-elle. C'est encore là qu'on sera le plus tranquilles.

J'acquiesçai d'un signe de tête. Alors, plongeant la main dans son sac, elle en sortit de larges lunettes aux verres teintés qu'elle chaussa. Elle portait toujours le même parfum fruité.

— Le dernier morceau que vous avez chanté, demandai-je en marchant avec elle vers la porte, c'était quoi?

— Un morceau que j'ai choisi spécialement pour vous.

— Je suis très honoré, mais pourquoi ce choix? demandai-je, surpris.

— Parce que je sais que vous pensez que les opéras ne sont que des drames indigestes à l'usage exclusif des riches, et je voulais vous démontrer que vous aviez tort.

J'ouvris la porte et nous passâmes dans le hall.

— Aucune personne qui vous entendrait chanter ne pourrait nourrir ce genre de pensée.

Elle ne parvint pas à dissimuler la satisfaction qu'elle éprouvait et dit en souriant :

— C'est adapté d'une œuvre de Pouchkine. Vous le connaissez?

— Pas personnellement.

— Oh, mais il est...

— Je sais, l'interrompis-je. Le saint patron de la misère russe. Que raconte le livret?

Elle cessa de marcher pour m'expliquer l'histoire.

— Une femme est partagée entre deux amants. Elle éprouve une grande passion pour le premier, mais il est pauvre et rien ne lui réussit.

— Et le deuxième? demandai-je.

— C'est un homme riche et puissant. Il peut lui offrir tout ce qu'elle désire. Mais elle ne l'aime pas. En tout cas, pas comme l'autre.

— Laissez-moi deviner. Le type riche est méchant et le pauvre est bon.

Elle hocha la tête d'un air découragé en s'exclamant :

— Le texte est de Pouchkine, il ne s'agit pas d'un mauvais feuilleton télé! *Krasoyu, znatnostyu, bogatstvom, Dostoinomu podrugi ni takoi, kak ya.*

— Ce qui veut dire?

— Que la vie est bien plus compliquée que nous ne le voudrions.

— Je suis tout à fait d'accord avec cette idée.

— Cette femme ne se sent pas digne de devenir la femme d'un grand prince, poursuivit-elle. C'est ce qui la pousse à aller vers l'autre. Elle a peur de ne pas se montrer à la hauteur si elle accepte de s'unir avec un homme de condition très supérieure à la sienne. C'est tout un psychodrame.

À ce point de l'histoire, nous étions arrivés dans la rue.

— Et que se passe-t-il ensuite? demandai-je.

— Elle décide de placer sa confiance dans l'homme pauvre. Elle risque tout pour lui. (Elle fit encore quelques pas et se retourna vers moi.) En remerciement de quoi, l'homme pauvre la trahit. Il la vend au cours d'une partie de cartes.

— Vous êtes sérieuse?

— Au temps pour vos clichés!

— Mais le prince arrive sur son beau destrier et la sauve, pas vrai? Et ensuite ils sont heureux et ont beaucoup d'enfants?

— Elle reste seule et sans amour. Et c'est la fin. (Elle sourit d'un air à la fois triste et ironique.) *Pikovaya Dama. La Dame de pique.*

Elle soutint mon regard deux ou trois longues secondes — juste assez longtemps pour que je saisisse toute l'ironie du titre — puis elle fit demi-tour et se mit à avancer d'un bon pas le long du trottoir en direction de sa voiture, me laissant planté où j'étais. Je restai un instant à admirer le léger balancement de ses hanches avant de la rejoindre. Elle débloqua les portières de la Lexus et nous nous installâmes à l'intérieur.

— Maintenant, dit-elle à peine assise, racontez-moi ce que vous avez découvert.

*Que notre ami Doug Townsend était complètement démoli à l'intérieur, et qu'il était dans cet état uniquement à cause de l'adoration, exclusive, maladive, qu'il vous portait.*

— Permettez-moi d'abord de vous poser une question, commençai-je. Croyez-vous que Doug ait pu être amoureux de vous? Je veux dire qu'il ait pu éprouver autre chose qu'une obsession pathologique?

— Qui peut le dire? (Elle fixait le pare-brise et regardait droit devant elle.) Turandot, Tosca, Roméo sont tous obsédés. Et ils sont considérés comme les plus grands amoureux qui puissent exister. Le monde dans lequel je vis est le monde de l'obsession.

126

— Ce sont des héros de roman, commentai-je. Ils ne sont pas réels.

— Pour Doug, ils l'étaient, affirma-t-elle. Il aurait pu vivre dans ces mondes-là. Peut-être était-il suffisamment *démoli à l'intérieur* pour vivre comme s'il était le personnage d'une pièce.

L'entendre utiliser, pour qualifier Doug, l'expression qui m'avait traversé l'esprit me troubla.

— Alors dites-moi : est-ce que vous pensez que l'un des personnages de ces histoires irait se suicider dans un coin sans dire un mot à personne ?

— Que voulez-vous dire ? demanda-t-elle en se tournant vers moi.

— Vous m'assurez que Doug vivait sa vie comme un personnage d'opéra. Alors moi, à sa place, si je décidais de mettre fin à mes jours, je voudrais en informer la femme que j'aime.

— La femme que vous aimez ?

— Vous, Michele. Doug était amoureux fou de vous. Le fait a dû vous frapper. Quelqu'un ne passe pas son temps à traverser les États-Unis en avion pour voir une femme s'il n'en est pas amoureux. (Pensive, elle détourna les yeux.) Pensez-vous qu'il se soit suicidé parce qu'il avait compris que vous ne seriez jamais à lui de la façon dont il le souhaitait ?

— Ce n'est pas impossible.

— Alors, n'y pensez plus. Ça ne s'est pas passé comme ça. (L'expression de gratitude qui envahit son visage me prouva que j'avais vu juste.) Aucun homme ne se suicide pour une femme sans le lui faire savoir. Il veut qu'elle éprouve des remords.

— Je suis soulagée de vous entendre dire ça. Mais où est-ce que cela nous mène ?

— A-t-il jamais mentionné devant vous les laboratoires Grayton Technical ?

— Jamais, assura-t-elle en secouant la tête.

J'eus du mal à dissimuler ma déception.

— Est-ce que vous avez financé les recherches que Doug faisait pour vous ? demandai-je encore.

— Je le lui ai plusieurs fois proposé, mais il a toujours refusé.

— Alors, là, nous tenons une piste.

— Que voulez-vous dire ?

127

— Doug a rassemblé une montagne de documents sur ces laboratoires Grayton. C'est donc qu'un concurrent a loué ses services pour les espionner. Comme c'est tout à fait illégal, il a dû être très bien payé.

— De l'espionnage? Doug?

— Eh oui. L'image que nous avions de lui en innocente victime de la vie n'était pas vraiment la bonne. Il était bien plus qu'un excellent informaticien, et sa réputation était grande dans le petit monde des pirates informatiques.

Elle avait soudain un air complètement ahuri.

— Je l'avais pris pour un amateur, à la manière de ces gamins qui passent toute la nuit à s'envoyer des e-mails.

— Ces gamins, comme vous les appelez, peuvent causer beaucoup de dégâts. Doug était l'un des plus doués. Et l'expérience m'a prouvé que le talent finit toujours par attirer ceux qui sont en mesure de le récompenser. Pour eux, il existe deux types de récompense : l'officielle et l'officieuse. Certaines personnes lui ont peut-être offert beaucoup d'argent pour louer ses dons.

— Comment êtes-vous arrivé à cette supposition?

— Je connais quelqu'un qui appartient à ce monde-là. C'est lui qui m'a mis au courant de la célébrité de Doug parmi les hackers. (Je respirai à fond avant de continuer, car j'allais aborder un sujet délicat.) Et il n'est pas interdit de penser que votre mari était peut-être son employeur. Horizn est un concurrent des laboratoires Grayton.

On eût dit qu'elle venait d'être frappée par la foudre.

— Charles? Il ignore tout de l'existence de Doug.

— Vous en êtes certaine?

— Aussi certaine qu'il est possible de l'être. De toute façon, si mon mari lui avait proposé de faire quelque chose pour lui, Doug m'en aurait parlé. (Elle soupira profondément et la fatigue lui crispa de nouveau le visage.) Je quitte la ville demain. J'ai une dernière représentation de *La Bohème* à Saint Louis. Comme elle est assez espacée des autres, j'ai tenu à retravailler mes airs aujourd'hui. (Soudain, son visage s'illumina.) Pourquoi ne viendriez-vous pas avec moi?

— Vous n'êtes pas sérieuse.

— Tout à fait sérieuse. J'arriverai l'après-midi même de la

représentation et je repartirai tout de suite après. Le reste de la troupe répète sans moi. Environ deux heures de vol.

*Eh bien, la réponse est non, pour mille et une raisons.* Mais, ne sachant trop laquelle choisir, je lançai :

— Je ne me vois pas courant acheter un billet à la dernière minute.

— Mais enfin, Jack, je voyage en jet privé. Celui d'Horizn.

— Naturellement, suis-je bête.

— Nous aurions tout le temps de parler de Doug pendant le voyage.

— Doug.

— À travers lui, nous pourrions devenir... amis. (Un silence.) Vous ne pouvez pas imaginer combien ça me soulage de pouvoir parler à quelqu'un qui est au courant de tout.

Je me forçai à détourner les yeux pour qu'ils ne restent pas collés à son extraordinaire peau caramel.

— Je ne suis pas sûr que ce soit une très bonne idée, dis-je.

— Il faut venir, Jack. Le rôle de Mimi est si beau que ça va vous briser le cœur.

— C'est bien la dernière chose dont j'aie besoin.

Et je n'avais pas terminé ma phrase que je savais que j'aurais mieux fait de me taire. *Au secours! Elle allait vouloir tout savoir. Elle n'allait avoir de cesse que je lui raconte tout ce qui m'était arrivé, comment le remords lié à la mort de Violeta Ramirez et le chagrin né d'un sentiment de culpabilité que je ne parvenais pas à chasser me permettaient de la comprendre si bien.*

— Je me doutais bien qu'il y avait quelque chose.

Et, alors que je me préparais à subir une mise à sac de ma vie privée, à ma grande surprise, il n'en fut rien.

— Pas besoin de me raconter, dit-elle, c'est toujours la même histoire.

— Quelle histoire? demandai-je en tournant les yeux vers elle.

— *L'amore non prevale sempre*, répondit-elle en souriant de sa bouche généreuse et brillante. Pensez à demain, dit-elle. Ça me ferait très plaisir que vous veniez.

Les embouteillages de fin d'après-midi étaient à leur paroxysme et je ne voyais pas l'intérêt de continuer à faire du sur-place. Mieux valait attendre pour rentrer chez moi. Le quartier de l'université abrite pas mal de restaurants corrects dont les prix sont raisonnables. Je m'arrêtai devant l'un d'eux, avec l'intention de dîner de bonne heure. J'avais avalé trois bouchées d'un plat que je n'aurais pas cherché à inventer s'il n'avait pas existé, quand mon téléphone portable se mit à sonner. C'était Sammy qui me demandait de le rejoindre au Rectory. Grâce à sa qualité d'ancien employé de l'établissement, il avait fait un arrangement avantageux avec le barman ; ce dernier lui versait du Chivas dans son verre et le lui faisait payer au prix du Seagram's. Vu le nombre de verres que Sammy était capable de descendre, c'était une économie appréciable. Durant le temps que je mis à terminer mon dîner, puis à faire le trajet, il avait déjà profité de son privilège plusieurs fois. Pour Sammy, une soirée était parfaite quand la limite de sa carte de crédit et sa capacité à boire convergeaient en un axe *x-y* parfait.

— Il l'a emmenée au Nikolia's Roof, dit-il, avant même que j'aie eu le temps de m'asseoir.

— Qui a emmené qui ? demandai-je en prenant une chaise.

— *Lui*, dit Sammy sans presque desserrer les dents. Au Nikolia's.

— Le restaurant au dernier étage du Hilton ?

— Enfin, bon Dieu, Jack ! s'exclama-t-il. Il n'y a qu'un Nikolia's !

Je revins enfin sur terre. Bien évidemment, il parlait de Blu.

— Comment peux-tu le savoir ?

— Je connais un type qui me devait un service.

— Essaie de ne pas perdre les pédales, Sammy.

— La première règle de la vengeance est de connaître son ennemi.

— Oui, oui, je sais. Mais faire suivre un mec... (Je laissai ma phrase en suspens pour me demander, une fois de plus, si je n'avais pas fait une connerie en mettant le greffier amoureux au courant des intentions de Stephens vis-à-vis de ma secrétaire.) Fais gaffe, mon vieux. Le Nikolia's est très surveillé. Ton gars risque de se faire repérer.

— Il est bien trop malin.

— Sammy, ne fais pas l'imbécile, ça va t'avancer à quoi ?

Il me fixa de ses yeux larmoyants et laissa tomber :

— Tu sais ce qui ne va pas chez toi, l'ami Jackie ?

— Je suppose que tu en as fait toute une liste. Alors commence à la lettre A.

— Faux. J'ai qu'un seul truc à te reprocher : tu donnes de la confiture à des cochons.

— Raconte.

Il reposa à grand bruit son verre vide sur la table, puis tenta en vain d'attirer l'attention de la serveuse. De guerre lasse, il reporta son attention sur moi.

— Ce que je veux dire, c'est que tu es un génie et que tu passes ta vie dans la salle d'audience d'Odom.

— Ça permet de payer les factures, dis-je.

— Je suis là tous les jours à te regarder et à me demander ce qu'un gars qui parle comme un dieu, qui a l'air d'un dieu, qui en connaît plus sur la procédure que tous ceux que j'ai connus... Enfin, merde, Jack. Tu gagnes quatre-vingt-dix pour cent de tes procès.

— Je conclus un arrangement avec le procureur pour la moitié d'entre eux, Sammy, fis-je remarquer d'une voix égale.

*Incroyable. Voilà Sammy qui me tient le même discours que j'ai tenu à Nightmare. On croit rêver !*

— Oui, mais ils sont tous coupables.

— Ils ne sont pas tous coupables, Sammy.

— Si, bordel ! Et tu le sais.

— Disons que la plupart sont coupables.

— Et ils s'en tirent grâce à ton putain de génie, mon salaud.

Ça faisait déjà quelques verres qu'il n'était plus capable de surveiller son langage.

— À quoi on joue ? demandai-je. À harceler Jack Hammond. Tu sais, j'en ai déjà plein les bottes.

— Ce que je veux dire, poursuivit-il en essayant de rassembler ses pensées, c'est que, comparé à toi, je suis un connard.

— Sammy, je t'en prie...

— Parfaitement. Un connard. Mais même avec ma putain de capacité limitée je vais me venger de Stephens si magnifiquement que ce sera à en pleurer. (Il regarda tristement son verre vide.) Et ce sera lui qui pleurera. J'espère.

— Qu'est-ce que tu as imaginé? demandai-je.

Une inquiétude sourde commençait à me torturer l'estomac. Sammy n'était pas de taille à s'attaquer à Stephens.

— C'est pas tes oignons! éructa-t-il.

— Écoute, Sammy...

— Laisse tomber, mon vieux Jackie. C'est une affaire qui te dépasse, maintenant. Tout ce que je veux bien te dire, c'est que le nouveau petit ami de Blu va passer un sale quart d'heure.

# 11

Nicole Frost[1] ne portait pas un nom qui lui convenait. Elle avait beau exercer le métier de broker avec talent et pugnacité, elle était restée étonnamment humaine et chaleureuse. Nous avions fréquenté la même université, mais elle n'avait pas eu l'occasion d'y faire la connaissance de Doug Townsend. Après la fac, elle avait pris son envol pour d'autres cieux, avait fréquenté l'élite des gens beaux et nantis ; ceux qui, après avoir réussi leurs études, réussissaient encore mieux leur vie sociale. Ses amis et connaissances avaient toujours cru en son succès et elle n'avait déçu personne. En des temps meilleurs, elle avait géré au mieux mon petit portefeuille d'actions. Puis j'avais dû tout vendre pour survivre. Le lendemain du jour où j'avais sondé Michele Sonnier à propos des laboratoires Grayton, je lui passai un coup de fil. Pour le même motif.

— Salut, Jack, s'exclama-t-elle avec sa bonne humeur coutumière. Ça fait plaisir de t'entendre. Quoi de neuf ?

— J'ai une petite fortune à investir, j'ai franchi la ligne rouge. La somme est en billets de un dollar, et je me suis dit que personne, mieux que toi, ne saurait faire fructifier mon capital.

— Ha, ha, ha ! fit elle, moqueuse. Défendre ces gens est déjà assez moche, Jack. Mais c'est ton problème. Alors si tu ne me téléphones pas pour *nous* faire gagner de l'argent, de quoi as-tu besoin ?

— De quelques petits renseignements.

— Tu es fauché.

---

1. *Frost* : le gel. (*N.d.T.*)

— Ce renseignement-là, je le connais, merci. Il ne s'agit pas de mon triste cas personnel.

— Alors, je t'écoute.

— Que sais-tu sur les laboratoires Grayton Technical?

Je dus patienter quelques secondes, pendant que Nicole consultait son prodigieux Rolodex[1] mental.

— C'est une petite société qui ne s'est pas beaucoup fait remarquer. S'ils n'étaient pas implantés ici, je n'en aurais sans doute jamais entendu parler.

— Tu sais qui est le boss?

— Hmm, je crois me rappeler que Grayton lui-même ne fait plus que de la figuration. Mais le conseil d'administration comprend des membres de la famille. Les actions ne bougent pas beaucoup, ni dans un sens ni dans l'autre.

— Maintenant, parle-moi d'Horizn.

— Ça, c'est autre chose, répondit-elle en riant. Il vont faire gagner un maximum de fric à des tas de gens.

— Ça va être un gros truc?

— *Énorme!* Le brevet du médicament pour l'hépatite va rapporter gros pendant des décennies. (Après une courte pause, elle osa ajouter :) Sans vouloir faire preuve de sécheresse de cœur, je suis bien obligée de constater que c'est la maladie idéale.

— Qu'est-ce que tu veux dire?

— Je veux dire que les malheureux qui sont atteints de cette affection doivent prendre le médicament pendant le reste de leurs jours, qu'on espère nombreux. Ils ne guérissent pas, mais ils ne meurent pas. Du point de vue d'un investisseur, c'est fantastique. Et quand on sait comment tout ça a commencé.

— Justement, je ne sais pas, raconte.

— Il y a tout juste dix ans, Ralston était un simple bipède de base, assez évolué, comme toi et moi. Il dirigeait une équipe de chercheurs à l'université de Columbia.

— Je sais que c'est un scientifique.

— C'est justement son équipe qui a découvert le traitement commercialisé par Horizn, précisa Nicole. Naturellement, Ralston étant son employé, l'université a voulu déposer le brevet. Il

---

1. Rolodex : mine de renseignements sur Internet. (*N.d.T.*)

aurait, bien sûr, obtenu le pourcentage habituel. Mais il voulait tout.

— Il a été en justice?

— Oui, et personne ne lui accordait la moindre chance. D'habitude, les universités s'arrangent pour faire établir des contrats qui ne présentent pas la moindre faille. Mais il s'était choisi un sacré avocat.

— Laisse-moi deviner : Derek Stephens.

— Exact. Il passe pour être un génie. On n'arrête pas de citer son nom dans le *Wall Street Week*. Ce qui est certain, c'est que, grâce à lui, Ralston a quitté l'université avec le brevet dans la poche. Et, suite logique, ils sont tous les deux millionnaires.

— Tous les deux?

— Ralston ne possédait pas un centime. Alors il lui a payé ses honoraires en lui offrant un pourcentage sur les futurs bénéfices. Tu connais le résultat. Si bien que Stephens a fini par fermer son cabinet d'avocat, et, depuis, ils gouvernent le monde ensemble.

— Un vrai conte de fées.

— Oui, surtout que le prix du médicament a triplé.

— Que les pauvres aillent se faire foutre, c'est ce que je dis toujours.

— Ce monde est cruel, mon pauvre ami. (Puis, après une brève pause, elle demanda :) Mais pourquoi t'intéresses-tu soudain à Horizn?

— À cause d'une petite affaire dont je m'occupe.

Je pouvais imaginer les rouages de son cerveau qui venaient de se mettre en branle.

— Jack, mon petit Jack, tu ne serais pas en train de me faire des cachotteries, par hasard?

— De quoi tu parles?

— De rumeurs, par exemple, dont tu aurais eu vent grâce à tes fréquentations si pittoresques.

— Hmm, il y a de ça, je l'avoue, mais il faut vérifier.

— Ce n'est pas très gentil de te faire désirer alors que tu viens juste de me tirer les vers du nez. Allons, dis à ta petite Nicole ce que tu sais.

— Désolé, mais je ne peux pas.

— Alors, ça doit être capital, dit-elle en parlant bas et avec du respect dans la voix.

– Je ne demande qu'à te rendre tes gentillesses. Dès que je serai sûr de ce que j'avance, tu seras la première à savoir.

– Si l'on considère ton... hmm... *milieu professionnel*, il ne peut s'agir que de quelque chose de sordide. Mais n'oublie pas que l'entrée en Bourse d'Horizn a lieu dans cinq jours. Une mauvaise nouvelle aurait un effet désastreux.

– Du calme, Nicole. Je ne sais quasiment rien pour l'instant. Et si tu t'amuses à faire circuler de fausses rumeurs, tu vas te retrouver à vendre des actions en Sibérie.

Je sentis qu'elle reprenait le contrôle d'elle-même.

– Écoute, dit-elle. Je viens de lire dans la presse que, vendredi prochain, Ralston était invité par le campus de Georgia Tech.

– En quel honneur?

– Parce que c'est un type brillant. Mais surtout, comme il n'a plus le droit d'émettre aucun commentaire sur Horizn, il se débrouille pour en faire passer indirectement. Et il s'y prend comment, d'après toi?

– Pas la moindre idée.

– Il offre une nouvelle aile à l'université. Le collège Charles Ralston pour l'ingénierie biomédicale. Si la bâtisse lui a coûté quatre millions de dollars, elle va lui en rapporter vingt par retour de publicité. Sans compter qu'il paiera moins d'impôts. Et, connaissant Ralston, je suis certaine qu'il va trouver le moyen de dire un petit mot à propos d'Horizn. J'y vais, naturellement. Tu m'accompagnes?

– Tu veux bien?

– Si je veux bien? Tu ne te rends donc pas compte que ton manque d'intérêt apparent pour les femmes te rend irrésistible? Et puis je sais que je verrai là-bas un superbe mec de Suntrust, et je veux le rendre jaloux.

– Tu te sers de moi, si je comprends bien.

– Il a besoin d'être motivé. Alors, quand je vais m'entortiller autour de toi, ne te fais pas de fausses idées. La cérémonie débute à onze heures. On se retrouve à la porte principale dix minutes avant?

– Marché conclu.

– Habille-toi classe. À vendredi. Ciao, beau blond.

*Venez à Saint Louis*, avait dit la Voix. *Nous pourrions devenir amis.*

136

Je passai le reste de la journée au tribunal, sans cesser d'entendre la Voix dans ma tête. Je l'entendais encore quand Odom me jeta un regard peiné au cours d'une de mes plaidoiries, parce que j'insistais sur le fait qu'offrir de vendre de la marijuana à un inconnu qui n'en avait pas sollicité constituait une incitation au délit par un policier pour justifier une arrestation illicite. J'entendais toujours la Voix en fixant, le regard vide, une adolescente qui avait effectué la descente finale dans l'enfer de la prostitution pour acheter sa coke. J'entendais également la Voix au cours de mon déjeuner, tout en me demandant comment j'allais m'en sortir avec un client qui ne parlait que le croate.

*Venez à Saint Louis*, avait-elle dit. *Nous pourrions devenir amis.*

Un bref coup d'œil à ma montre m'apprit qu'il était quatorze heures quarante, ce qui me laissait tout juste le temps d'attraper l'avion, si je perdais complètement l'esprit.

Je perdis complètement l'esprit.

# 12

Le jet de la société Horizn, un Grumman laqué noir valant au bas mot sept millions de dollars, donnait l'impression que le propriétaire en avait eu pour son argent. Le logo de la compagnie, un H artistement dessiné sur fond rouge, ornait la queue de l'appareil. Je me garai sur le parking de Brownfield, un aéroport privé situé au nord-ouest d'Atlanta. Par automatisme, je fermai les portes à clef ; un acte superflu, vu la haute surveillance dont bénéficiaient, vingt-quatre heures sur vingt-quatre, les luxueuses limousines qui entouraient ma Buick en piteux état. De là, je me rendis tout droit dans le hall de réception. À peine la porte se fut-elle ouverte avec un soupir devant moi que je l'aperçus.

La Sonnier était assise seule, vêtue d'une façon si ordinaire qu'il fallait avoir sa réputation pour se le permettre : un blue-jean délavé et une banale chemise de coton orange dissimulant son corps parfait. Quand elle leva les yeux vers moi, son sourire faillit me faire fondre sur place. Lorsque je m'approchai de son fauteuil, elle se leva pour poser ses lèvres douces et chaudes sur ma joue. Sans perdre une seconde, nous nous dirigeâmes vers l'avion et embarquâmes.

Un jet privé Grumman permet de mesurer la distance séparant les riches des très riches. Les gens possédant leur propre avion regardent de haut les pauvres malheureux qui doivent se contenter de voyager en première sur les avions de ligne. Avant de prendre possession de leur jouet, ils passent des heures et des heures en discussion avec un architecte d'intérieur spécialisé pour prendre des décisions importantes : est-ce que la robinetterie de la salle de bains devrait être en or ou en titane? Et, grâce à la prodigieuse réussite de la société Horizn, c'était devenu le monde de la Sonnier.

Pendant la première partie du voyage, nous parlâmes de tout et de rien. Michele Sonnier s'exprimait en murmurant presque pour ne pas se fatiguer la voix juste avant de chanter un rôle difficile. Et si elle m'offrit une coupe de champagne, elle prit du vin rouge dont le tanin avait la réputation d'être bon pour les cordes vocales. Les montagnes du nord de la Géorgie paraissaient glisser sous les ailes de l'appareil et je trouvais la situation aussi agréable que si Charles Ralston n'avait pas existé. Sans pour autant chercher à occulter sa réalité. Ils avaient passé un arrangement, soit, mais il était difficile de considérer un personnage aussi connu comme quantité négligeable.

— J'ai beaucoup pensé à votre histoire, dis-je. Je trouve dommage que vous la teniez secrète. Venir d'où vous venez et avoir fait tout ce chemin, c'est admirable.

Elle reposa son verre d'un air vaguement agacé.

— Voilà un discours qui ne m'étonne pas de votre part.

— Que voulez-vous dire?

— Mon ascension n'est qu'un aléa de la négritude, murmura-t-elle avec un soupir.

— Je vous suis de moins en moins.

— C'est comme quand les Blancs décidaient quelle jolie petite négresse allait devenir la « servante » de la maison. (Je haussai les sourcils, et elle poursuivit à mi-voix :) Je suis d'abord allée à New York, j'y ai rencontré des gens, et j'ai fini par atterrir dans le New Jersey. À Elizabeth.

— Jamais mis les pieds là-bas.

— C'est l'enfer de l'Est, commenta-t-elle d'une voix toujours aussi douce. Il y a une importante population portugaise qui se débrouille assez bien. Quant aux quartiers noirs, c'est autre chose, assura-t-elle.

Puis elle se tut et but pensivement une petite gorgée de son vin. Ma curiosité était éveillée, je tentai de la pousser plus avant sur le chemin des confidences.

— Et ensuite, que s'est-il passé?

— Je me suis inscrite au lycée. J'étais une solitaire et l'école est un miroir de la société.

139

— C'est vrai.

— Plusieurs fois par an, des orchestres venaient jouer dans ce lycée. De petites formations, bien sûr. Avec le recul, j'avoue que ça me fait penser aux colis de nourriture qu'on distribue en Somalie, par exemple. La démarche était un peu la même.

— Je suppose que si on se trouve en Somalie en train de crever de faim, on est content de voir arriver la nourriture.

— Je savais que vous ne comprendriez pas le fond de ma pensée.

— Je croyais que vous ne vouliez plus jouer à ce jeu des Noirs contre les Blancs.

— C'est vrai... Ce qui est vrai aussi c'est qu'on se fatigue de recevoir la charité. Je voyais ces musiciens nous regarder avec pitié, comme si nous étions des malades gravement atteints dans un hôpital. Si bien qu'après leur départ on se sentait encore plus mal qu'avant. (Puis son expression changea, elle s'était immergée de plus en plus profondément dans ses souvenirs, oubliant même de ménager sa voix.) Mais il y avait la musique. Tant qu'ils jouaient, je ne savais plus où je me trouvais. Rien d'autre n'avait d'importance pour moi que cette musique. Les notes, les sons. La plupart des autres n'écoutaient même pas. Moi, je me mettais devant, et je me retrouvais presque en transe. Dans toute ma courte vie, je n'avais jamais rien entendu de tel.

— Il y avait aussi des chanteurs?

— Une fois, une femme. Mais à cette époque, j'étais incapable de dire si elle était bonne ou non. Ce que je me rappelle, c'est qu'elle était belle et portait une robe magnifique. J'étais fascinée; avant de l'entendre chanter, je l'ai observée dans les moindres détails : comment elle s'asseyait, la façon dont elle tenait ses jambes, son dos droit comme un I. Elle nous souriait, et j'étais persuadée qu'elle possédait la science universelle. Puis, à un moment donné, elle s'est levée pour venir se placer au centre de la scène. C'était comme si j'avais été frappée par la foudre.

— Vous avez ressenti ce que les spectateurs ressentent aujourd'hui quand ils vous entendent.

Son exaltation parut se calmer et elle sourit pensivement.

— Je suppose, admit-elle, en parlant de nouveau à voix basse.

— Et après?

— Elle était accompagnée par un petit orchestre de chambre, une dizaine de musiciens. Et elle a commencé à chanter un air en français. *En français.* On m'avait fourré dans le crâne que tout ce qui était vieux et venait d'Europe était à fuir. Alors, quel dilemme! Parce que j'étais en train d'écouter un son si beau que je ne l'avais même jamais entendu en rêvant.

— Et ensuite, qu'est-ce que vous avez fait?

— Je suis allée à la bibliothèque municipale où j'ai trouvé un grand nombre d'enregistrements d'opéras. Et j'ai écouté, écouté. Pas comme une étudiante, non, comme une petite fille. Puis j'ai essayé de reproduire les sons, sans pouvoir dire ce que valaient mes imitations. Personne n'était au courant de mes efforts. C'était mon secret. Et j'avais l'impression que ce secret creusait un trou en moi.

— Et cette étape dans votre vie a duré longtemps?

— Environ deux ans. Je me constituais tout un répertoire, sans même connaître le mot. Une ou deux fois, je me suis risquée à chanter devant quelques amis qui se sont copieusement moqués de moi.

— Vous ne vous êtes pas découragée?

— Non. Et comme j'avais entendu dire que des gens chantaient au Lincoln Center, un jour, prenant mon courage à deux mains, j'ai sauté dans un bus pour m'y rendre. Je serais bien en peine de dire quel était mon objectif. Peut-être pensais-je y rencontrer des chanteurs d'opéra en costume dans les couloirs, en train de se donner mutuellement la sérénade? C'est ainsi que j'ai pénétré dans la célèbre Julliard School pour la toute première fois, et que je suis restée des heures à errer dans les couloirs. Je me trouvais dans un état second. J'entendais partout de la musique derrière des portes fermées.

— Vous n'avez rencontré personne?

— J'ai réussi à y rester trois ou quatre heures sans me faire repérer. Dès que j'entendais quelqu'un, je me cachais. Jusqu'au moment où une porte s'est ouverte devant mon nez. Une femme se tenait sur le seuil et je pouvais apercevoir une salle pleine de partitions, un piano et des objets d'art. Une vision du paradis.

— Qu'avez-vous fait?

— C'est elle qui m'a demandé si je m'étais égarée. (Elle tourna alors la tête vers le hublot, complètement immergée dans ses souvenirs.) Je me suis trouvée dans l'impossibilité de répondre. Puis, quand j'ai vu qu'elle commençait à s'éloigner en me laissant plantée devant sa porte refermée, j'ai crié qu'en effet j'étais perdue. (Elle se retourna vers moi.) Elle s'est arrêtée, et je lui ai tout déballé. La musique que j'empruntais à la bibliothèque, mes airs préférés. Et elle m'a écoutée avec patience et gentillesse. Mais à la Julliard ils ne manquent pas de jeunes prodiges, alors ce n'est pas à cause de la musique que cette femme a décidé de m'aider.

— À cause de quoi, alors?

— Je lui ai dit que j'étais censée haïr cette musique et que je ne la haïssais pas. J'ai cru qu'elle allait se mettre à pleurer.

— Et elle a accepté de vous faire travailler?

— C'est exact, Jack. Elle a dit que je pouvais venir dans la grande maison et vivre avec le *Massah*[1].

— Permettez-moi de vous dire que je trouve votre attitude un peu ingrate.

— Je vous le répète : vous ne pouvez pas comprendre.

— Franchement, je n'arrive pas à décider si c'est le fait qu'on vous paie une fortune pour chanter Puccini, ou ce jet privé, qui me pousse le plus à avoir pitié de vous.

Ses yeux se mirent à lancer des éclairs.

— J'ai banni certaines personnes de ma vie pour beaucoup moins que ça! lança-t-elle.

— Allez raconter ces sornettes à quelqu'un qui n'appelle pas par leur prénom tous les bailleurs de cautions de la banlieue d'Atlanta.

Elle m'observa sévèrement pendant une seconde avant d'éclater de rire.

— Si je n'arrive pas à vous inoculer le complexe du Blanc, je vais être furieuse.

— J'ai déjà tout entendu, assurai-je avec un haussement d'épaules. Je suis vacciné. Racontez-moi la suite de l'histoire. J'aimerais savoir comment vous avez fini par vous retrouver dans cet avion.

Elle se pencha vers moi et me déposa un baiser sur la joue.

— Vous n'êtes pas facile à effrayer, j'aime ça.

--------

1. *Massah* : maître pour un esclave noir. (*N.d.T.*)

Je me gardai bien de démentir ses paroles, car elle avait tort de le croire. Et ce qui m'effrayait le plus, à ce moment précis, c'était le désir fou que j'avais de l'embrasser. Seul un prodigieux effort de volonté m'empêchait de m'emparer de ses lèvres.

— Pendant une période, je suis venue chaque mardi. Puis on a ajouté le jeudi. Et après, ç'a été pratiquement tous les jours. Pourtant, il m'a fallu très longtemps pour deviner ce qu'elle avait découvert le premier jour où j'ai chanté une aria devant elle.

— Et c'était quoi?

— Que quelle que soit la musique que je chante je m'y donne entièrement.

— Exactement comme Johnny Cash, dis-je avec un sourire béat. J'ai toujours pensé que c'était le secret de son succès.

— Oh, Jack! s'exclama-t-elle avec une expression horrifiée.

— Si vous osez montrer la moindre irrévérence envers l'homme en noir, je vous balance hors de cet avion.

— D'accord, d'accord, acquiesça-t-elle en hochant la tête. C'est exactement comme Johnny Cash, mais en italien et en costume d'époque.

— Et pourquoi êtes-vous revenue à Atlanta?

— Ça, c'est à cause de mon mari, dit-elle. Quand on est noir et ambitieux, Atlanta est le centre de l'univers. Et le fait que les ouvriers y sont moins payés qu'ailleurs ne gâche rien. (Elle dirigea de nouveau son regard vers le hublot. Parler de Charles Ralston paraissait la déprimer.) Maintenant, murmura-t-elle, je ne vais plus parler du tout. Je dois reposer ma voix. Je vais même essayer de dormir un peu.

Le vol se poursuivit dans le silence. L'avion survola Nashville avant de filer au nord-ouest vers Saint Louis. La Sonnier fermait les yeux, mais j'ignorais si elle dormait vraiment. Pendant le reste du trajet, je ne fis que la regarder, en me demandant si j'avais bien fait de l'accompagner. Au bout d'un moment, son expression un peu torturée me laissa penser que ses rêves étaient hantés par d'horribles souvenirs.

Nous atterrîmes à Spirit of Saint Louis, un petit aéroport proche du Missouri. La piste était construite sur le sol fertile du delta. L'avion roula jusqu'à une limousine qui attendait sur le tarmac. Par le hublot, je vis l'homme qui escortait la Sonnier à

143

la soirée de gala, et que j'avais revu à la sortie des artistes du théâtre Fox, sortir de la voiture au moment où l'avion s'arrêta. Quand le bruit des moteurs s'éteignit, je demandai :

— C'est qui?

— Bob Trammel, répondit-elle. Il est venu à l'avance pour s'assurer que la répétition se passait bien et me tenir au courant des problèmes éventuels. Comme il ne m'a pas téléphoné, c'est que tout roule.

Solidement bâti, il mesurait environ un mètre quatre-vingts, et avait dépassé de peu la quarantaine. Ses cheveux très noirs et raides étaient plaqués en arrière. Comme lorsque je l'avais aperçu la dernière fois, il fumait une cigarette. Le copilote sortit de la cabine, débloqua la porte de l'appareil et déploya la petite passerelle. Avec l'air de s'ennuyer ferme, le dénommé Trammel s'avança vers l'avion. Michele Sonnier emprunta la passerelle la première, mais elle n'avait pas atteint la dernière marche que son factotum m'aperçut derrière elle, et son expression changea du tout au tout. D'ennuyée, elle devint franchement hostile. Comme nous étions encore hors de portée d'oreille, je demandai encore :

— Il travaille pour vous depuis longtemps, ce Trammel?

— Non, répondit-elle en secouant la tête. C'est une idée de Charles. Mais je dois avouer qu'il est très efficace.

Michele se dirigea droit sur lui, laissant l'un des deux pilotes s'occuper des bagages. Si j'ignorais tout ou presque de l'opéra, je connaissais le mot diva. Au cours des dix secondes qui lui furent nécessaires pour s'approcher de la voiture, la Sonnier, le dos raide et le menton levé, me parut avoir grandi de plusieurs centimètres. Elle ne se donna même pas la peine de me présenter Trammel.

— Bob, mettez les bagages dans le coffre, vous voulez bien? ordonna-t-elle sans même lui accorder un regard.

Il avait laissé la portière ouverte, et elle se glissa à l'intérieur de la limousine en me prenant la main au passage pour m'y entraîner avec elle. Encore une fois, j'éprouvai mille et une sensations au contact de sa peau contre la mienne. Soudain, c'était elle qui contrôlait entièrement la situation, et je n'avais encore jamais vu une femme faire preuve d'une telle autorité naturelle. Dans ce monde-là, elle était souveraine.

J'entendis Trammel fermer le coffre. Puis il s'installa à côté du chauffeur.

— Le vol a été agréable ? demanda-t-il.

— Vous avez informé Colin du petit changement que je souhaitais ? demanda la Sonnier sans daigner répondre à sa question.

— Il a réglé la question. Aucun problème de ce côté-là.

En me voyant hausser les sourcils, elle m'informa que Colin Graham était le chef d'orchestre.

— Il manie un peu sa baguette comme un marteau, persifla-t-elle, mais il faut faire avec.

Pendant ce temps, nous traversions un quartier industriel de Saint Louis. Petit à petit, Michele Sonnier se retirait à l'intérieur d'elle-même, se préparant à devenir Mimi dans quelques heures. Et jusqu'au Loretto-Hilton Center, où serait donnée la représentation de *La Bohème*, ce fut comme si elle n'était plus avec nous. En arrivant, je visitai la salle qui, si elle était un peu plus petite que celle du Fox, n'en était pas moins superbe.

— L'acoustique est remarquable, commenta la Sonnier, qui faisait le tour du plateau pour retrouver ses marques dans le décor.

Pendant que je l'observais, une main se posa sur mon bras. Celle de Trammel.

— Je vous reconnais, dit-il. Vous étiez à la soirée du Quatre Saisons et à la sortie des artistes du Fox pour la dernière des *Capulet et les Montaigu*.

— Ça, c'est la version longue. La plupart des gens utilisent simplement mon nom. Jack Hammond.

— Mr. Hammond, je suis sûr que vous ne voudriez pas avoir l'impression de gêner, dit-il, le regard réduit à une fente. Vous verrez une salle verte, de l'autre côté de la scène. Et vous y trouverez des boissons et de petites choses à grignoter.

J'acquiesçai d'un signe de tête avant de me diriger vers la porte métallique qu'il m'avait indiquée de la main. Je commençai par suivre un couloir bordé de loges d'artistes. Le nom de Michele Sonnier n'était inscrit sur aucune des portes. En arrivant dans la fameuse salle verte, seulement meublée de quelques sièges, je me servis une boisson gazeuse. Ensuite, je m'installai dans un fauteuil et levai les yeux vers l'écran permettant de voir ce qui se passait sur le plateau. Des gamins vêtus pauvrement se tenaient pressés les uns contre les autres, écoutant attentivement les indications d'une femme. De temps à autre, des membres de la distribution venaient chercher quelque chose à boire ou à manger, mais personne ne m'adressa la parole. Je n'en fus pas contrarié, bien au contraire. Au bout d'un moment, fixant toujours l'écran, je vis Michele fouler la scène en compagnie d'un homme assez grand qui devait être le metteur en scène. Ils devaient mettre au point quelques détails de dernière minute.

Comme il restait encore pas mal de temps avant le début de la représentation, je décidai d'aller faire un tour dehors. Environ une heure avant le lever de rideau, je retournai au théâtre, où il me fut aisé de trouver la loge de la Sonnier. Après une seconde d'hésitation, je frappai à la porte.

Il ne se passa rien pendant quelques secondes, puis son habilleuse vint m'ouvrir. La diva me permit d'entrer. Un bandeau retenait ses cheveux en arrière et lui dégageait le visage. Elle terminait de se maquiller, et son kimono de soie rouge pas complètement fermé laissait apparaître la naissance de sa poitrine.

— Savez-vous où est Trammel? demanda-t-elle.

— Non, je ne l'ai pas vu depuis un bon moment.

Elle arracha son bandeau et demanda à l'habilleuse de lui passer sa robe. Elle laissa tomber le haut de son kimono, retenu par la ceinture nouée autour de sa taille étroite. Un soutien-gorge de dentelle noire lui moulait la poitrine, et je pouvais apercevoir le haut d'un slip assorti. Elle leva les bras pour permettre à la femme de lui enfiler une robe marron à l'aspect passablement défraîchi. Quand le bas de l'ourlet arriva à mi-cuisses, d'un geste preste, elle dénoua la ceinture et se débarrassa de son kimono avant de congédier aimablement l'habilleuse.

— Je crois deviner que vous allez jouer une pauvresse, dis-je.

— Oui, acquiesça-t-elle en riant. Mais pas n'importe où! À Paris.

— Ah, être pauvre à Paris, que peut-on rêver de mieux? ironisai-je.

— Être vraiment pauvre, demanda-t-elle, vous savez ce que c'est, Jack?

146

La voix suave et cultivée avait cédé la place à l'accent banlieusard.

— Je n'ai jamais connu la faim, mais je sais l'impression que ça fait de se trouver dehors et de regarder à l'intérieur.

— C'est ce que j'avais cru deviner, dit-elle, en se retournant vers le miroir pour s'observer avec attention.

— Je vais vous laisser vous concentrer, annonçai-je. Trammel m'a fait découvrir une salle verte où je vais pouvoir manger un peu de pain et de fromage.

Elle laissa échapper un petit rire, et lança de sa voix de velours retrouvée :

— Très bonne idée. (Même quand elle ne faisait que parler, on avait l'impression qu'elle chantait. Sans doute satisfaite de ce qu'elle avait vu dans le miroir, elle se retourna vers moi.) Je suis heureuse que vous soyez venu, Jack. C'est bon d'avoir des amis.

Elle se tenait immobile devant moi dans son misérable costume, étonnant mélange d'innocence et de séduction, et je brûlais d'envie de l'attirer entre mes bras pour la protéger des ravages de l'hiver parisien.

— Il est temps que je vous laisse, parvins-je à articuler.

— Oui, acquiesça-t-elle, en m'effleurant la joue d'un baiser chaste et doux.

Je sentis longtemps la chaleur de ses lèvres sur ma joue, elle perdura jusqu'à ce que je sois installé dans mon fauteuil d'orchestre. Le public se composait d'un mélange d'étudiants et de gens plus âgés, à l'apparence moins guindée que celle des spectateurs du théâtre Fox. La Sonnier m'avait fait placer au cinquième rang, à peu près au centre.

Dès le début de la représentation, j'éprouvai une sensation bizarre qui alla en s'accentuant; une vague contrariété. Il me fallut une trentaine de minutes pour en comprendre la raison. Si Puccini savait ce que voulait dire être pauvre, cela ne transparaissait pas dans sa *Bohème*. Le programme disait qu'étant jeune il était fauché, mais qu'à l'époque où il écrivit cet opéra il était devenu riche et célèbre. Ce qui flanquait sa perspective par terre. C'est toujours pareil : quand quelqu'un gagne beaucoup d'argent, il poétise à mort la période de sa vie où il ne possédait rien. Il aime à raconter combien la vie était agréable quand il n'avait pas tous les problèmes inhérents à la richesse. Je le sais d'autant mieux qu'à mon échelle il m'est arrivé la même chose. Mais Puccini battait des records dans ce domaine. L'image de Paris en hiver que l'on m'offrait sur scène était charmante au point de faire penser à un film de Disney. Nous étions bien loin des bas-fonds d'Atlanta. Et tous ces bohèmes, le peintre, l'écrivain et consorts, me donnaient aussi l'impression de gazouiller comme les oiseaux de dessins animés. Visiblement, ils jouissaient d'être pauvres. La seule que je trouvais vraie, c'était Mimi. Mimi qui s'éteignait doucement. Ce n'est pas que je pense qu'il est impossible de trouver quelques moments de joie dans un ghetto. Mais l'humour du ghetto est teinté d'une nervosité due à l'incertitude du lendemain. Voilà un sentiment qui échappait à Puccini. Quand les gens du ghetto rient, ils rient très fort, comme pour se protéger de la vie. Leur humour ne cherche pas à plaire, mais à provoquer. Les personnages de *La Bohème* chantaient l'amour, la poésie, comme s'ils n'avaient pas le moindre souci. En un mot, ils se conduisaient à la façon de gens riches qui ont un problème de trésorerie passager. Alors qu'en vérité ne pas avoir d'argent, c'est très pénible. Je suis sûr que Johnny Cash se serait montré plus fin psychologue.

Je ne suis pas en train de dire que ce n'était pas magnifique. Ce qui veut dire qu'une œuvre peut être complètement merdique par certains côtés et provoquer des sensations extraordinaires de l'autre. La musique est si merveilleuse qu'elle pourrait démolir une personne qui ne se tiendrait pas sur ses gardes. Et, au cœur de l'histoire, il y avait Michele Sonnier. Jésus, Marie, Joseph, comme elle a chanté ce soir-là! Elle était excellente en Roméo à Atlanta, mais elle atteignait un autre registre dans le rôle de Mimi. Par moments, elle chantait avec la délicatesse d'une figurine de verre, comme si sa voix était sur le point de se briser en éclats brillants. À d'autres, elle laissait éclater une sexualité stupéfiante. Aucun homme ne pouvait s'arracher à son attraction. Cette femme était un vrai miracle.

Je pense qu'il s'agit d'un don, parce que ses partenaires se donnaient autant de mal. Plus, sans doute. Il était facile de lire dans leurs yeux qu'ils avaient passé des millions d'heures à faire des gammes, si les chanteurs font des gammes. Et on y lisait aussi un peu de frayeur et d'admiration chaque fois que la Sonnier chantait. Peut-être aussi de la haine. Car ils savaient qu'ils auraient beau multiplier les efforts, aucun d'eux n'atteindrait les sommets où se promenait cette femme avec une facilité apparente déconcertante. Même quand il y avait d'autres personnages autour, on ne regardait qu'elle. Tous les yeux restaient rivés sur le visage de la Sonnier qui accrochait mystérieusement la lumière. Comme elle l'avait dit, quel que soit son rôle, elle chantait sa vie. Elle parvenait à se laisser aller complètement, à donner tout ce qu'elle avait. Voilà pourquoi, assis dans le noir à la regarder et à l'écouter, je sentais se désagréger les barrières de protection que j'avais élevées entre elle et moi. Je n'en étais ni fier ni honteux. Au regard de ce qui s'est produit par la suite, notre relation a été si torturée que je ne parviendrai jamais à l'analyser vraiment. Mais, quand je regarde en arrière, je sais ce qui m'a attaché à elle : nous voulions tous les deux disparaître dans quelque chose. Le sens n'était pas identique pour chacun de nous, mais l'essence était la même.

*Amoureux*. Ce n'est pas un mot que je me suis avoué au cours de cette soirée, parce que le moment n'était pas encore venu. Mais, lorsque vous empruntez certains chemins inconnus, il suffit parfois de quelques pas pour deviner où ils vont vous conduire. Peut-être ce mot me serait-il venu à l'esprit alors que j'étais encore assis dans l'obscurité de la salle, mais, à ce moment-là, Mimi était en train de mourir sur la scène. C'était la deuxième fois que je voyais chanter la Sonnier, et la deuxième fois qu'elle mourait. Cette fois-ci, c'était d'une tuberculose exacerbée par l'hiver parisien. Je commençais à trouver qu'on mourait beaucoup dans les opéras. Toutefois, la mort de Mimi n'avait aucun rapport avec celle de Roméo. La jeune femme luttait pour sa vie et c'était effrayant à regarder. Sa voix s'éteignait petit à petit, jusqu'à devenir un mince filet, mais elle restait d'une musicalité extraordinaire, emplissant l'espace de ses minces volutes, soutenue par le murmure de l'orchestre. Puis elle exhala sa dernière note tremblée. Hypnotisés, les spectateurs se sentaient étouffer eux aussi, une partie du public était en train de mourir avec elle. Et, comme au Fox, quelques personnes se mirent à pleurer autour de moi. J'éprouvais la même sensation que quelques heures plus tôt dans sa loge, mais en cet instant plus de mille personnes, tous des inconnus pour elle, l'éprouvaient en même temps que moi.

Et puis, comme au Fox, ce fut terminé. Le charme fut rompu, fracassé par les applaudissements. Il y eut les gerbes de fleurs et, à la sortie des artistes, les spectateurs refusaient de partir sans avoir touché la diva. Je me tenais à distance. Ce n'était pas mon monde, mais il était fascinant à observer. En voyant tous ces gens agglutinés autour d'elle, en train de lui crier qu'elle était la plus grande cantatrice au monde, il était difficile d'imaginer la solitude de cette femme, et pourtant, une fois les lumières de la rampe éteintes, seule, elle l'était. Je le savais. Aussi seule que moi ; suffisamment seule pour se réveiller la nuit l'âme douloureuse. Au milieu de toute cette agitation, elle me regarda. Je lui souris en hochant la tête et elle me rendit mon sourire. Un bref sourire, car elle fut de nouveau happée par ses admirateurs.

Je fis alors quelques pas qui me rapprochèrent de Trammel en train de fumer une cigarette.

— Superbe représentation, commentai-je.

— Qu'êtes-vous venu faire ici, Mr. Hammond ? demanda-t-il.

— C'est justement ce que j'étais en train de me demander, répondis-je. En fait, je pense que je suis venu parce que j'y ai été invité.

Ses lèvres se retroussèrent en un vilain rictus.

— Alors, c'est vous le nouveau jouet ?

— Je vous demande pardon ?

— Oh, je pense que l'image est assez claire.

Je me mis à l'observer : visage étroit, yeux intelligents, costume sombre pas particulièrement bien taillé.

— Permettez-moi de vous poser une question, dis-je, en souhaitant changer de sujet. Quel est le rôle exact d'un administrateur de tournée ?

— Il s'occupe surtout des finances, répondit-il avec un haussement d'épaules. Et il dit aux gens les choses que Michele n'a pas envie de leur dire elle-même.

— Quel genre de choses ?

— Il ne fait pas assez chaud dans ma loge. Je veux une autre marque d'eau minérale. Le directeur de scène ne connaît pas son métier. Et, naturellement, au revoir.

150

– Au revoir ?

– Oui, c'est exact, au revoir, répéta-t-il d'un air narquois.

Ensuite, le silence s'installa entre nous. Les volutes de fumée qui s'élevaient de la cigarette de Trammel paraissaient s'entortiller autour de la lumière d'un réverbère.

– Et il vous arrive souvent d'avoir à le dire ? finis-je par demander d'une voix posée.

– Chaque fois que c'est nécessaire, rétorqua-t-il en me regardant d'un air entendu.

– Michele Sonnier ne le dit jamais elle-même ?

– Pourquoi s'en donnerait-elle la peine ? Je suis là pour ça.

– Et Charles Ralston s'accommode de cette situation ?

– Ce n'est pas à moi de le dire, répondit-il en haussant les épaules. Il est assez grand pour savoir ce qu'il a à faire.

Il y eut de l'agitation derrière nous. Des membres de la distribution regagnaient leurs voitures.

– Une dernière question, risquai-je.

– Oui ?

– C'était qui son dernier jouet ?

– Disparu.

Une fois dans l'avion, l'excitation retombée, la fatigue s'empara de nouveau d'elle. Elle me désigna le bar et me demanda de lui servir un verre. Chacun un verre de whisky à la main, nous nous installâmes confortablement pour le vol. Cet appareil ressemblait à un cocon. Le fuselage étroit créait une atmosphère chaleureuse et intime. Nous étions assis côte à côte, et, après le décollage, elle se nicha contre moi, glissant sa tête sous mon aisselle. La façon dont elle se laissait aller exprimait beaucoup de confiance. Sa respiration s'était faite lente et profonde. Elle fermait à demi les yeux et semblait tout à fait heureuse de sentir son corps magnifique s'encastrer dans le mien. Elle m'apparaissait comme un ange éblouissant. C'était aussi une femme mariée à un autre homme ; voilà pourquoi je me devais de désamorcer la situation. Et je m'étais toujours considéré comme un expert dans ce genre de manœuvre.

– Trammel m'a dit quelque chose d'intéressant après la représentation. Un scoop, en quelque sorte.

La tête toujours sous mon bras, elle leva les yeux vers moi. Sa peau était si douce et si luisante, que je devais faire de terribles efforts pour ne pas la caresser.

— C'est quoi, ce scoop?

— Il m'a dit que j'étais le nouveau jouet.

Elle éclata de rire, et j'avoue que je ne m'y attendais pas.

— Il est resté gamin.

— Qu'est-ce que ça veut dire?

— Quand il a pris ses fonctions, il y a quelques mois, il n'a pas cessé de me faire des avances.

— Alors, il est jaloux, c'est ça?

— Quand il a fini par comprendre qu'il n'arriverait à rien, il s'est mis à bouder. (Elle leva les yeux vers moi.) Voilà pourquoi vous me plaisez.

— Je ne vous suis pas très bien.

— Parce que vous n'essayez pas.

— De faire quoi?

— Exactement ce que je disais, répondit-elle, sibylline.

Elle se lova ensuite davantage contre moi. Le bout de mes doigts reposait sur la partie supérieure de son sein, directement sur sa merveilleuse peau chocolat. Il y avait deux ans que je n'avais pas fait l'amour, et ce seul contact avec sa peau m'obligeait à me souvenir de chacun des jours de ces deux années.

Je restai sans bouger et sans dire un mot, mais je sentais toutes mes bonnes résolutions m'abandonner. Je ne cherche pas à minimiser la beauté de la fidélité en trouvant des excuses à ce que nous avons fait. J'ai fréquenté l'église dans mon enfance et je sais distinguer le bien du mal. Mais il existe des impératifs physiques contre lesquels il est presque impossible de lutter. Il est concevable de lutter pendant un certain temps, mais ce qui bouillonne à l'intérieur de soi finit par déboucher sur un assouvissement à un moment ou à un autre. Pour chaque moment de perfection soigneusement élaboré, il y a une perte de contrôle. Ou peut-être s'agit-il simplement de retrouver son véritable moi, celui qui est le plus proche de l'âme. Quoi qu'il en soit, je sais que nous avons continué de parler pendant un moment, mais je serais bien en peine de me souvenir de quoi. En revanche, je me rappelle mes sensations. J'avais l'impression d'être en sécurité, placé au cœur de notre acceptation mutuelle ; que je sois un homme détruit, un avocat raté possédant encore quelques beaux costumes n'avait plus aucune importance. Pas plus qu'il n'était important qu'elle fût mariée à un homme qu'elle n'aimait plus et accablée d'un sentiment de culpabilité que, plus tard, je serais amené à affronter. Une vie malmenée rencontrait une autre vie malmenée, dans l'espoir tout à fait vain que l'union de deux mortifications pourrait guérir nos âmes. Ce mensonge est à la base de toutes les histoires d'amour, écrites, chantées ou vécues.

Je me rappelle les pensées qui m'ont traversé l'esprit : *De quoi as-tu tellement peur ? Pourquoi n'as-tu pas encore essayé de faire redémarrer ta carrière ? Pourquoi t'es-tu contenté de glander dans la salle d'audience du juge Odom à t'occuper d'affaires de quatre sous ? Pourquoi n'es-tu tombé amoureux de personne en plus de deux ans ? Pourquoi ton meilleur ami est-il un alcoolique qui a raté ses études de droit ? Pourquoi ne fais-tu pas un effort pour retrouver ton vrai niveau ? Pourquoi ne te penches-tu pas vers les lèvres de cette femme magnifique pour l'embrasser ? Tu pourras toujours t'inquiéter plus tard des conséquences.* Je sentais mon corps se détendre peu à peu. Tandis que je me posais toutes ces questions, mon apparence s'était à peine modifiée. Tout juste si ma respiration s'était faite un peu plus profonde et si mon visage s'était quelque peu coloré. Il me suffit de quelques secondes pour me contrôler, mais il était déjà trop tard.

Elle m'observait et elle lisait en moi. Ses yeux d'artiste m'observaient avec une rigueur chaleureuse et j'étais devenu vulnérable. Elle gagna le set et le match. J'ai oublié à quel moment précis ses doigts se posèrent sur mon visage. Et je ne me souviens pas davantage quand elle s'est soulevée pour s'approcher de ma bouche. Tout ce que je sais, c'est que j'ai fermé les yeux en sentant le bout de ses doigts dessiner la courbure de mon menton, puis remonter vers ma joue. Je les ai rouverts au moment où elle m'a touché les lèvres. Sa bouche si tentante me parut soudain être la réponse à toutes les questions que je venais de me poser. Et je me penchai pour m'en emparer, tout en me demandant vaguement si, depuis le temps que je n'avais pas embrassé une femme, je savais encore le faire.

Quand j'y repense aujourd'hui, je trouve à chaque fait une

signification différente. Pas seulement à ce baiser, aussi à tout le reste. C'est ainsi, la distance change la perspective. Mais une partie de moi s'accroche à ce baiser, à cet instant-là de ma vie. Je suis incapable de mentir à ce sujet. Elle était mariée – avec ou sans amour – et ce que nous faisions était condamnable. Mais je n'avais aucun moyen de lutter. Quand nos lèvres se touchèrent, tout le galimatias dont on m'avait gavé, au sujet des Blancs et des Noirs, se mit à tourbillonner follement dans ma tête et à se recomposer en séquences différentes. Je me voyais perdu dans un bayou en train de dévorer sa peau sombre. Puis je me mis à remonter le temps, jusqu'à une époque où le McDaniel Glen n'existait pas, une époque où la guerre civile entre le Nord et le Sud n'avait pas eu lieu, une époque où la notion de race n'avait pas été inventée. Il existe des moments que chacun d'entre nous possède d'une façon exclusive et auxquels les autres ne peuvent trouver aucune justification. Et s'il y a une chose dont je suis certain, c'est qu'aucun homme ni aucune femme ne pourra jamais me voler ces minutes sacrées au cours desquelles la sublime Michele Sonnier m'a rendu ma liberté.

# 13

Après l'amour, il y a l'onde de choc. L'avion atterrit, et nous nous retrouvâmes très vite dans l'atmosphère humide de la ville, confrontés aux réalités et aux angoisses qui semblaient si éloignées lorsque nous nous trouvions à quarante mille pieds. Il existait toutefois une force puissante, susceptible de nous aider à nous adapter à une situation nouvelle, c'était la ville d'Atlanta elle-même. Cette cité sait se faire la complice de l'amour. Ses banlieues bourgeoises plantées d'arbres sont si vastes qu'elles offrent l'illusion de se trouver dans un état de grâce, douillettement à l'abri du mal. Dans cette atmosphère de déni, en fin d'après-midi, la ville reste sensible à la douce lumière du sud, la même qui caressait les plantations d'avant la guerre de Sécession et réchauffait les promenades des débutantes. La beauté naturelle d'Atlanta parvient à subsister : ses brises sont toujours douces, ses pins élégants et très hauts, son chèvrefeuille odoriférant. Nimbée de cette lumière, la cité accepte avec grâce ses illusions les plus belles. Et ce qui se passe dans une ville peut se passer de la même façon dans deux âmes humaines. Pour ceux qui viennent de tomber amoureux, la beauté d'Atlanta parvient à filtrer la réalité. Avec Michele à mes côtés, il n'existait pour moi aucun autre endroit au monde susceptible d'éclipser cette ville.

Nous étions différents, maintenant, et des considérations complexes venaient s'ajouter à une situation déjà explosive. Mariée et célibataire. Noire et Blanc. Riche et fauché. Très cultivée et inculte. Les raisons de m'enfuir en courant étaient multiples. Mais aucune ne pouvait contrarier un fait incontournable : elle avait trouvé la clef qui ouvrait la porte condamnée depuis la mort de Violeta Ramirez.

Même les amours illicites ont leur code de conduite. Il était clair que nous allions nous revoir. S'il était encore trop tôt pour savoir exactement ce que nous partagions, nous étions tous les deux persuadés que c'était bien davantage qu'un moment d'abandon en plein ciel. Et nos aspirations étaient les mêmes que celles de tous les couples d'amoureux depuis Roméo et Juliette, nous aspirions à nous abriter momentanément des tracas du monde pour vivre nos sentiments dans leur plénitude.

Nous nous étions fixé un rendez-vous pour le lendemain, au cours de l'après-midi. Pendant la matinée, j'ai vaqué à mes occupations dans un état second, l'image de sa peau nue voilant toute chose. Le cas de l'inculpé que je devais défendre devant Odom ne présentait heureusement aucune difficulté particulière, et il suffisait que j'y consacre une petite moitié de mon cerveau. Lorsque j'avais fait la connaissance de mon client, il était bien décidé à plaider non coupable et à se battre jusqu'au bout, une attitude qui allait l'envoyer à coup sûr en prison. Il existait un enregistrement vidéo qui le montrait en train d'acheter du crack à un flic clandestin. Il allait être jugé pour un premier délit, et je parvins à le persuader que plaider coupable et prendre un air un peu plus contrit lui permettraient de se retrouver dans la rue beaucoup plus tôt. Il écopa d'une condamnation avec sursis, assortie de l'obligation de suivre un traitement médical. Ensuite, pour ma tranquillité d'esprit, j'aurais préféré ne pas le voir partir dans une Pontiac surbaissée des années 1980, d'où s'échappait un rap tonitruant. Mais je me suis rendu à l'évidence depuis longtemps, je suis meilleur avocat que sauveur de l'humanité en péril, et je n'ai aucun moyen d'obliger mes clients à changer de vie une fois qu'ils ont quitté la salle d'audience.

À quinze heures, je partis retrouver Michele à Virginia Highlands, un quartier d'artistes qui fait partie intégrante de l'illusion d'optique qu'offre Atlanta. Cet endroit peut vous faire croire que tous les éléments disparates de la cité finiront par s'intégrer tôt ou tard. Ce jour-là, la rue principale du quartier était aussi colorée qu'un arc-en-ciel, toutes les créatures du bon Dieu qui s'y croisaient se saluaient gentiment le sourire aux lèvres. Des sourires bien nourris. De grands types rastas dont les tresses étaient dissimulées sous de gigantesques bonnets tricotés; des femmes d'une trentaine d'années arborant des tenues résolument féministes ; des musulmans barbus tout de blanc vêtus ; d'autres femmes, incroyablement minces, exhibant leurs ventres et tirant sur une cigarette. En parcourant ces lieux, il était facile de croire que tous les McDaniel Glen du monde n'existaient pas.

Lorsqu'elle m'apparut, Michele me fit penser elle aussi à un arc-en-ciel. Sa longue jupe flottante, violet foncé, orange et noir, produisait un délicieux froufrou quand elle marchait. Elle l'avait assortie d'un top crème et trois bracelets de métal tintinnabulaient autour de son bras gauche. Ses cheveux tirés en arrière étaient noués en queue-de-cheval. Elle se cachait derrière de grandes lunettes de soleil, mais, à mon avis, les passants de North Highland Avenue fréquentaient peu l'opéra.

Le quartier s'est spécialisé dans un style funky aseptisé, qui permet aux gens de se sentir progressistes en minimisant les risques. L'avenue est bordée de magasins new age, de restaurants végétariens et de boutiques de fringues à peine éclairées où l'on brûle de l'encens, et devant lesquelles le vent fait résonner des carillons éoliens de bambou. Michele me traîna dans plusieurs de ces étranges officines, me demandant mon opinion sur divers vêtements, ce qui ne laissa pas de m'embarrasser. Ce qui m'a toujours plu dans les vêtements d'une femme, c'est celle qui les porte. Mais Michele était dans son élément. Ici, elle essayait une paire de boucles d'oreilles japonisantes, là, une ceinture de cuir provenant d'un animal indéterminé, plus tard, une blouse brodée de couleurs vives. C'était un vrai plaisir de la regarder se livrer à ces extravagances, s'envelopper de tissus soyeux, ou faire la grimace devant une paire de chaussures franchement grotesques.

Chacune de ces secondes passées avec elle se changeait en un instant de bonheur. Ici, où Bouddha, Jésus et Mahomet paraissaient si bien s'entendre, nous n'étions ni noirs ni blancs. Nous étions libres d'être un homme et une femme, et rien d'autre ne nous importait. Je me rappelle les heures, les minutes, les secondes de cet anonymat dont nous avons joui ce jour-là. Sous-jacent et tissé dans la trame de cet après-midi fantastique, même s'il n'avait pas été évoqué, il y avait le souvenir de ce que nous avions fait la veille. La façon dont elle avait fermé les yeux quand mes mains avaient glissé le long de son dos, le goût de son épaule, les instants d'extase s'immisçaient dans notre conversation et dans nos regards, avec une intensité redoublée quand nous nous frôlions. Ce n'était qu'un prélude, nous savions que nous allions nous perdre l'un dans l'autre un peu plus tard.

Mais, profitant de cette chaude fin d'après-midi, nous n'éprouvions aucune hâte. Nous parcourûmes tout le quartier à pied, une quinzaine de pâtés de maisons. Finalement, nous allâmes nous installer dans la Darkhorse Tavern pour y dîner. Nous commençâmes par boire un verre de vin. Il était si tôt que l'endroit était presque vide. Nous choisîmes le coin le plus sombre, au fond de la salle. Elle mangea dans mon assiette et moi dans la sienne. Les aiguilles de l'horloge continuaient d'avancer, mais qui s'en souciait? Au-dehors, la nuit tombait peu à peu.

Il existe des moments où l'anticipation est si douce, si exaltante qu'elle se transforme en un plaisir à peine supportable. Nos gestes se firent plus lents à mesure que s'écoulaient les minutes. Nous savourions les instants uniques de la naissance d'un nouvel amour. Je suppose que nous sommes restés assez longtemps dans ce restaurant, car, après être redescendus sur terre, nous eûmes la surprise de nous retrouver entourés d'autres couples, ce qui ne fit qu'augmenter notre plaisir. Toute la ville semblait en paix, et nous nous trouvions confortablement installés au centre. En reposant son verre, elle dit :

— À ton tour.

— De quoi faire?

— De me raconter ton histoire. Je ne sais rien de toi. Avoue que ce n'est pas juste. J'exagère, ajouta-t-elle en souriant, je sais comment tu embrasses.

— Comment?

— Formidablement bien.

— Alors, tu sais ce qu'il y a d'important à savoir, non?

— Allons, fais un effort. Où as-tu grandi par exemple?

— À Dothan, en Alabama. Ça ressemble à New York, mais en plus chic.

— Je suis sérieuse, Jack. J'ai envie de savoir.

— Tu as dû entendre toutes ces conneries qu'on raconte sur les charmantes petites villes du Sud?

— Oui.

— Eh bien, c'est exactement ça : des conneries.

Elle me fit la grâce de rire.

— Je suis sûre que tout n'était pas mauvais.

— Peut-être qu'aujourd'hui ils ne nous lyncheraient pas si nous nous embrassions en public. Peut-être.

— C'est un vrai progrès, railla-t-elle.

J'acquiesçai d'un signe de tête.

— Parmi les bonnes choses, il y avait mon grand-père, un brave homme qui s'acquittait au mieux de ce qu'il fallait faire pour gagner sa vie dans cette partie du pays.

— Qu'est-ce qu'il faisait?

— Il essayait de faire de l'argent avec quelques ares de poussière, répondis-je. Il a essayé d'élever des poulets, des porcs, des alpagas, de cultiver le blé.

— Des alpagas? Les animaux avec lesquels on fait des pullovers?

— Je crois que c'est seulement avec leur laine qu'on fait les pull-overs.

— C'est ce que je voulais dire.

— Je ne l'ai jamais entendu se plaindre. Ou, s'il se plaignait, il attendait que je sois parti. Il n'hésitait pas à faire une dizaine de kilomètres pour aider un voisin et il se serait privé de nourriture pour que les autres mangent à leur faim. Il a fait la guerre dans le Pacifique comme sergent. Quand je pense à lui, je me demande comment on a pu en arriver là. En voyant les gens qui défilent dans la salle d'audience du juge Odom, j'ai l'impression que toute une génération a oublié de grandir.

Elle hocha pensivement la tête en regardant au fond de son verre.

— Et tes parents?

— De braves gens. Des fermiers, comme mon grand-père. Ils ne sont plus là, mais ils ont pu assister à la remise de mon diplôme.

— Tu es comme moi, commenta-t-elle en souriant.

— Qu'est-ce que tu veux dire?

— Tu t'en es sorti.

— D'une certaine façon.

Je réglai l'addition et nous regagnâmes lentement nos voitures. Dans l'obscurité relative, nous nous frôlions de façon plus intentionnelle. De la musique s'échappait d'une porte devant laquelle nous fîmes halte. Un orchestre jouait du blues et nous écoutâmes un instant en silence. Puis Michele se pressa contre moi et répéta plusieurs fois, en respectant le rythme de la musique :

— Entrons là.

— Je ne pensais pas que c'était ton genre de musique.

Elle tendit les lèvres vers ma joue et y déposa un baiser.

— *Toutes* les musiques sont mon genre de musique. Sauf Johnny Cash, bien sûr !

— Pourquoi en veux-tu à l'homme en noir ? Lui, il t'*aime*.

À ce moment-là, la porte s'ouvrit et un couple sortit de l'établissement. Une bouffée plus forte de musique, à la fois incisive et émouvante, nous enveloppa. Nous pouvions apercevoir l'orchestre sur la scène, et une petite piste de danse où une joyeuse bande s'en donnait à cœur joie.

Ravis, nous entrâmes nous mêler à la foule. Quel que soit l'endroit où il voyage, le blues reste une particularité régionale du Sud pour une raison inaltérable : c'est la seule musique qui contienne une mesure égale de joie et de chagrin. Un résumé de l'histoire de cette partie du monde. C'est pourquoi il reste un élément essentiel de l'âme du Sud. Donc, quelles que puissent être nos différences, nous nous retrouvions en pays de connaissance. Nous finîmes par trouver une table libre au fond. Michele recula doucement sa chaise et j'étais éperdu d'admiration devant la grâce de ses mouvements lorsqu'elle s'y installa. Elle surprit mon regard et se releva tout de suite.

— Allons danser.

— Tu plaisantes ?

Elle se pencha vers mon oreille en souriant.

— Viens me montrer comment tu bouges ton cul, petit Blanc.

Je l'accompagnai sur la piste. Elle était libre et belle, combinaison gagnante pour séduire. Elle se colla à moi et nous commençâmes à bouger ensemble, les doigts entremêlés, comme un reflet dans un miroir.

L'esprit a la capacité de se fixer sur un objet en faisant abstraction de tout ce qui pourrait le parasiter, et nous avions atteint cet état de grâce. Nous étions en train de communier avec une petite foule en liesse, car, chez les natifs du Sud, cette musique met toujours en relief ce qu'ils ont en commun. Or, pour se ménager des plages de bonheur, il faut être capable d'oublier momentanément certaines réalités ; et, ce soir-là, c'est ce que Michele et moi étions bien décidés à faire. Bercés par la douce sensation de tomber amoureux, rien d'autre ne comptait plus pour nous que le rythme du blues et les gens qui nous entouraient. Ah, si ce moment-là avait pu durer l'éternité !

Nous laissâmes la voiture de Michele dans le parking où elle l'avait garée et rejoignîmes mon appartement dans la mienne. Après que je me fus garé devant chez moi, avant de descendre de la voiture, je lui demandai de se montrer indulgente pour l'état des lieux.

— Ce n'est pas exactement le Quatre Saisons, dis-je, énonçant un bel euphémisme.

Puis je me dis qu'elle était venue jusqu'ici pour moi et non pour mes meubles, juste avant de lui prendre les lèvres avec toute la passion qui bouillonnait en moi. Elle ferma les yeux et noua ses bras autour de mon cou. Pendant un long moment, ma vieille Buick devint l'endroit le plus merveilleux de toute la terre. Lorsque je parvins à me détacher d'elle, après avoir fait le tour de la voiture pour lui ouvrir la portière, je la pris par la main pour lui faire monter les marches qui menaient à mon appartement.

Une fois la porte d'entrée ouverte, elle pénétra dans mes cent mètres carrés de paradis, faisant le tour du living des yeux avec une expression un peu déconcertée : un tapis grisâtre relativement miteux, un mélange de meubles plutôt hétéroclite, dont un canapé brun et un fauteuil relax, une petite télévision — sombre et attentive sur son socle noir —, un coin repas prévu pour cinq personnes et acheté d'occasion, et qui, même neuf, ne devait pas payer de mine. Sa présence me faisait réaliser combien l'ensemble était triste, masculin, solitaire. On n'y trouvait pas le moindre détail qui rende un appartement vivable.

— C'est superbe, dit-elle.

— Oh oui, raillai-je. Il ne se passe pas une journée sans que l'idée m'obsède de rentrer à la maison pour me vautrer dans tout ce luxe. (Je l'invitai d'un geste à prendre place sur le canapé.) Tu veux boire quelque chose?

— Non, merci. Je me sens parfaitement bien.

— Je te demande juste une seconde, m'excusai-je.

Je filai dans la chambre. Lorsque je revins, je la trouvai plantée devant un document encadré qui traînait sur un meuble et que j'avais reçu pas mal d'années plus tôt.

— «Ceci certifie que Jack L. Hammond est admis à plaider devant la Cour suprême de Géorgie», récitai-je. Signé par les juges...

— C'est un honneur, Jack. Ce cadre devrait être suspendu dans ton bureau.

— Je ne pense pas qu'il impressionnerait beaucoup ma clientèle actuelle.

Elle s'approcha de moi avec un air langoureux.

— Il faut que tu te sortes de ce milieu, affirma-t-elle en passant ses bras autour de ma taille. Je pourrai t'aider, si tu veux.

Elle m'embrassa d'abord doucement sur les lèvres, puis plus passionnément.

— M'aider à quoi? demandai-je.

— À tout, murmura-t-elle.

Et nous nous perdîmes l'un dans l'autre. C'était la seule chose qui avait de l'importance. L'impatience passionnée qui nous avait dominés dans l'avion n'était plus de mise. J'avais trouvé mon rythme, heureux de prendre mon temps et de lui donner du plaisir; ravi d'apprendre à connaître ses pleins et ses déliés, la ligne précise de ses lèvres, de son dos, de ses fesses.

Plus tard dans la nuit, je mis un disque de Billy Joe Shaver, celui où il chante que les feux de l'amour finissent par s'éteindre. Elle s'assit sur le lit, écouta pendant environ quinze secondes et laissa tomber :

— C'est tellement épouvantable que je ne trouve pas les mots pour dire ce que j'en pense vraiment.

— Je croyais t'avoir entendue dire que tu aimais tous les genres de musique.

Elle fit l'effort d'écouter encore quelques instants avant d'admettre, en se couvrant les oreilles de ses mains :

— J'ai eu tort de dire ça.

162

— Foutaises, lui assenai-je. C'est exactement le même thème que *La Bohème*.

— Je ne te permettrai plus jamais de poser la main sur moi.

— Mais écoute les paroles. Elles disent qu'il faut prendre son plaisir quand on le peut parce que ça ne dure jamais. C'est pas comme Puccini et tes bohèmes? Sauf qu'ils ne l'expriment pas de la même façon.

Et j'en étais intimement persuadé.

Elle riait, maintenant, au point de se laisser retomber en arrière sur les oreillers.

— D'accord, céda-t-elle. J'accepte de continuer à faire l'amour au son de ces braillements, si tu veux bien terminer ce que tu as commencé il y a quelques minutes.

— Je m'y engage solennellement, assurai-je, en me rapprochant d'elle.

Je laissai courir ma langue le long de ses exquises jambes foncées depuis la cheville jusqu'à la hanche, m'arrêtant sur une série de lettres tatouées à l'intérieur de sa cuisse. Tatouage que je n'avais pas eu le temps de remarquer dans l'avion. On pouvait lire *Pikovaya Dama*. Sa respiration se fit plus haletante, et elle se tourna sur le côté, me tournant le dos. Elle tendit le bras en arrière pour m'attirer contre elle, ne me relâchant que lorsque je l'entourai de mes bras. Elle tourna alors la tête et me déposa un baiser au creux de l'épaule, avant de m'adresser un sourire d'une incroyable tristesse. Je ne pus que l'embrasser encore et la serrer plus fort contre moi.

— Tu sais, dit-elle. Ce n'est pas un secret. Tout le monde peut le voir quand je suis en maillot de bain. Mais seulement une personne sur mille en comprend la signification.

Sur ces paroles, magnifiquement nue, elle me fit face de nouveau et m'embrassa en m'enfonçant profondément sa langue dans la bouche. Alors, pendant les quelques heures qui suivirent, nous oubliâmes tout du monde extérieur, chacun se laissant volontiers intoxiquer par la proximité de l'autre. Notre corps à corps donna naissance à une rhapsodie de caresses et de plaisir, conduisant à l'instant des paupières fermées d'une façon convulsive, et à la lumière blanche et frémissante de l'explosion.

Je sombrai ensuite dans un profond sommeil. Je dormis mieux

que je ne l'avais fait depuis des années. Je n'avais jamais été le genre d'homme qui ne peut pas dormir avec une femme dans son lit. Bien au contraire ; la respiration régulière de Michele m'emporta vers un havre de paix dont j'avais presque oublié l'existence. Il y faisait sombre et les rêves ne le hantaient pas ; les souvenirs eux-mêmes se dissipèrent.

Lorsque j'ouvris les yeux le lendemain matin, elle s'était installée dans un fauteuil et me regardait. Je lui souris en m'asseyant dans le lit.

— Tu es déjà prête, constatai-je. Quelle heure est-il ?

— J'ai appelé un taxi, précisa-t-elle. Je ne voulais pas te réveiller.

— Ne dis pas de bêtises. Je vais te raccompagner à ta voiture.

— Non, je t'assure, fit-elle en secouant la tête. C'est mieux comme ça.

Je me laissai aller en arrière en rejetant les draps.

— Je ne suis pas obligé d'aller au bureau, tu sais.

Elle laissa fuser son rire si musical.

— J'ai des tas de choses à faire.

Ce fut le moment exact où le premier rayon de réalité filtra jusqu'à moi. Elle avait une autre vie. Une vie où je n'avais pas ma place. Je ne pouvais pas me permettre de demander : *Quelles choses ?* Je ne le pouvais pas parce que ç'aurait tout flanqué par terre. C'était ça ou rien.

Une voiture klaxonna à l'extérieur, et, nu comme je l'étais, je bondis du lit pour la serrer dans mes bras. Je me gardai bien de lui demander quand je la reverrais. Il existe des instants où les questions sur le futur peuvent abîmer le présent.

En prenant ma douche, en m'habillant pour aller travailler, je disais son nom. «La célèbre Michele Sonnier», criais-je aux murs de la salle de bains, aux entrailles de mon réfrigérateur, au placard où je rangeais mon parapluie. Je continuai de le répéter dans la voiture aux essuie-glaces qui balayaient une soudaine averse. Je substituais son nom à ceux prononcés par les chanteurs que j'écoutais. Je le fredonnais en arpentant le couloir menant à mon bureau. Mon euphorie ne survécut pas longtemps après que j'eus poussé la porte.

La première tête que je vis fut celle d'un policier en uniforme qui arborait une expression des plus sérieuses. La deuxième fut celle de son coéquipier, trop gros et boudiné dans ses vêtements. Et puis je découvris enfin Blu, visiblement paniquée. Sa voix déchira le flot d'images qui tentait de m'emporter au loin.

— Jack, dit-elle, vous n'avez pas allumé votre portable? Il y a vingt minutes que j'essaie de vous joindre.

Je regardai autour de moi sans parvenir à dissiper ma torpeur.

— J'ai dû oublier. Qu'est-ce qui se passe?

— Un cambriolage, répondit l'un des deux flics d'un ton officiel. Enfin, quelqu'un est entré par effraction. Nous ne savons pas encore si quelque chose a été volé.

— Un cambriolage? répétai-je bêtement en regardant tout autour de moi.

La porte séparant mon bureau de celui de Blu était ouverte; malgré le climatiseur, l'air semblait humide. Je me faufilai entre eux pour me faire une idée de la situation. La fenêtre derrière ma table de travail était ouverte et des papiers s'étaient éparpillés un peu partout; ce qui confirmait l'intrusion. Je revins vers Blu.

— Ça va aller, baby? demandai-je. Vous avez besoin de quelque chose?

Elle fit signe que non, mais je pouvais deviner que l'idée qu'un inconnu avait fouillé dans ses affaires la mettait mal à l'aise.

— Vous avez une clientèle plutôt pittoresque, maître, déclara le plus gros des deux flics. C'est peut-être l'un d'eux qui a fait le coup.

— Attendez un instant, dis-je.

Tout à coup, la certitude que quelque chose n'allait pas du tout m'envahit.

— Qu'est-ce que vous avez? demanda Blu.

J'étais incapable de le dire. Je regardai vers la porte de mon bureau et mon sentiment de malaise ne fit que croître. J'y retournai et observai attentivement les lieux. À première vue, tout paraissait normal. Et puis je remarquai l'espace vide sur la petite table où j'avais posé l'ordinateur de Doug Townsend. Il avait disparu.

# 14

La peur est indéfinissable. Si vous savez de quoi vous avez peur, elle perd de son acuité. C'est le danger inconnu qui donne des sueurs froides et bourdonne en vous comme un courant électrique. Un vol avec effraction, et le sentiment de profanation qu'il engendre, peut porter cette impression à un degré insoupçonné. La culpabilité intervient souvent, exagérant toutes vos réactions et vous rendant hyperémotif. C'est ainsi que j'imaginais vaguement que ce cambriolage avait un lien avec ce que Michele et moi avions fait la veille. Était-ce vraiment une coïncidence si on avait fracturé la porte de mon bureau pendant que nous étions ensemble? Ou était-ce un karma égalisateur, la volonté de Dieu d'équilibrer le plaisir et la douleur?

*Culpabilité.* Voilà le mot qui convient à un avocat pénaliste. Un jury ne déclare jamais un accusé innocent. Le verdict est «non coupable», parce que, dans l'inconscient collectif, rôde la notion que personne n'est vraiment innocent ou sans tache. Ces mots ne sauraient s'appliquer à l'espèce humaine. Alors, quand vous avez goûté à l'extase avec la femme de quelqu'un d'autre – même si vous savez que vous êtes en train de tomber amoureux d'elle –, vous vous attendez à ce qu'une tuile vous tombe sur la tête, histoire qu'il n'y ait pas d'injustice.

J'étais donc dans cet état d'esprit, et la première chose que je fis fut de donner congé à Blu pour la journée. Elle avait subi un choc en découvrant le cambriolage, et, comme j'avais l'intention de partir, je ne voulais pas la laisser seule au bureau. Elle me regarda avec un air de soulagement, attrapa son sac à la volée et franchit la porte en courant presque. Puis je téléphonai à Nightmare. Je voulais, avant toute chose, savoir ce que représentait la perte de l'ordinateur de Doug. Il ne répondit pas, ce qui ne me surprit pas vraiment. Pour lui, neuf heures du matin, c'était l'heure d'aller se coucher, pas de se lever. Je lui laissai un message, tout en me demandant avec quel cybercrack d'Atlanta il avait passé la nuit à faire Dieu sait quoi. Je retournai ensuite dans mon bureau où je m'installai confortablement pour réfléchir. Quelqu'un avait voulu l'ordinateur de Doug. Ma première pensée fut la plus évidente : la personne qui avait loué ses services avait tenu à le récupérer pour effacer ses traces. Et il ne fallait pas être un génie pour inscrire Horizn sur la liste des clients potentiels. La simplicité de cette théorie me plaisait bien. Il y avait malheureusement une alternative plus sombre : Doug pouvait très bien avoir été tué *avant* d'avoir communiqué les renseignements à son employeur par une personne déterminée à empêcher la transaction à tout prix. Et, dans ce cas-là, il y avait un troisième larron en cause, quelqu'un de déterminé et de dangereux, qui ne reculait pas devant le meurtre.

Une petite visite à Billy Little s'imposait. Si la situation se mettait à empirer, je préférais l'avoir de mon côté. L'espionnage industriel est une chose; il est de notoriété publique que toutes les sociétés essaient d'en apprendre un maximum sur leurs concurrentes. Si l'on découvrait qu'Horizn — ou quelqu'un d'autre — avait fourré son nez dans les dossiers de Grayton, le monde des affaires n'en serait pas vraiment surpris. Et même le vol d'un ordinateur n'alimenterait pas longtemps les sujets de conversation. Mais, si meurtre il y avait, ce serait une autre paire de manches. Je pris donc ma voiture pour me rendre au bureau de Billy, situé dans l'immeuble est de l'administration municipale; j'en avais pour une vingtaine de minutes.

Je faillis le percuter au détour d'un couloir, et percuter Billy, c'est comme se cogner dans un mur de brique impeccablement habillé.

— Ah, Billy, m'exclamai-je. Je voulais te parler justement. Tu peux m'accorder une minute?

— Va t'installer dans mon bureau, répondit-il. J'arrive avec deux cafés.

Je l'attendis devant la porte, et, quelques minutes plus tard, il me rejoignit avec un gobelet fumant dans chaque main. Il m'en tendit un en demandant :

— Alors, quel est le problème?

— Mon bureau a été cambriolé la nuit dernière, répondis-je en le suivant à l'intérieur.

— Oh, merde. Les flics sont venus?

— Ouais, ils ont fait un rapport.

— Il faut dire que tu travailles dans un quartier qui craint.

— Sans doute, mais je ne pense pas que le quartier ait quelque chose à voir avec ce cambriolage.

— Qu'est-ce qui te fait dire ça? s'étonna-t-il, une première lueur d'intérêt dans le regard.

— Une seule chose a été volée : l'ordinateur de Doug Townsend. Tu ne trouves pas ça troublant, toi?

— Feu ton client? demanda-t-il en haussant un sourcil d'un air dubitatif.

— Oui. Mon propre ordinateur était à côté et personne n'y a touché.

— Ils ont peut-être été dérangés en pleine action?

— Possible. Tout indique qu'ils sont partis comme s'ils avaient le feu aux fesses.

— Alors quoi?

— Figure-toi que j'ai pénétré dans l'ordinateur de Doug. Et j'y ai trouvé des choses assez intéressantes.

Billy s'installa dans son fauteuil, en me faisant signe de prendre place dans celui qui lui faisait face.

— Si tu commençais par le début? m'encouragea-t-il.

— Doug n'était pas seulement un toxico, commençai-je. Il avait des dons.

— Quel genre de dons?

— Pour l'informatique. Il piratait les laboratoires Grayton Technical et avait accumulé une montagne de renseignements sur leurs opérations.

L'expression de Billy s'assombrit d'un coup.

— Ton pote était un pirate informatique?

— Oui, parmi les plus brillants. (Billy ouvrit la bouche, mais, devinant ce qu'il allait dire, je ne lui laissai pas le temps de parler.) Ne te fiche pas en rogne contre moi. Je ne l'ai appris qu'après sa mort.

– Continue.

– Les faits parlent d'eux-mêmes, non? Doug pirate les laboratoires Grayton et il succombe à une overdose très opportune.

Billy m'observa en silence pendant un moment.

– Difficile de prévoir quand les drogués vont mourir. Mais tu as toute mon attention.

– Ensuite, on cambriole mon bureau et le seul objet qu'on emporte, c'est son ordinateur. C'est tout de même étrange, tu ne trouves pas, Billy?

– Ces laboratoires Grayton, ils fabriquent quoi?

– Des médicaments, des traitements expérimentaux... La même chose qu'Horizn, en fait, mais à plus petite échelle.

– Doucement, maître, fit Billy avec une grimace. D'abord, l'espionnage industriel est le domaine réservé du FBI.

– Et le cambriolage? Cet ordinateur ne s'est pas envolé tout seul!

Il m'observa pensivement pendant un moment.

– Laisse-moi te poser une question, Jack, dit-il enfin. Pourquoi ne me dis-tu pas exactement ce que tu as en tête? Par exemple que tu penses que Charles Ralston a quelque chose à voir avec la disparition de cet ordinateur et aussi avec la mort de ton ami?

– C'est une possibilité qu'on ne peut pas écarter.

– Oui, une sur un millier. Je vais te donner un exemple. Combien de toxicomanes sont passés par ton bureau au cours des deux dernières années?

– Je ne sais pas exactement. Tous ceux qui ont été laissés en liberté sous caution. Disons une centaine.

– Une centaine, répéta-t-il. Et parmi eux, combien d'après toi s'étaient livrés à des vols?

– Bon Dieu, Billy...

– Soixante? Soixante-dix? poursuivit-il, imperturbable. Ce que je veux dire, c'est que ton bureau est une espèce de gare de triage pour des gens qui ont désespérément besoin d'argent. Et il ne leur échappe pas que tu possèdes du matériel informatique facilement monnayable. Je ne prétends pas que c'est le cas, ajouta-t-il en haussant les épaules, ce que je veux dire, c'est que, si j'avais à parier, je parierais sur ces gens qui ont besoin de voler pour vivre, avec ou sans effraction.

— C'est quand même bizarre que je sois cambriolé pour la première fois lorsque l'ordinateur de Doug se trouve dans mon bureau. Et encore plus bizarre qu'on n'emporte rien d'autre.

— Je suis tout à fait d'accord là-dessus. Mais avant d'ouvrir une procédure pour meurtre, de faire intervenir le FBI, et d'impliquer l'un des personnages les plus populaires d'Atlanta, tu ne m'en voudras pas de pousser d'abord les investigations un peu plus loin?

— Bien sûr que non.

Billy se leva et me serra la main.

— J'en suis heureux. Je vais réfléchir à ce problème. Mais à mon avis, tu poursuis des chimères.

Je m'arrêtai sur le seuil de la porte pour lui lancer par-dessus mon épaule :

— Peut-être, mais ce sont les miennes.

À onze heures, j'étais de retour à mon bureau. Je fis une nouvelle fois le numéro de Nightmare pour voir si Dracula était enfin sorti de son cercueil. Toujours pas de réponse. Je m'installai à ma table de travail en me disant qu'il fallait que je téléphone à quelqu'un d'autre. Il s'agissait d'un appel dont j'aurais aimé pouvoir me dispenser, mais c'était impossible. Je me sentais tenu de mettre Michele au courant du vol de l'ordinateur de Doug. Il était possible que des renseignements concernant sa fille soient planqués quelque part. Si ce secret était dévoilé, sa vie en serait saccagée.

Je pianotai sur mon téléphone portable. Elle répondit à la deuxième sonnerie et sa voix me ramena à la nuit écoulée. Soudain, plus rien d'autre ne comptait pour moi que notre danse érotique de la veille et l'effondrement des défenses que j'avais érigées. Tout d'un coup, je voulais que tout devienne plus simple. Je souhaitais passer du temps en compagnie de cette femme, sans le fantôme de Townsend, sans fille cachée, sans mari. Elle patientait au téléphone tandis que je déraisonnais. Je me sentais incapable d'articuler une phrase cohérente. Il y avait trop de bruit à l'intérieur de moi.

— Il y a eu un cambriolage, parvins-je à dire enfin.

— Que s'est-il passé exactement? demanda-t-elle d'un ton grave.

— On n'a volé que l'ordinateur de Doug. Ça s'est passé la nuit dernière, pendant que nous étions tous les deux.

— Oh, mon Dieu, Jack, imagine que...

— J'y ai pensé, l'interrompis-je. Mais ne tirons pas de conclusions hâtives. Je suis persuadé que si Doug avait obtenu un renseignement précis il te l'aurait communiqué.

— Tout de même, c'est très mauvais signe. Nous devons agir tout de suite.

— Je connais son nom et sa date de naissance, c'est déjà pas mal. Mais tu dois me laisser un peu de temps.

— Il faut se mettre à sa recherche immédiatement, Jack. J'ai de mauvais pressentiments. Je suis à peu près persuadée qu'elle vit dans le Glen.

— Dans le Glen? Qu'est-ce qui te fait dire ça? Doug t'avait dit quelque chose à ce propos?

— Il a seulement écrit : « Elle est ici. » Mais Doug habitait tout près du Glen. Alors « ici » peut désigner ce foutu quartier.

— Comment sais-tu où Doug vivait?

— Parce qu'il me l'a dit, évidemment! Et il avait ajouté : *Il faut agir tout de suite*, comme s'il y avait danger. Alors comment ne pas penser au Glen?

— Écoute, as-tu considéré la possibilité qu'elle puisse être heureuse là où elle se trouve? Que tout aille bien pour elle, qu'elle va au lycée et a plein d'amis?

À vrai dire, je n'en croyais pas un mot, mais, dans mon travail, je dois me forcer à ne pas oublier que quelques histoires se terminent bien, pour ne pas devenir fou. Michele ne fut pas dupe.

— J'y ai pensé un million de fois, mais je sais que ce n'est pas vrai.

— Il ne faut pas forcément faire un drame du vol de cet ordinateur, dis-je.

— Eh bien, j'en fais un, justement, et je ne veux plus attendre.

— Et que suggères-tu? Le porte-à-porte?

— Pourquoi pas? rétorqua-t-elle.

— Outre le fait que ça ne nous mènera sans doute à rien, c'est dangereux pour toi. Si tu te montres là-bas, quelqu'un va très vite te reconnaître. Tu es célèbre, Michele, alors notre balade dans le Glen risque de faire la une des journaux et on aura même droit aux caméras de télé. Tu n'as pas besoin de ce genre de pub.

171

— Enfin, Jack, tu crois vraiment que les habitants du Glen vont à l'opéra?

— Sans aller à l'opéra, ils ont pu repérer ta photo dans des magazines ou t'apercevoir à la télé.

Elle réfléchit quelques instants en silence.

— Alors je n'apparaîtrai pas là-bas.

— Il ne faut pas m'en vouloir, mais l'idée de me promener seul dans ce ghetto ne m'excite pas outre mesure. Imagine un Blanc roulant en Buick dans le Glen à la recherche d'une adolescente.

— Tu seras encore à ton bureau vers quinze heures?

— Je peux y être, oui. Pourquoi?

— Sois à ton bureau à quinze heures et tu verras à ce moment-là.

Cinq minutes avant quinze heures, je me postai devant la fenêtre. Je vis arriver une Lexus grise, comme celle de Michele, qui se dirigeait vers le parking. De mon deuxième étage, je n'en vis que le toit et ne pouvais donc être certain que c'était bien elle qui se trouvait au volant. Comme personne ne faisait mine de vouloir sortir de la voiture, c'est moi qui rejoignis l'aire de stationnement. Tandis que je m'approchais de la Lexus, côté conducteur, la vitre se baissa et une voix de femme me lança :

— Salut, Jack.

Il était impossible de confondre cette voix unique avec une autre, mais, physiquement, la femme n'avait qu'un lointain rapport avec la Sonnier.

— Mon Dieu! Si je t'avais croisée dans la rue, je ne t'aurais pas reconnue.

Son accoutrement n'avait rien à voir avec les tenues faussement simples qu'elle arborait habituellement. Dans sa transformation de diva en habitante du ghetto, elle s'était dépouillée de toute apparence glamour. Elle avait enfilé un vieux pantalon flottant légèrement douteux et passé un T-shirt de l'université de Miami trop large de plusieurs tailles. Ses superbes cheveux étaient dissimulés sous un chapeau miteux et elle n'avait pas la moindre trace de maquillage. Des lunettes de soleil bon marché achevaient de la faire ressembler à l'une de mes clientes.

Après que j'eus fini de la détailler, je ne pus me retenir de m'exclamer :

— Tu es vraiment affreuse.

— Alors, c'est parfait, dit-elle. On prend ta voiture.

Elle sortit de la sienne après avoir remonté la vitre, puis elle bloqua l'ouverture des portières à l'aide d'une télécommande. Elle me semblait plus petite que dans mon souvenir. Regardant ses pieds, je constatai qu'elle avait troqué ses chaussures habituelles pour des chaussures de tennis éculées.

— Tu dis ça pour plaisanter.

— Je vais dans le Glen, Jack. Avec ou sans toi.

— Tu sais très bien que je ne vais pas te laisser y aller seule.

— Pourtant, dit-elle en me regardant, je courrais probablement moins de risques sans toi.

Je ne trouvai rien à répondre sur le moment, parce que je devais bien admettre que c'était la vérité. Avec moi à côté d'elle, elle passerait forcément pour quelqu'un d'étranger au quartier.

— Je ne pense pas que ce soit une bonne idée. Réfléchissons encore un peu, suggérai-je.

— Je veux retrouver ma fille, Jack. J'ai mis quatorze ans à affronter la situation et je ne veux pas perdre une minute de plus. Alors tu m'accompagnes ou tu restes, c'est à toi de décider.

— Je t'accompagne, dis-je en la regardant dans les yeux.

Cela faisait bien longtemps que je n'avais pas réfléchi au principe de l'attraction magnétique du Pr Spence, mais je n'arrivais pas à me défaire de l'impression qu'on allait s'en prendre plein la gueule. Le McDaniel Glen était l'endroit rêvé pour attirer l'attention d'une certaine catégorie de criminels.

Je ne pouvais tout de même pas l'accompagner en costume, alors je rentrai chez moi pour enfiler un blue-jean et je fourrai mon téléphone portable dans ma poche.

— Je suis prêt, on y va.

Nous traversâmes la ville et atteignîmes le Glen quelques minutes après seize heures. Je m'arrêtai devant l'énorme portail en ferraille et me tournai vers Michele. Je m'apprêtais à lui poser une question, mais son expression m'en dissuada. Elle fixait l'entrée qui menait à une partie de son histoire personnelle, une période d'horreur. Jusqu'à cet instant, je ne m'étais pas fait une idée claire de ce que signifiait pour elle ce retour au ghetto.

— C'est la première fois que tu reviens ici? demandai-je d'une voix tendre.

Elle acquiesça d'un signe de tête.

— Ça me fait penser à Auschwitz, dit-elle dans un murmure. Quand j'ai chanté à Varsovie, je suis allée visiter ce camp de la mort. Ils l'appellent Oświęcim, là-bas. Et les portes ressemblent à celles-ci.

Ma foi, elle n'avait pas tout à fait tort. Il ne manquait que l'inscription au-dessus des grilles *Arbeit macht frei*, le travail rend libre. Et je pus soudain comprendre une partie de sa douleur. Elle éprouvait le sentiment de culpabilité des survivants. Elle avait réussi à s'échapper de l'enfer et elle se tourmentait pour ceux qu'elle y avait abandonnés derrière elle.

— Dieu sait comment ça va se terminer, dis-je, mais allons-y.

Je dirigeai la Buick vers l'entrée et je fus surpris par le nombre de voitures qui regagnaient le Glen. C'était signe que quelques-uns des résidents avaient un travail. Mais il y avait aussi la foule habituelle d'adolescents désœuvrés, alternativement apathiques ou agressifs, selon la direction d'où soufflait le vent. C'est d'ailleurs ce qui rendait ce quartier si dangereux pour les non-résidents. Il fallait être du coin pour deviner le temps qu'il allait faire. Une plaisanterie pouvait virer à la tragédie en quelques secondes, et les signes avant-coureurs n'étaient pas aisés à interpréter. Un seul mot prononcé avec emphase, un changement de posture, et le drame pouvait éclater. Ceux qui connaissaient le système parvenaient à éviter les conflits et à mener une vie relativement exempte de dangers. Il était même possible de réussir à s'en sortir, je le savais. Je savais à quoi ces vies ressemblaient, sublimes dans le refus de se laisser intimider, d'une grande noblesse dans la dignité tranquille. Cela peut arriver n'importe où — à Auschwitz aussi, théoriquement. Malheureusement, la plupart de mes clients avaient fait des choix différents. Je jetai un coup d'œil à ma montre, la nuit ne tomberait que dans quelques heures.

— Conduis lentement, dit-elle, je la reconnaîtrai.

— Ne dis pas de bêtises!

— D'accord, on va demander. Avec son nom et son âge, peut-être que quelqu'un pourra nous renseigner.

J'opinai en silence et continuai de rouler lentement sur la route principale du Glen qui longeait le bureau municipal. Nous éprouvons souvent une sorte d'attachement romantique pour les lieux de notre enfance, mais je pensais que ce n'était pas le cas des habitants du Glen. Eh bien, j'avais tort, car la nostalgie s'emparait de Michele. Chacun de ces pâtés d'immeubles si tristement semblables possédait pour elle mille et un détails uniques. De l'extérieur, le Glen était prisonnier dans l'ambre, aussi statique qu'une relique dans un musée. La vie et ses vibrations — rires, larmes, bébés, amitiés, chaos, ordre — n'avaient aucun effet apparent sur l'ensemble, de la même façon que, vues de dehors, toutes les prisons se ressemblent. Au lieu de cellules, il y avait des appartements, mais les histoires qui s'y jouaient étaient pratiquement invisibles depuis la rue.

— Le bus de l'école nous prenait ici, précisa-t-elle. Nous l'attendions en troupeau comme de petits moutons. (Puis elle me demanda de tourner à gauche et, après, elle précisa :) Ma rue. (Elle était si tendue que je ne l'avais pas vue une seule fois cligner des paupières.) C'était là, dit-elle en me montrant l'immeuble E. Oh, mon Dieu, Jack! s'exclama-t-elle.

Elle fixa longtemps l'entrée de l'immeuble. J'ignorais quels secrets pouvaient se trouver imbriqués dans les murs brunâtres et le fer rouillé de cette bâtisse.

— Derrière ces murs, il se passe des choses qui ne devraient jamais exister, murmura-t-elle encore.

Il n'y avait rien que je puisse faire pour comprendre son monde et je le savais. Nous étions trop différents, séparés par des abîmes culturels tellement vastes que je ne trouvai à dire qu'un plat :

— Je suis désolé.

Elle m'indiqua l'immeuble F, de l'autre côté de la rue.

— Je connaissais une fille qui habitait là. Une gentille fille.

À cet instant précis, un groupe d'adolescents sortit en riant de l'immeuble dont elle parlait.

— Ne bouge pas, dit-elle, je vais leur parler.

Et, sans me laisser le temps de placer un mot, elle avait ouvert la portière. Les garçons s'arrêtèrent net en la voyant. Ils l'observèrent avec l'air concupiscent qu'arborent les jeunes mâles quand ils sont en troupeau.

— Alors, baby? cracha l'un d'eux en s'approchant d'elle et en la déshabillant des yeux.

— Fais gaffe à toi! lança-t-elle d'une voix qui en un millième de seconde s'était transposée dans un autre univers.

Une voix stridente et forte qui imposait le respect. J'avais du mal à en croire mes oreilles.

Les garçons éclatèrent de rire.

— Darius n'est pas assez bien pour cette salope, dit un autre. Elle a meilleur goût que ça.

L'individu huileux qui avait parlé le premier ne riait pas comme les autres. Il s'approcha si près qu'il faillit la toucher.

— Allons, chérie, pourquoi tu fais ta difficile? Quand tu y auras goûté, tu en redemanderas.

La voix de Michele claqua de nouveau comme de l'acier.

— Encore un pas et je t'écrase les couilles, petit con! Allez, recule, exigea la femme qui chantait des opéras.

Je ne savais pas si je devais rire ou pleurer. J'avais l'impression que la Terre venait de culbuter sur son axe. Toujours est-il qu'après avoir croisé le regard de Michele, le dénommé Darius se le tint pour dit et recula légèrement. Incapable de déterminer si j'allais améliorer ou aggraver la situation, j'ouvris à mon tour la portière pour sortir de la voiture.

— C'est ton chauffeur, ma poule? demanda Darius, qui s'était un peu reculé.

Michele ne se donna pas la peine de lui répondre.

— Je cherche une fille, dit-elle. J'ai cinquante dollars pour celui qui me dira où je peux la trouver.

— Marché conclu, ma chérie. C'est quoi le nom?

Michele ne le regardait pas, choisissant de s'adresser au groupe.

— Elle s'appelle Briah. Briah Fields.

— Inconnue dans le coin, assura un autre adolescent.

— Ah, Briah, prétendit Darius en articulant bien ses mots. Je la connais.

Michele tourna la tête dans sa direction et demanda :

— Est-ce que quelqu'un d'autre la connaît?

Elle n'avait pas terminé sa phrase que tous les membres de la bande avaient compris le plan.

— Putain, oui, se mirent-ils à crier plus ou moins en chœur. Je la connais. Elle crèche dans l'immeuble M, dans Trenton Street. Je l'ai vue y a deux trois jours.

Darius se rapprocha de nouveau de Michele.

— Allons, chérie, je te dis que je l'ai vue. Je vais t'emmener la voir. File-moi ce billet de cinquante.

— Je te filerai le fric quand je l'aurai vue, répondit-elle sans se laisser impressionner.

Lorsqu'il comprit qu'il ne la grugerait pas aussi facilement, Darius l'eut très mauvaise. Moi, je restais planté où j'étais, me demandant si j'allais nous faire tuer tous les deux en ouvrant la bouche, quand je saisis du coin de l'œil un mouvement sur ma gauche. Tournant la tête, j'aperçus une voiture de police qui se trouvait encore à quatre blocs de distance et se dirigeait vers nous.

Les garçons, qui l'avaient repérée eux aussi, reculèrent vivement de quelques pas. Darius avait fait de même, mais ses yeux qui restaient fixés sur Michele lui envoyaient des menaces muettes. La voiture de patrouille passa lentement devant nous. Les deux policiers — un Blanc et un Noir — nous observèrent attentivement, leurs yeux curieux s'attardant surtout sur moi. Ils finirent par se garer un peu plus loin. Mon regard chercha Michele. J'eus juste le temps de la voir disparaître dans l'immeuble le plus proche. Toutefois, les flics ne pouvaient pas ne pas l'avoir remarquée.

*Merde, merde, merde.* Les deux hommes s'approchèrent lentement de nous. Le plus costaud était sergent, et, de toute évidence, c'était lui le chef. L'autre, plus petit, restait un peu à la traîne.

— Qu'est-ce qu'il se passe, ici? demanda le premier policier.

Après avoir joué au chef de bande, le dénommé Darius s'était prudemment fondu dans la masse. Aucun des garçons ne croisait le regard du flic. Il existe une règle non écrite dans le coin qui dit que la police exige un respect absolu, jusqu'au ton sur lequel on s'exprime. Si vous les traitez comme des dieux — le mot n'est pas trop fort –, ils vous ficheront une paix royale. Tandis qu'ils profiteront du moindre manquement pour faire de votre vie un véritable enfer. Les habitants du quartier ont vite compris qu'il était dans leur intérêt de se montrer respectueux. Les relations entre les flics et les citoyens du Glen se résument donc à de courtes sessions de questions-réponses.

Le plus grand des deux vint jusqu'à moi.

— Je peux voir vos papiers?

— Bien sûr, sergent, répondis-je en souriant.

Je lui tendis mon portefeuille et il examina ma licence d'avocat avant de reporter son regard sur moi.

— Qu'est-ce qui vous amène au paradis? demanda-t-il avec un sourire faux.

— Je suis avocat au criminel, dis-je. Je recherche des renseignements pour un client.

— Ah oui? C'est qui? Tu crois que c'est nous qui avons coincé ce mec, Bobby?

— C'est une fille, alors je ne le pense pas.

Le plus grand se dirigea vers ma voiture, et les garçons s'écartèrent pour lui laisser la voie libre. Il en fit le tour d'un air surpris, ayant visiblement du mal à comprendre comment un avocat pouvait se balader au volant d'un tas de ferraille pareil.

— Maître, vous ne seriez pas ici pour des raisons... pharmacologiques, par hasard?

— Non, sergent, absolument pas.

Il passa la tête par la vitre restée ouverte côté conducteur, et se mit à renifler bruyamment.

— Vous verriez un inconvénient à ce que je jette un coup d'œil à l'intérieur?

— Oui, sergent. Un très gros inconvénient.

— Et pourquoi donc? intervint le plus petit. Vous avez quelque chose à cacher? Je crois qu'il planque quelque chose dans sa bagnole, Bobby.

Les adolescents qui faisaient cercle autour de nous étaient fascinés par la façon dont nous étions en train de jouer notre petite scène. Ils n'avaient peut-être encore jamais vu un Blanc se faire harceler par des flics. Ils devaient considérer ce qui se déroulait devant eux comme une sorte d'expérience scientifique. J'avais presque envie d'être malmené, rien que pour leur montrer que ce genre de problème, auquel ils étaient souvent confrontés, n'était pas une question de couleur. Mais, d'un autre côté, je ne pouvais pas oublier que j'étais avocat et il n'était pas question, surtout aujourd'hui, que je me laisse emmerder par la police d'Atlanta.

— Si vous êtes en train d'exprimer une demande formelle pour fouiller mon véhicule, je m'y oppose catégoriquement, dis-je.

S'il était possible d'aspirer tout l'oxygène contenu dans l'air en quelques secondes, l'atmosphère devrait ressembler à celle qui nous entoura alors. Tous les adolescents gardaient les yeux braqués sur les policiers, s'attendant à une repartie cinglante. Le respect exigé par les policiers et les gilets de Kevlar qui les emmaillotaient étaient leurs protections les plus fiables. Voilà pourquoi j'espérais que le sergent n'insisterait pas. Toutefois, comme je le craignais, il tenait à avoir le dernier mot.

— Tu as raison, dit-il à son coéquipier. Je pense que s'il est venu ici, c'est pour acheter de la drogue.

Sur ces paroles, il se retourna vers la voiture et passa de nouveau sa tête à l'intérieur.

*Ne touche pas à la poignée*, pensai-je. *Fais deux ou trois effets de biceps et laisse tomber.*

— Je vais vous reposer la question, dit-il en ressortant la tête. Me donnez-vous la permission de fouiller cette voiture?

— Non, je refuse.

Sa main se tendit vers la portière. À la seconde où ses doigts se posèrent sur la poignée, je lançai :

— Je vais mettre la main dans ma poche, sergent. Je vous préviens, afin que vous ne vous mépreniez pas sur mon geste. Je vais en extraire mon téléphone.

Le policier se redressa de toute sa taille, prêt à affronter une menace. Je le regardai droit dans les yeux et glissai lentement la main dans la poche de mon blue-jean.

— Téléphone, répétai-je, en le sortant d'un geste toujours aussi lent. Maintenant, vous avez le choix, déclarai-je. Si vous croyez toujours que votre cause est juste, votre coéquipier et moi-même allons attendre près de ma voiture, tandis que vous irez en ville essayer de convaincre un juge que le fait que je sois garé à un coin de rue vous donne le droit de demander un mandat de perquisition. Mais comme ils me connaissent tous, je pense que vous aurez beaucoup de mal à obtenir gain de cause. Toutefois, si vous voulez tenter le coup, n'hésitez pas, j'ai tout mon temps. Ou alors, vous pouvez passer outre et ouvrir ma portière pendant que j'appelle le détective Billy Little.

Les yeux du sergent lançaient des éclairs. Il était à la fois furieux et gêné.

— Vous connaissez le détective Billy Little? demanda-t-il.

— Je lui ai sauvé la vie en Irak, précisai-je sur un ton sarcastique. Et contrairement à vous il observe la Constitution à la lettre. Alors, je vous en prie, que décidez-vous? Si vous posez la main sur la poignée, je compose son numéro.

Pendant notre échange, la foule qui nous entourait avait beaucoup grossi, ce qui ne faisait qu'aggraver la situation. Chacun des mômes présents enregistrait ces événements dans un coin de son cerveau, pour ne pas oublier comment les Blancs arrivaient à tenir tête à la flicaille. J'aurais voulu pouvoir leur dire que ce n'était pas une question de couleur mais de connaissance du droit — même si je savais qu'ils auraient refusé de le croire. Et aujourd'hui je me demande encore qui, d'eux ou de moi, avait raison.

Le sergent s'éloigna de ma voiture, le visage congestionné. De toute évidence, il avait fait son choix.

— Je reste persuadé que vous êtes venu ici pour acheter de la drogue, aboya-t-il. Mais puisque vous brandissez cette Constitution de merde, on en restera là. Alors maintenant, tirez-vous d'ici et bougez-vous le cul.

— Je ne me fatigue jamais de brandir cette Constitution de merde, dis-je.

— Tirez-vous, j'ai dit. Ou donnez-moi une raison de vous arrêter.

— Je dois retrouver mon client.

— Le Glen possède un règlement, maître. Les gens qui n'y habitent pas ne peuvent y venir que sur invitation. C'est qui, votre putain de client?

J'étais bien obligé de reconnaître qu'il avait raison sur ce point. L'accès au Glen n'était pas libre. Je regardai au-delà du carré pelé

180

et couvert de détritus qui passait pour une pelouse et séparait la rue de l'immeuble le plus proche dans lequel Michele avait disparu. Elle était quelque part à l'intérieur. J'allais devoir l'abandonner à cette meute de garçons qui s'était ruée derrière elle.

— Dépêchez-vous de foutre le camp, gronda le flic.

Me faire arrêter ne l'aiderait en aucune façon. Ce n'est pas depuis la prison que je réussirais à lui porter secours, si nécessaire. Je grimpai donc dans ma voiture et démarrai lentement, le cœur au bord des lèvres. Je vis dans mon rétroviseur la moitié de la foule se disperser. Les policiers étaient remontés dans leur véhicule, et ils me suivirent jusqu'à la sortie du quartier. J'eus l'impression de faire le plus long trajet en voiture de toute ma vie. Si j'avais marqué le moindre arrêt pour fouiller une rue des yeux, ils m'auraient bouclé. Je finis par franchir les grilles de fer, laissant Michele à l'intérieur. Les flics restèrent garés à l'entrée, s'assurant que je m'éloignais. Et la relève de la patrouille n'aurait pas lieu avant une heure du matin. Il m'était donc impossible de revenir avant le milieu de la nuit, perspective peu réjouissante. Se balader dans le Glen à cette heure-là relève de la tentative de suicide. Je sortis mon téléphone, espérant que Michele avait le sien. Malheureusement, son appareil sonna dans son sac posé sur le siège à côté de moi. Je restai un long moment pensif, à me demander si j'allais avoir le courage de me lancer à sa recherche — tout en sachant que j'y serais obligé de toute façon. Or, la dernière fois que j'avais essayé de sauver une femme, les choses ne s'étaient pas précisément bien passées. *Bordel de bordel. Le principe magnétique du Pr Spence était sur le point d'avoir ma peau.*

# 15

Il m'est arrivé de constater que les journées passaient si vite qu'elles me faisaient penser à de petits morceaux de papier en train de brûler et de se changer en cendre sous mes yeux. Mais, assis dans ma voiture à deux pâtés de maisons du Glen, chaque minute me paraissait durer une éternité. À me sentir aussi inutile, j'avais l'impression de devenir dingue.

Et pourtant mon cerveau carburait comme jamais, imaginant un scénario pourri après l'autre; scénario dont Michele était la vedette. En vérité, sachant qu'elle avait passé un an et demi de son adolescence dans le Glen, je n'aurais pas dû être surpris par la façon dont elle avait tenu tête au dénommé Darius. Elle avait eu le temps d'apprendre à naviguer dans ce marécage. *Je courais probablement moins de risques sans toi*, avait-elle dit. Et elle avait très certainement raison. Peut-être mon angoisse n'avait-elle aucun fondement. Ou, au contraire, la situation était peut-être pire que je ne l'imaginais. Ce quartier ne se prête pas à une analyse rationnelle. Des gens peuvent y passer leur existence entière sans avoir le moindre problème et la vie de certains autres devenir une telle tragédie qu'ils ne conçoivent même pas d'espérer fêter leur trentième anniversaire. Le Glen, j'avais eu l'occasion de l'apprendre, représentait un univers en soi.

Après avoir envisagé une bonne dizaine de situations toutes plus épouvantables les unes que les autres, en proie à une immense frustration, je finis par fermer les yeux. *Elle ne peut pas se montrer, parce que les flics connaissent le Glen par cœur, jusqu'au moindre brin d'herbe. Ils s'empresseraient de l'embarquer, et les reporters mondains s'en donneraient à cœur joie. La femme de*

*Charles Ralston — cachée sous un déguisement, s'il vous plaît! — a été ramassée en train d'arpenter les rues du ghetto le plus sordide d'Atlanta.* Je voulais bien croire que Michele ferait tout son possible pour qu'une telle horreur ne se produise pas. *Alors, c'était à moi de jouer, et, en connaissance de cause, j'allais me replonger dans ce merdier.*

S'il y a une chose que j'ai apprise, en observant mes tarés de clients, c'est qu'il est parfois avantageux de se montrer complètement cinglé. Ceux qui se retrouvent dans le box des accusés doivent éviter les réponses prévisibles. S'ils ne secouent pas les barreaux de la cage, ils sont refaits. Alors, après quelques heures, je fis la chose la plus stupide qui me vînt à l'esprit. Je sortis mon portefeuille et fourrai tout l'argent qu'il contenait dans la boîte à gants. Je me coiffai ensuite d'une casquette de base-ball, l'enfonçant aussi profondément sur mon crâne que possible, et je sortis de la voiture, que je fermai à clef. Puis je repartis vers le Glen au pas de course dans la lumière du crépuscule, jusqu'à ce que je sois en vue de l'entrée. Les flics étaient toujours assis dans leur voiture. Je continuai donc à trotter et, deux blocs plus loin, j'obliquai dans une rue transversale où je m'arrêtai au bout d'une cinquantaine de mètres. Je pris ensuite la plus grande respiration de toute ma vie, regardai à droite puis à gauche, et fonçai vers la grille d'enceinte qui séparait le McDaniel Glen du reste du monde. Trente secondes plus tard, j'étais retombé de l'autre côté. Et, à la seconde où mes pieds touchèrent le sol, j'étais devenu l'homme le plus blanc d'Atlanta.

*Premier point* : mon client se fait tuer. *Deuxième point* : je découvre qu'il était amoureux d'une des plus grandes cantatrices du moment. *Troisième point* : j'accepte d'aider cette cantatrice à retrouver sa fille abandonnée à la naissance. *Quatrième point* : je suis en train de traverser le Glen à la nuit tombante pour essayer de retrouver la cantatrice qui a joué la fille de l'air. *Cinquième point* : il est tout à fait possible que je ne sois pas en train d'attirer la merde des autres, mais que ce soit exactement l'inverse. C'est moi la merde et je colle à tous ceux que je rencontre.

L'immeuble où j'avais vu Michele disparaître était à sept ou huit blocs de l'endroit où je me trouvais. J'en parcourus deux, et, soudain, à l'angle d'un immeuble surgit une bande de loubards. Ils m'emboîtèrent le pas en souriant jusqu'aux deux oreilles et ils paraissaient capables de soutenir cette allure pendant des jours.

— Ohé! Fils de pute! À quoi tu joues? Tu t'entraînes pour les Jeux olympiques? demanda celui qui paraissait être le chef.

— Exact, répondis-je en souriant moi aussi. Je m'entraîne pour les Jeux olympiques.

— Tu fais vraiment pas le poids, mec, dit un autre. Je te vois pas en train de gagner une putain de médaille.

Je repérai du coin de l'œil que celui qui venait de parler portait un tatouage à l'avant-bras droit. Un travail d'amateur représentant une étoile à six branches. *Très mauvais.*

Je m'étais à peine fait cette réflexion inquiétante que l'un d'eux me dépassa et continua de courir à un mètre devant moi. La jambière droite de son pantalon était roulée, ce qui, comme l'étoile, est un signe d'appartenance à la Folks Nation, un gang national qui compte beaucoup de membres dans le Glen. Par principe, ils se devaient de me punir méchamment. Non pas parce que j'étais blanc, mais parce que je me trouvais sur leur territoire sans permission. *S.O.S! Jésus, ça va être ma fête.* À ce moment-là, nous approchions de l'immeuble dans lequel Michele avait disparu. Bien sûr, il était difficile de croire qu'elle n'en était pas sortie. Je continuais de courir, entouré de près par la bande, façon formation de combat.

— Ta casquette me plaît, lança l'un des plus petits.

Étonnant ce qu'une phrase aussi banale peut contenir de nuances. Prononcée entre deux amis, il s'agit d'un compliment. Entendue dans un bar, c'est une avance. Dans les circonstances présentes, elle signifiait : *Tu es niqué. Si tu me donnes ta casquette, tu es niqué parce que tu montres ta faiblesse et qu'on va te la faire payer. Si tu ne me donnes pas la casquette, tu es aussi niqué parce que tu me manques de respect.* Je venais de pénétrer dans le maelström contre lequel Judson Spence nous avait mis en garde et la marée montait inexorablement. Je cessai de courir. Un coup de folie m'avait poussé à revenir ici, peut-être qu'un deuxième m'aiderait à en sortir en compagnie de Michele.

Tous s'arrêtèrent en même temps que moi et firent cercle autour de ma modeste personne. Ils étaient minces et virils,

184

pleins d'une énergie effrayante, et leurs attitudes variaient de magnanimité à violence incontrôlable, en passant par simple curiosité. Je lisais la question dans leurs yeux : quel genre de délire pouvait bien pousser un être humain à tenter le sort comme je l'avais fait. Pour cette raison, pendant quelques instants, j'ai cru que j'allais m'en tirer en jouant la carte de la démence. Quand on a commencé, il ne reste plus qu'à poursuivre. C'est tout ou rien.

— Tu aimes les flocons d'avoine? demandai-je à celui que je croyais être le chef.

Il ne put dissimuler sa surprise.

— Quoi? bredouilla-t-il.

— Les flocons d'avoine, répétai-je. Est-ce que tu aimes ça? (Ils laissèrent tous échapper de petits rires nerveux.) Moi, j'adore. Je pense que c'est la nourriture des dieux.

— Si t'arrêtais de déconner? lança-t-il.

— Ma casquette, expliquai-je avec un air débile. C'est dans ma casquette que je mange mes flocons d'avoine tous les matins. C'est comme ça qu'ils sont les meilleurs.

— Il débloque complètement, commenta le garçon qui voulait ma casquette.

— Oui, acquiesça un autre, ce fils de pute est vraiment barjo.

— Barjo ou pas, je veux qu'il me file sa casquette!

— Je ne peux pas te la donner, j'en ai besoin tous les matins pour manger mes flocons d'avoine.

Le garçon qui voulait ma casquette me regarda d'un air narquois et fit un pas en arrière. Pendant un extraordinaire moment, je me sentis libre. Je crus qu'ils avaient tout gobé, qu'ils allaient laisser le pauvre Blanc givré tranquille. Alors, j'allais retrouver Michele, et nous regagnerions ma Buick au clair de lune en nous donnant le bras. C'est peut-être parce que toutes ces belles pensées me trottaient dans la tête que je ne vis pas venir le direct qui me mit knock-out.

# 16

J'entendais l'hymne national, non seulement mal joué mais faux. Des fusées de feux d'artifice étaient tirées beaucoup trop près de moi. Les étincelles me retombaient dessus, me brûlant la peau. Je sentais chacune d'elles me perforer. J'ouvris les yeux. La lumière attaqua mes pupilles comme une lame de rasoir. Je les refermai en gémissant.

— Allons, réveillez-vous. Vous n'avez rien de grave.

Je tentai d'ouvrir à moitié un seul œil. Je finis par comprendre que j'étais allongé sur le dos.

— Pffff!

— Ne bougez pas. Vous êtes resté dans les pommes un bon bout de temps.

Je gémis de nouveau et tentai de gargouiller des paroles incompréhensibles. Je sentais quelque chose d'humide et de chaud dans ma bouche. Puis je ressentis une douleur fulgurante dans le dos. J'avais aussi l'impression que je ne pouvais pas bouger le cou et que quelqu'un essayait de me perforer le sommet du crâne. Je finis par rassembler mes idées et me rappeler les derniers événements. J'avais beau essayer de repousser les images, elles m'assaillaient. J'avais pris la branlée de ma vie. Je tentai de m'asseoir, y parvins à moitié, et retombai en arrière avec un cri.

— Allons, allons, dit la voix. Soyez raisonnable.

Je parvins bientôt à ouvrir mes deux yeux, qui s'accoutumèrent à la lumière. Je regardai autour de moi. J'étais à l'intérieur d'un appartement, installé sur un divan. La pièce me parut petite et propre. Je ne pus voir d'où provenait la voix, qui précisa :

— Je vous aurais bien emmené à l'hôpital, mais ils vous

auraient fait attendre aux urgences pendant au moins cinq heures. Assis sur une chaise. Et puis j'ai bien vu que ce n'était pas grave.

— Heureusement que vous le dites, parce que je ne m'en serais pas rendu compte tout seul, raillai-je.

C'était la première phrase cohérente que je parvenais à prononcer. Je tournai la tête vers la gauche avec précaution, pour voir la voix. Et je découvris, me souriant aimablement, Jamal Pope en personne.

*Il est grand temps de te tirer d'ici*, se mirent à chanter en chœur toutes les synapses de mon cerveau. Mon corps, malheureusement, chantait un air différent. Mes membres me faisaient penser à de la glace pilée, en plus froid.

— Comment ai-je atterri ici?

Pope éclata de rire.

— Il ne se passe rien dans mon jardin sans que je l'apprenne très vite. C'est Rabbit qui vous a ramené ici.

— Il faudra pas que j'oublie de lui envoyer une carte pour le remercier, dis-je. Bon, ce n'est pas que je m'ennuie, mais il faut que j'y aille.

J'avais beau envoyer des tas de messages à mes jambes, elles ne voulaient rien savoir.

— Prenez votre temps, conseilla Pope avant de se lever pour se rendre à la cuisine qui se trouvait dans ma ligne de mire.

J'en profitai pour faire le tour de la pièce des yeux, et j'en tirai la conclusion que Pope n'investissait pas dans les meubles. L'ensemble était décent, mais ressemblait à ce qu'on devait trouver dans tous les autres appartements de ce grand ensemble. C'était à se demander pourquoi il cherchait à gagner autant d'argent illicite. Puis une nouvelle douleur me transperça comme un coup de poignard et me poussa à abandonner mes considérations philosophiques pendant un petit moment.

Pope s'approcha de moi avec un verre d'eau en disant :

— Tenez, buvez ça. C'est nécessaire après une agression.

Je pris le verre et en bus quelques gorgées.

— Merci. Quelle heure est-il?

— Environ minuit. (Il me regarda.) Vous avez tort de vous frotter à la Folks Nation. Ils aiment pas les Blancs.

— C'est ce que j'ai cru comprendre, dis-je, déclenchant l'hilarité de Pope.

— On raconte que vous étiez avec une femme. Et on raconte aussi qu'elle va bien.

— Exact, dis-je prudemment. Je faisais des recherches pour une affaire.

— On raconte qu'elle est pas du coin.

— Non, acquiesçai-je. Elle est de Bowen Homes. Elle me donne un coup de main.

— Bowen? Alors je dois pas la connaître.

— Probablement.

Pope me regardait, et un léger sourire étirait ses lèvres. Il était évident qu'il savait que je mentais. Et que moi je n'arriverais pas à lui faire dire ce qu'il savait. Il était donc urgent que je me tire d'ici avant qu'il puisse me poser davantage de questions.

— Comment elle s'appelle? insista-t-il.

*Putain, Pope, lâche-moi! Et laisse-la partir en paix. Laisse-nous tous partir, espèce de salaud sans pitié. Laisse-nous vivre nos vies à l'abri de toute cette merde.*

— T'aniqua, répondis-je. T'aniqua Fields.

Le visage de Pope demeura impassible.

— Alors, je pense que vous avez raison. Inconnue au bataillon. (Il s'approcha de moi et glissa ses mains sous mes épaules.) Vous savez quoi? Je vais vous aider à la retrouver.

— Aaah...

Je m'apprêtais à parler, mais la douleur transforma mes mots en un gémissement.

— Doucement, conseilla Pope. Allez-y, vous n'avez rien de cassé. Faites un effort, levez-vous.

Je m'appuyai lourdement sur lui, retrouvant doucement la verticalité. Après que ma tête eut cessé de tourner, je me sentis mieux. Mes idées s'éclaircissaient. Je fis un pas, puis un autre.

— Ça va aller, assurai-je. Merci.

— C'est O.K., dit Pope en prenant un trousseau de clefs. Allons chercher T'aniqua. Je vous l'ai dit, elle va bien.

— Vraiment, Pope, je ne voudrais pas...

Sa main posée sur mon épaule, qui jusque-là m'avait soutenu de façon amicale, se fit subtilement contraignante. Si le changement d'attitude n'était pas spectaculaire, le message n'en était pas moins clair. *Vous êtes dans mon monde et complètement à ma merci. Vous ne pouvez imaginer tous les moyens dont je dispose pour vous faire perdre la partie.* Je levai les yeux vers lui, son sourire ne l'avait pas quitté.

— Oui, dis-je. Elle est peut-être encore là.

— Je ne voudrais surtout pas qu'il lui arrive quelque chose. Cet endroit devient dangereux, la nuit, dit-il en me poussant inexorablement vers la porte.

Nous nous retrouvâmes dehors. Je boitais un peu, mais j'avais retrouvé mon sens de l'équilibre. Deux garçons se matérialisèrent brusquement ; l'un d'eux était Rabbit, le fils de Pope.

— Alors ? questionna le père.

À la différence de la première fois où je l'avais vu, Rabbit faisait honneur à son surnom. C'était un véritable concentré d'énergie nerveuse.

— Je l'ai pas vue, répondit-il. J'ai passé le mot.

Pope se retourna vers moi.

— On dirait que votre copine a envie de jouer à cache-cache. Il faut qu'on aille l'aider.

Sur ces bonnes paroles, il me guida vers sa voiture, et je vis enfin un signe extérieur de richesse. Une magnifique Mercedes noire, bien lustrée, était garée dans la rue. Il avait résisté au goût tape-à-l'œil des maquereaux et autres dealers. Même à la faible lueur des réverbères, la carrosserie jetait des feux. Un garçon surgit pour ouvrir la portière de Pope, puis la mienne. Je m'installai sur le superbe siège en cuir et mes os protestèrent à ce contact. Pope se mit au volant et baissa les vitres.

— On va la trouver, assura-t-il. Suffit de demander.

— Moi je suis sûr qu'elle est partie depuis des heures, affirmai-je. Elle n'a aucune raison de se cacher.

Pope démarra sans répondre, et la voiture glissa le long de la rue principale avec un doux ronronnement. En quelques mètres, je compris ce que le mot respect voulait dire dans ce quartier. Je n'exagère pas en disant que mon chauffeur était traité comme un chef d'État. Il était impossible de faire dix mètres sans que quelqu'un se précipite lui lécher le cul. Quelques-uns sollicitaient un appui contre une future offense encore inconnue, d'autres

189

demandaient du travail ou la permission d'écouler un produit. Il les appelait tous par leurs noms et les recevait en sa cour royale pour une petite bénédiction.

À minuit, le McDaniel Glen était animé. Il y avait même de jeunes enfants encore assis sous le porche des immeubles, en train de jouer en riant. J'avais presque envie d'en sourire, sauf que la Mercedes noire rutilante qui se faufilait à travers toute cette bonne volonté avait été payée avec la misère humaine. Personne ne semblait avoir aperçu Michele. Je sentais l'humeur de Pope devenir de plus en plus maussade et je savais qu'il se demandait qui pouvait bien être cette T'aniqua Fields et ce qu'elle foutait sur son territoire en compagnie d'un avocat blanc.

Après avoir sillonné tout le Glen sans succès, il me ramena à son appartement, où il reçut un coup de téléphone. Il grogna deux ou trois fois d'une façon expressive dans l'appareil puis me regarda.

— Elle est pas ici, dit-il. Quelqu'un pense qu'elle est partie il y a au moins deux heures.

— C'est ce que je vous avais dit, répondis-je nonchalamment.

Me foutre de la gueule de Pope n'était rien d'autre qu'une perte de temps, mais, dans son royaume, tout était une question de respect. Et – je ne peux que lui en être reconnaissant –, à ce moment-là, Pope ouvrit un parapluie pour me protéger d'un orage de merde.

— Vous feriez mieux de partir, dit-il. Elle doit être en train de vous chercher.

Nos regards se croisèrent en un bref instant de sincérité, et je disparus.

# 17

Ainsi, elle avait réussi à s'en sortir depuis un moment déjà. *Elle est en sécurité.* C'est ce que Pope pensait, et s'il y avait une chose dont j'étais certain, c'était qu'il était informé de tout ce qui se passait dans le Glen. Toutefois, cette certitude – même si j'y croyais très fort – ne m'empêcha pas de tourner en voiture autour du quartier pendant une bonne heure en la cherchant. Mais il fallait bien se rendre à l'évidence, elle s'était évanouie dans la nature. Je me résolus donc à prendre le chemin de la maison, et il était presque deux heures du matin quand je me garai devant chez moi. Impossible de joindre Michele, puisque son téléphone portable se trouvait sur la table de ma salle à manger. J'envisageai un moment d'appeler la police – tout en restant conscient que cette démarche révélerait son identité – mais ne tardai pas à en rejeter l'idée. J'eus rapidement conscience de dramatiser à l'excès, ce qui était tout de même assez compréhensible, vu les dernières heures que je venais de vivre. Il y avait huit pâtés d'immeubles entre celui où Michele avait cherché refuge et la porte d'entrée du Glen, et j'étais certain que, petite fille, elle avait souvent fait ce trajet à pied. Il n'y avait aucune raison de penser qu'elle n'avait pas pu franchir les grilles de ce ghetto dans le sens de la sortie.

En fait, je me racontais des conneries, car, au cours des cinq heures suivantes, je dus dormir une dizaine de minutes. Vint le samedi matin, annonçant un week-end qui allait durer une éternité. Je traînai dans mon appartement pendant une grande partie de la journée, horriblement frustré de ne pas pouvoir joindre Michele. Je regardais souvent mon téléphone en espérant qu'elle allait m'appeler. Je fis les cent pas. Je piquai quelques petits sommes dont je me réveillais en sursaut, plein de l'énergie nerveuse que déclenche la grande fatigue. De temps à autre, je m'observais dans un miroir, pour voir la topographie de mon visage dans les tons de bleu et noir avec un soupçon de jaune. Heureusement, dès le dimanche, je commençai à désenfler. Mais deux jours passés à imaginer toutes les horreurs qui auraient pu lui arriver furent une rude épreuve. Le lundi matin, à l'aube, je n'y tenais plus. Il fallait que je fasse quelque chose pour ne pas devenir fou, alors j'appelai Nightmare. Du moins était-ce plus constructif que de me contempler dans un miroir.

Naturellement, c'est avec son répondeur que je m'entretins. Après le bip, je criai :

— Réveille-toi, Michael. Il faut qu'on se bouge le cul. (Aucune réaction et je me sentais de plus en plus enragé.) Enfin bordel, c'est Jack, hurlai-je. L'ordinateur de Doug a été volé.

Nightmare décrocha. Je l'entendais pousser des soupirs en essayant de recouvrer lentement ses esprits.

— Quoi? finit-il par bredouiller.

— On a cambriolé mon bureau et l'ordinateur de Doug a disparu.

— Qui a fait ça? demanda-t-il stupidement.

— Quelqu'un qui ne veut pas que nous allions au fond des choses.

Nightmare ne fit aucun commentaire. Il réfléchissait sans doute à ce qu'il venait d'apprendre.

— Ça sent mauvais, dit-il enfin.

Puis la tonalité.

Il me fallut quelques instants pour comprendre que ce petit con venait de me raccrocher au nez. Je refis son numéro. Il décrocha, mais sans rien dire.

— Ne capitule pas, partenaire, dis-je calmement. J'ai besoin de toi. (Toujours pas de réponse, mais je l'imaginais de plus en plus tendu à l'autre bout du fil.) Toi et moi. Jackie Chan.

— Ils ont piqué l'ordinateur de Killah?

— C'est ce que je viens de te dire, Michael.

Je me gardai bien de lui parler de notre excursion dans le Glen. Mentionner la Folks Nation était la dernière chose à faire.

Sa voix se réduisit à un murmure, comme si elle avait senti que quelqu'un l'espionnait, l'oreille collée à la porte.

— T'as vraiment pas l'air de te rendre compte, mon pote. Ça veut dire qu'ils savent qu'on a pénétré sur le site et aussi d'où venait le piratage.

— D'accord, mais ça s'est passé dans mon bureau. Alors, personne ne peut remonter jusqu'à toi.

— Et je ne veux rien faire pour que ça change.

— Explique-moi un truc, Michael. J'avais cru comprendre que toutes les données se trouvaient sur l'ordinateur central de Georgia Tech.

— Exact, mais on est passés par celui de Doug pour y accéder. Je pensais que toutes les recherches pour nous situer s'arrêteraient là-bas, mais je me suis gouré.

— Comment ont-ils pu s'y prendre, d'après toi?

— Pas la moindre idée, avoua-t-il.

— Qu'est-ce que tu racontes? Je croyais que c'était toi le dieu cyber.

— Putain, ce que tu peux me gonfler, mec.

— Pas d'affolement, Michael. Si quelqu'un avait voulu me tuer, ça serait fait depuis un moment. Ce qu'ils voulaient, c'était l'ordinateur, et ils l'ont. Comme ça, ils savent qu'on ne pourra plus retourner sur le site.

— Dans ce cas-là, ils l'ont dans le cul, parce que je peux retourner sur le site quand je veux.

— Tu plaisantes? m'exclamai-je.

— C'est-à-dire que je pourrais retourner sur le site si j'étais complètement taré.

— Michael, il faut qu'on retourne sur ce site.

— Bien sûr, vieux. On y retourne et on attend gentiment qu'ils viennent nous descendre. Bon, excuse-moi, mais je dois te laisser.

— Encore une question, Michael. Si on peut retourner sur le site sans l'ordinateur de Doug, pourquoi l'avoir volé?

— Uniquement parce qu'ils ne me connaissent pas et ignorent mes capacités, déclara-t-il en toute modestie. Ce qu'ils cherchent en ce moment, c'est à savoir comment tu as pu pénétrer sur le site.

— Tu crois qu'ils vont trouver?

— C'est pas parce qu'ils ont le PC de Doug qu'ils vont pouvoir décoder son mot de passe. Si tu n'avais pas parlé de son goût pour l'opéra, on serait toujours en train de contempler l'écran vide.

— Tu en es certain?

— À peu près.

— Bien, alors il faut qu'on y retourne sans se faire repérer. Je suis sûr qu'il existe un moyen et que tu vas le trouver, Michael. Réfléchis, l'ami.

Un autre très long silence. Je me demandais s'il allait me raccrocher au nez une nouvelle fois; auquel cas, j'étais près à me rendre chez lui pour tambouriner sur sa porte, puis à lui tordre le cou jusqu'à ce qu'il accepte de collaborer.

— Ils se trouvent où, ces laboratoires Grayton? demanda-t-il soudain. Leur adresse?

— Pas la moindre idée. Attends, je cherche. (J'ouvris l'annuaire.) Je l'ai. Mountain Industrial Avenue. Je vois où ça se trouve. Deux sorties après Stone Mountain.

— Très bien, dit-il. Rendez-vous à l'annexe de la bibliothèque municipale à Sandy Spring. Puisque tu as l'annuaire sous la main, cherche l'adresse. Sois là-bas à onze heures.

— À la bibliothèque?

— Oui.

— Mais pour quoi faire.

— C'est pas quelque chose que je vais te raconter au téléphone. À plus.


L'annexe de la bibliothèque municipale à Sandy Spring était située au nord d'Atlanta. À environ quarante-cinq minutes de chez moi. En arrivant, je vis Nightmare qui faisait les cent pas avec une expression apeurée. Quand il me vit, il faillit tomber dans les pommes.

— T'as vu ta gueule? lança-t-il en faisant mine de retourner à sa voiture.

— C'est rien, le rassurai-je. Dans deux ou trois jours j'aurai retrouvé ma peau de bébé.

— Désolé, mais j'ai pas envie qu'il m'arrive la même chose.

— Écoute-moi, bon Dieu! Je me suis fait cogner dessus en

essayant de protéger quelqu'un. Ça n'a rien à voir avec l'ordinateur de Doug. Mais je viens de passer de sales moments. On a cambriolé mon bureau et je suis tombé amoureux de la femme qu'il ne fallait pas. Alors le moins que tu puisses faire pour moi, c'est de pianoter sur un clavier pendant cinq minutes.

Nightmare écarquilla les yeux.

— T'es en train de disjoncter, mec, laissa-t-il tomber.

— C'est probable.

— Amoureux de la femme qu'il ne fallait pas?

— Ouais. Et ça me fout en boule. Alors fais ce que je te demande avant que je me défoule sur toi.

Il prit le chemin de la bibliothèque.

— J'espère que tu as laissé quelques marques sur la personne qui t'a arrangé de cette façon.

— Pas que je sache. Maintenant, magne-toi.

Je le suivis à l'intérieur de la bibliothèque, un bâtiment de brique banal dans un environnement boisé. La salle était pratiquement vide, à part cinq ou six employés. Nightmare me guida vers une rangée d'ordinateurs, à l'arrière du bâtiment.

— Il y a un service d'accès libre à large bande, précisa-t-il. Tu vas sûrement voir des types qui viennent télécharger du porno.

— Voilà où va l'argent de nos impôts, commentai-je. Enfin, les miens, parce que je suppose que tu n'en paies pas.

— Tu supposes foutrement bien, admit-il.

Il s'assit devant le dernier ordinateur de la rangée et sortit un minuscule outil de plastique qu'il enfonça dans un port de l'appareil.

— Mémoire flash, m'éclaira-t-il.

— Raconte.

— Je vais aller chercher les données stockées sur l'ordinateur central de Georgia Tech. Il est impossible de localiser un terminal sur le système de la bibliothèque. Si je me fais repérer, ils sauront que ça vient de la bibliothèque, bien sûr, mais ils pourront pas savoir dans quelle annexe on se trouve. Et il y en a trente disséminées dans toute la ville. En plus, j'ai choisi celle qui se trouvait le plus loin de chez eux. On n'est jamais trop prudent.

— Tu veux que je te dise, Nightmare? Tu es un génie.

— Je sais. Maintenant, essaie de me protéger des curieux s'il en vient. J'en ai peut-être pour un bon moment.

Je le laissai se mettre au travail et m'assis quelques tables plus loin pour monter la garde. Un exemplaire de l'*Atlanta Constitution* avait été abandonné sur la table d'à côté; je le ramassai et tournai les pages jusqu'à la section financière, espérant y trouver éventuellement des renseignements sur la future introduction en Bourse d'Horizn. Mon attention fut tout de suite attirée par une photo de Charles Ralston, avec ce titre : IL REVERSE SES PROFITS À LA RUE. Je lus l'article en diagonale; il déclinait sur tous les modes que, dans une semaine, beaucoup de gens allaient s'enrichir; *moins tout de même*, me dis-je, *que Ralston lui-même et son acolyte Stephens*. L'action allait être vendue à trente et un dollars, mais les experts financiers prédisaient que ce prix d'appel ne tiendrait pas trente secondes. Ils ajoutaient que seuls les contrepartistes ou les employés de la société Horizn avaient une petite chance de les acheter à ce prix-là. Dès le premier jour, elles dépasseraient quarante dollars à la clôture du marché et, avant un an, elles coteraient très certainement cinquante dollars. L'article précisait que Ralston et Stephens possédaient cinq millions et demi d'actions chacun. Tandis que je tentais de faire des multiplications qui dépassaient mes capacités en calcul mental, Nightmare vint me rejoindre.

— Ça roule? demandai-je.

— Ouais, j'y suis. On cherche quoi?

J'avalai ma salive.

— Briah, répondis-je. Briah Fields.

Mon compagnon repartit pianoter fébrilement pendant cinq minutes, puis revint vers moi en hochant la tête.

— Que dalle, affirma-t-il.

— Tu en es certain?

— Aussi certain qu'on peut l'être, dit-il en haussant les épaules. Alors c'était ça, le big deal? Je peux retourner à ma piaule?

— Une dernière chose, s'il te plaît. Cherche LAX.

— LAX comme l'aéroport?

— Non, essaie seulement les lettres. Elles étaient gribouillées dans le carnet trouvé chez Doug.

— J'ai l'impression que tu te fous de moi, dit-il, décontenancé.

— Pas du tout, vieux. Allez, cherche.

— Dans vingt minutes maxi, annonça-t-il, je coupe la connexion.

Cette fois-ci je le suivis jusqu'à son terminal et le vis rechercher des dossiers pendant quelques minutes. En vain.

— Il existe des sections principales sur ce site? demandai-je.

— Ouais. Finances, communications, essais cliniques...

— Essais cliniques, le coupai-je. Vas-y.

Avec un haussement d'épaules fataliste, il reprit les recherches. Il ne trouva rien d'intéressant pendant un bon moment, avant de s'exclamer :

— Oh, putain!

— C'est quoi?

— Regarde!

Deux colonnes venaient d'apparaître sur l'écran, chacune était composée de quatre noms. Des noms suivis d'une adresse et d'un numéro de téléphone. Au sommet de la page, l'en-tête indiquait : *Test 38, LAX – double essai clinique aveugle de Lipitran AX. Un traitement pour la guérison de l'hépatite C. Hôpital Mercy General d'Atlanta. Directeur de la recherche : Dr Thomas Robinson.*

— Alors, ça n'a rien à voir avec l'aéroport, constatai-je, les yeux rivés à l'écran. Il s'agit d'un médicament. Et les noms qu'on a ici doivent être ceux des malades qui testent ce médicament.

Je détaillai alors la liste, et j'eus l'impression que le monde s'arrêtait de tourner. Le troisième nom de la liste de droite était celui de Doug Townsend, suivi de son adresse et de son numéro de téléphone. Je clignai plusieurs fois des paupières, espérant que c'était un effet de mon imagination et que son nom allait disparaître. Mais Nightmare me ramena sur terre.

— Merde, alors! Killah prenait ce truc?

Tous les clignotants s'allumèrent dans mon cerveau. *L'hépatite, source de tous les profits de Charles Ralston. Et peut-être que Grayton s'apprête a en tarir la source.*

— Je ne pense pas que Doug ait contracté une hépatite.

— C'est pas parce qu'il t'en a pas parlé qu'il ne l'avait pas.

— Possible, admis-je après avoir hésité. Mais ce dont je suis certain, c'est qu'en apprenant sa mort les types qui font ces essais ont voulu savoir le pourquoi du comment. (Nous réfléchîmes en silence pendant quelques instants, puis une idée évidente me traversa l'esprit.) On a sous les yeux le moyen d'apprendre à quoi ils jouent.

197

Après avoir jeté un coup d'œil autour de moi pour m'assurer qu'il n'y avait toujours personne, je sortis mon téléphone portable et composai le premier numéro de téléphone sur la liste. Une femme à la voix sombre répondit.

— Est-ce que je pourrais parler à Brian? demandai-je. (Pour toute réponse, j'entendis alors une sorte de plainte.) Brian Louden, précisai-je. Il est là?

— Brian est mort, parvint à dire la femme d'une voix que les sanglots étouffaient. Mon garçon est mort, il y a eu une semaine jeudi.

Je sentis mon estomac se convulser.

— Je suis sincèrement désolé. Pardon de vous avoir importunée, dis-je, avant de couper la communication.

— Alors quoi? demanda Nightmare.

— Laisse-moi essayer le deuxième nom, dis-je, sans répondre à sa question. (Il s'agissait de *Chantelle Weiss, 4239 Avenue D.* Je composai son numéro. Un homme répondit.) Pourrais-je parler à Chantelle, s'il vous plaît? demandai-je après l'avoir salué.

— De la part de qui? demanda l'homme.

— De la part du Dr Robinson.

— C'est quoi, cette plaisanterie macabre?

— Pardon?

— C'est bien vous qui l'avez tuée, non? Et maintenant vous téléphonez pour lui parler? Vous êtes devenu fou furieux ou quoi?

— Désolé, dis-je rapidement. J'ai dû faire un faux numéro.

Après avoir mis un terme à cet échange, je restai assis sans bouger, complètement assommé.

— Enfin, bon Dieu, ça rime à quoi, tout ça? s'énerva Nightmare, qui transpirait malgré l'air conditionné.

L'angoisse me serrait la gorge.

— Attends, deux secondes, dis-je. Je fais une troisième tentative pendant que j'en ai encore le courage. (Je composai alors le numéro de téléphone de *Jonathan Mills, 225 Trenton Street.* Un homme répondit.) Je suis vraiment désolé de vous déranger, commençai-je. Je suis Henry Chastain, de l'hôpital Mercy General.

— Oui? dit l'homme d'un ton neutre.

— Je suis très gêné d'avoir à vous demander ça..., balbutiai-je.

— Je vous en prie. Que désirez-vous savoir?

— J'effectue des recherches pour le compte de l'hôpital, et je ne retrouve pas le dossier de Jonathan. Pourriez-vous m'indiquer quel traitement il suivait?

— Un traitement pour l'hépatite C.

— Il participait aux tests du Dr Robinson, c'est bien ça?

— Oui. Qui avez-vous dit que vous étiez?

— Henry Chastain, de l'hôpital Mercy General.

Mon interlocuteur resta silencieux un moment, puis demanda :

— Pouvez-vous me dire de quoi il s'agit?

— J'effectue des recherches sur les taux de mortalité concernant différentes maladies. (Je m'en voulais de mentir sur un sujet aussi douloureux, mais je ne voyais pas comment faire autrement.) Je comprendrais très bien qu'il vous soit trop pénible d'aborder ce sujet, assurai-je.

Un autre silence.

— Jonathan n'est pas mort de son hépatite. C'est le traitement qui l'a tué.

— Je suis vraiment désolé. Vous sentez-vous le courage de me donner quelques précisions?

— Quelles précisions? Il a pris le traitement et il en est mort une semaine plus tard. (Sa voix s'était brisée en prononçant les derniers mots. Au bout d'un petit moment, il demanda :) Est-ce que je peux vous rappeler un peu plus tard?

— Ce ne sera pas nécessaire, monsieur. Je vous remercie de votre aide.

— Tu m'expliques enfin? demanda Nightmare. C'est quoi tous ces noms?

Envahi par la peur et le chagrin, je fixais tous ces noms étalés sur l'écran sans les voir.

— Les noms de gens qui sont tous morts, répondis-je.

Après de nombreuses insanités échangées à voix basse, je parvins à ramener Nightmare jusqu'à sa Toyota Corolla, en bien plus piteux état que ma Buick. Je lui posai les mains sur les épaules.

— Tu vas vraiment me laisser tomber? demandai-je en le regardant dans les yeux. Juste au moment où on commence à y voir clair?

Il ne chercha pas à détourner le regard. Il était partagé entre la peur et une immense excitation que son monde pathétique du piratage à la petite semaine ne lui avait jamais apportée.

— Tout ce que je dis, c'est que c'est vachement sérieux. Sérieux comme un flic, insista-t-il. Qu'est-ce que tu as l'intention de faire?

*Bonne question. Si on soulève des pierres sans arrêt, forcément, un jour, quelque chose d'horrible va en surgir.*

— Quand j'ai commencé à fourrer mon nez là-dedans, tout ce que je voulais, c'était trouver quelques renseignements au sujet d'un infortuné client qui avait été mon ami, expliquai-je. La façon dont cette affaire échappe à notre contrôle ne me plaît pas davantage qu'à toi.

— Alors, tu comprendras que je me tire vite fait.

— Tu ne vas pas te tirer vite fait, et je vais t'expliquer pourquoi.

— T'as intérêt à être convaincant, mec.

Je pris une profonde respiration pour me donner du courage et je me lançai. J'étais incapable de dire si j'étais en train d'inventer ce que je disais, ou si je n'avais jamais parlé plus vrai. Tout ce que je sais, c'est que c'était suffisant pour moi et que cela devait être suffisant pour lui.

— La raison est simple : on doit le faire, dis-je. Oui, *on doit*. C'est un coup tordu du destin, je veux bien l'admettre, mais il faut faire avec.

Nightmare écarquilla les yeux.

— De quoi tu parles? Arrête de déconner.

— Je parle de toi et moi, insistai-je. Tu vois quelqu'un d'autre capable d'y voir clair dans ce foutoir? Tu croyais que le couplet sur Jackie Chan était une plaisanterie? J'ai besoin de toi, bordel! Et toi, tu as besoin de moi. On possède des dons différents, et c'est ce qui nous rend dangereux et imbattables. N'oublie surtout pas, Michael, que Doug Townsend était mon ami. Et il y a sept autres noms sur ces listes. Les noms de garçons et de filles qui sont tous morts. Alors, mon objectif, c'est pas de mettre au jour

200

des magouilles entre deux laboratoires pharmaceutiques, mon objectif, c'est de faire plonger le responsable de cette hécatombe.

Nightmare resta impassible pendant quelques instants, comme insensible à mon argumentation. Puis, à ma grande surprise, il éclata de rire.

— Putain de ta mère, t'es fou à lier, mec.

— Si tu le dis.

— Tout ça pour une femme!

— Qu'est-ce que tu racontes? m'étonnai-je.

— La femme, mec. T'as dit que t'étais en train de tomber amoureux de la femme qu'il fallait pas.

— Je le sais bien, bordel. Je le sais.

Je laissai Nightmare rentrer chez lui, observant son tas de ferraille *made in Japan* sortir du parking de la bibliothèque et disparaître. Je restai un long moment sur place. Je penchais sérieusement d'un côté et mon visage me faisait très mal. Tout comme mes côtes et un genou. La douleur, diffuse au début, ciblait maintenant des endroits précis. Je réfléchissais à ce que venait de me dire Nightmare : *la femme*. Parfois, la vie essaie de vous faire comprendre quelque chose. Doug était mort. Et sept autres personnes avec lui. Le moment me paraissait mal choisi pour faire semblant d'être sourd.

Le métier d'avocat, tel que je le pratiquais, m'avait appris beaucoup de choses sur la psychologie des délinquants. Et lorsque je me trouvais dans une foule des tas d'indices me sautaient aux yeux : le regard détaché d'un garçon qui s'apprête à tabasser sa copine et la laisse meurtrie et larmoyante ; l'attitude d'une fille qui cherche un portefeuille à subtiliser ; plus loin, d'autres signes me faisaient reconnaître un toxicomane. Après avoir observé les visiteurs de la salle d'audience du juge Odom pendant deux ans, j'avais développé — bien malgré moi — une espèce de radar. Quelquefois, en parcourant une rue encombrée de passants, j'avais l'impression de croiser des fantômes. Les policiers possèdent aussi ce genre de radar, et, pour eux, c'est un plus. Un outil très utile. Mais pour l'avocat de la défense qui n'a que des paumés comme clients ce radar transforme les quartiers malfamés de la ville en véritable salle de réanimation.

Et planté là, dans le parking de la bibliothèque, le corps couvert de meurtrissures, j'étais obligé de reconnaître un état de fait qui me gonflait sérieusement : j'avais beau diriger sciemment ce radar vers Michele, en portant sa puissance au maximum, elle résistait à l'analyse. Elle était impénétrable. Je prenais actuellement des décisions en présumant qu'elle était une victime innocente pour laquelle j'avais envie de remuer ciel et terre. C'est le petit rêve qui se dissimule dans le cerveau optimiste de chaque avocat; jusqu'à ce que la réalité finisse par l'en chasser. *Transforme le mal en bien.* Elle avait commis une lourde faute, alors qu'elle était encore enfant ou presque, et elle se retrouvait prisonnière d'un monde qui, s'il l'apprenait, ne saurait le lui pardonner. Mais il se pouvait qu'elle fût un aimant à traumatismes, une femme particulièrement anxieuse qui aspirait dans sa souffrance tous ceux qui passaient à sa portée. La diva était peut-être le genre de cliente que Judson Spence nous conseillait d'éviter à tout prix. Et, en vérité, je ne savais toujours pas dans quelle catégorie classer Michele Sonnier. Incertitude qui, lentement mais sûrement, me rendait fou. Une chose était cependant claire dans mon esprit : faire le mauvais choix en ce qui la concernait pouvait entraîner des conséquences dramatiques. Il n'est pas rare que quelqu'un passe sa vie à aider une personne qui non seulement ne le mérite pas, mais n'apprécie pas cette aide, et qui finira par immerger ce quelqu'un dans ses névroses au point qu'il ne pourra même plus respirer. C'est encore une leçon que mes clients m'avait enseignée.

Je regagnai ma voiture et, une fois installé au volant, j'examinai mon visage dans le rétroviseur. Si quelque chose devait m'arrêter, ce ne seraient pas ces meurtrissures, c'était cette fichue indécision. J'acceptais d'affronter le danger pour elle, mais j'avais envie d'en connaître la raison exacte. Il était temps aussi de me demander *pourquoi j'étais en train de tomber amoureux*. À cause de ses dons d'artiste, de cette indicible qualité qui laissait croire qu'elle mettait son âme à nu chaque fois qu'elle chantait? Ou était-ce – et j'espérais que ce n'était pas la vérité – à cause de la blessure qui était la sienne, et qui la rendait si vulnérable? Parce que, si c'était le cas, je ferais tout aussi bien de la rebaptiser Violeta Ramirez et de laisser ma voiture basculer dans le vide du haut d'une falaise.

Non, conclus-je en cessant de me regarder dans le rétroviseur, avant de basculer dans le vide du haut d'une falaise avec ma voiture, je devais présenter mes condoléances les plus sincères à M. Charles Ralston : d'abord, pour avoir baisé sa femme, ensuite pour le marécage nauséabond dans lequel il s'était enfoncé. Oui, il était soigné de sa personne, bien éduqué et, d'après ce qu'on racontait, un peu snob — ce qui, après tout, n'était pas un crime. Qui sait s'il ne s'était pas entiché d'elle comme Doug? Il l'avait peut-être découverte à la Julliard School, une flèche avait transpercé son petit cœur d'homme de science et, aujourd'hui, il se trouvait accouplé à une crise émotionnelle superbe et talentueuse. Peut-être que le seul jour de sa vie qu'il aimerait pouvoir rayer du calendrier, c'était ce jour où il était entré par hasard au Lincoln Center où il avait passé la tête dans l'auditorium et qu'il l'avait vue et entendue : jeune, époustouflante, et d'un entretien coûteux, voire létal.

Si j'avais pu y consacrer davantage de temps, je serais peut-être parvenu à tirer une conclusion de mes vaticinations. Dix ou quinze minutes de contemplation silencieuse m'auraient sans doute permis de faire des choix qui auraient abouti à des options différentes. Mais ces dix ou quinze minutes ne me furent pas accordées; mon téléphone se mit à sonner dans ma poche, me ramenant brutalement à la réalité. Je l'ouvris d'un coup de pouce pour découvrir qu'au cours des prochaines heures ma vie allait être tout, sauf contemplative. Tandis que Nightmare pénétrait par effraction dans l'éther électronique des laboratoires Grayton, Sammy était parvenu à se venger de Derek Stephens, d'une façon personnelle et efficace. Et, comme toujours, l'histoire commence avec une femme qui pleure.

# 18

Blu essayait de parler, mais elle avalait tellement d'air en hoquetant que le résultat n'était pas très compréhensible.

— Mr. Stephens... Derek... catastrophé... Sammy...

— Essayez de vous calmer, baby. Et restez assise.

J'étais rentré au bureau aussi vite que possible. J'avais traversé la ville en faisant cracher à la Buick tout ce qui lui restait dans le ventre. La porte franchie, je découvris ma secrétaire vautrée dans mon fauteuil, les yeux gonflés et le visage maculé de traînées de mascara.

— Enfin, que se passe-t-il? m'étais-je écrié.

— Il vient d'appeler, dit-elle. Derek. Il a téléphoné et il n'a fait que hurler.

— Sans dire pourquoi?

— Pas vraiment. J'ai compris que c'était à cause de Sammy. Et bizarrement, c'est à moi qu'il en veut. Je ne sais même pas pourquoi.

— Qu'est-ce que Sammy a bien pu lui faire?

— J'en sais rien, assura-t-elle en reniflant. Mais ce qui est sûr, c'est qu'il a rendu Mr. Stephens furieux.

— Et pourquoi Stephens vous en rendrait-il responsable?

— Parce qu'il sait que Sammy est amoureux de moi.

— Il l'a appris par qui?

— Par moi.

— Pourquoi diable le lui avez-vous dit?

— J'ai rencontré Mr. Stephens au tribunal, et Sammy est passé à côté de nous. Il a jeté un sale regard à Mr. Stephens, et puis il s'est caché derrière une colonne pour nous espionner.

— Ça ne m'étonne pas de lui.

— J'ai donc été obligée de dire à Mr. Stephens que Sammy n'arrêtait pas de me faire des avances, et il a éclaté de rire. Et moi avec lui. Je pense que Sammy a compris qu'on était en train de se moquer de lui.

— Alors, ça sent mauvais.

— Oui, je suis sûre qu'il a fait quelque chose de terrible.

— Bon, vous, vous restez ici, et moi je vais au tribunal parler à Sammy. Si Stephens ne l'a pas encore tué, bien évidemment.

Le trajet jusqu'au tribunal me laissa tout le temps d'imaginer une série de scénarios pourris. Je mettais en scène des bagarres où le bedonnant Sammy, dont les réflexes étaient ralentis par de trop nombreuses injections de Chivas et autres produits de moins bonne qualité, découvrait que Stephens n'était pas seulement un brillant avocat, mais également ceinture noire de taekwondo. Je voyais ses poumons exploser à cause de trop nombreuses années de sous-utilisation aérobique, puis Sammy gisant sur le lino brillant comme un miroir qui recouvrait le sol du tribunal.

Je finis par découvrir que, une fois encore, j'avais puisé pour rien dans mes réserves d'adrénaline déjà bien déficitaires. Et, en un rien de temps, j'appris comment Sammy avait réussi à extraire une livre de chair de Stephens pour le punir d'être un homme séduisant, riche et dépositaire de l'affection de Blu McClendon. La façon dont le tribunal tout entier bruissait de cette histoire faisait penser à un court-circuit.

J'aime à penser que l'élégance de ce que Sammy avait fait émanait du plus profond de son âme sudiste, mais peut-être est-ce romancer un peu la réalité. C'est plus certainement son long séjour au tribunal de Fulton qui lui avait enseigné une nouvelle façon tortueuse de penser. Mais, quelle qu'en soit l'origine, ce n'en était pas moins un exemple à inscrire dans les annales de ce qu'une vengeance devrait toujours être : simple, efficace et scrupuleusement légale.

Depuis que j'avais mis Sammy au courant des intentions de Stephens en ce qui concernait Blu, le greffier avait jonglé avec l'affaire d'un certain Burton Randall pour qu'il soit présenté au juge à l'heure exacte qui lui conviendrait – à lui, Sammy. Burton était devenu un personnage mythique au tribunal de Fulton : c'était le voleur de voitures le plus habile de tout Atlanta, une espèce de kleptomane monomaniaque. Il aimait voler des voitures, il avait besoin de voler des voitures, il vivait pour voler des voitures. Et, comme tous les vrais connaisseurs, il faisait preuve d'un goût exquis. Plus la voiture était belle, plus il la désirait. Il passait à côté d'une guimbarde avec les clefs sur le tableau de bord sans lui accorder plus d'un coup d'œil, mais il était prêt à prendre tous les risques pour un véhicule qui lui plaisait vraiment. Il y a des jours qu'il aurait dû être jugé, mais Sammy, le greffier tout-puissant qui établissait le calendrier, ne cessait de reporter son affaire. L'avocat de Burton était furieux mais n'osait pas protester trop ouvertement, car se mettre le greffier à dos pouvait entraîner des répercussions désagréables pour le client. Avant de convoquer le voleur de voitures, Sammy attendait que deux planètes spécifiques soient en alignement : Stephens devait se trouver au tribunal en train de pourfendre des adversaires d'Horizn, et le temps se mettre au beau fixe. Or, si Stephens avait bien passé toute la semaine au tribunal, la météo avait refusé de coopérer. Ce matin-là, toutefois, l'aube avait été si magnifique que l'emploi du temps du juge Odom lui avait miraculeusement permis d'examiner l'affaire Burton. Simultanément, le greffier avait prévenu le gardien du parking que le bon juge n'était pas satisfait du traitement de faveur accordé à certain avocat pour garer sa voiture. Si ladite voiture n'était pas stationnée à l'extérieur dans les plus brefs délais, le bon juge allait éprouver un malin plaisir à la faire embarquer pour la fourrière municipale.

C'est ainsi que la Ferrari 360 Modena de Derek se trouvait exposée et sans protection devant le tribunal, quand Burton fut libéré sous caution pour la énième fois.

La Ferrari de Stephens fut retrouvée deux heures plus tard, avec trois cents kilomètres véloces de plus inscrits au compteur. Mais le nombre de kilomètres importait peu, vu l'état de la carrosserie après une course-poursuite avec la police d'Atlanta et de nombreux contacts avec les glissières de protection bordant les voies rapides. De l'avis général, si Stephens choisissait l'option de vendre ce qu'il restait de sa voiture, il devrait faire passer une petite annonce concernant des pièces détachées de Ferrari 360 Modena.

Je me mis en quête de Sammy. Après l'avoir cherché partout pendant des heures, je tombai sur lui vers dix-sept heures au Captain's, un bar qui n'occupait que la cinquième place dans notre estime. Il était assis, le visage éclairé d'un sourire béat. Une rangée de verres vides s'alignait devant lui. Quand il me vit arriver près de sa table, il leva la tête vers moi et son sourire s'élargit jusqu'aux deux oreilles.

— Mon petit Jackie, dit-il. Tu es venu partager mon triomphe avec moi.

Je commençai par l'observer attentivement, à la recherche de symptômes de démence. Il avait suspendu le veston de son costume au dossier de la chaise qui lui faisait face, comme s'il attendait un ami parti aux toilettes. Mais il était seul. Il était toujours seul quand il ne se trouvait pas avec moi. Il avait desserré sa cravate et défait le bouton de son col de chemise.

— Je suis venu essayer de te sauver la mise, dis-je. Tu as fichu en rogne un homme très puissant.

— La réplique de Sammy fut d'une concision sublime.

— Qu'il aille se faire mettre!

— Sammy, insistai-je, tu es en train de perturber les forces fondamentales de l'univers. Derek Stephens va t'écrabouiller.

— Pourquoi? demanda-t-il. Je n'ai rien fait, mon petit Jackie. *Rien du tout.* J'ai fixé la date d'un procès, c'est-à-dire que j'ai effectué le travail pour lequel on me paie. Tu veux dire qu'il va porter plainte parce que j'ai fait mon travail?

Pendant un bref instant, j'envisageai la possibilité que Sammy puisse s'en sortir indemne. Cette impression ne dura que quelques secondes.

— Écoute, Sammy, je ne pense pas que Stephens soit le genre de type qui suive les règles du jeu. Il va mettre un point d'honneur à te le faire payer cher.

— Laisse-le faire, répliqua le greffier. Il sait où me trouver. S'il se pointe dans mon bureau, je lui casse la gueule.

— Je ne suis pas en train de te parler d'un combat de boxe.

— Jackie, dit-il, tu es en train de me confondre avec quelqu'un qui a quelque chose à perdre.

— Qu'est-ce que tu veux dire? demandai-je avec circonspection.

— Je veux dire que je ne possède rien. Je loue un appartement, ma voiture est en leasing. Je possède une chaîne stéréo décente et cinq costumes. Je gagne trente-six mille dollars par an, et pendant un magnifique moment j'ai botté le cul d'un des hommes les plus riches et les plus puissants du Sud. Est-ce que tu crois par hasard que je me soucie de ce qu'il a l'intention de faire pour se venger?

Je m'étais assis et restai un moment à regarder Sammy en silence, avec l'impression de vivre un instant d'illumination. Juste au moment où j'en avais le plus besoin, il m'indiquait que j'avais fait fausse route. Sammy, lui, avait atteint un stade de parfaite liberté existentielle. Il se moquait de tout. Je me sentais soudain protégé ainsi que les miens. Moi, Nightmare et Sammy. Le Père, le Fils et le Saint-Esprit. Nous risquions d'entrer en collision avec quelque chose, et chacun de nous avait des leçons à en tirer. Et, dans sa bienveillance, l'univers s'était assuré que je ne manque rien. C'est vrai que je ne savais qui croire. C'est vrai que je n'étais pas certain de vouloir connaître la vérité au sujet de Michele Sonnier. Mais Sammy venait de me prouver une fois de plus la pertinence de la seule doctrine de vie qui valût : *Tu n'y peux rien, Jack, alors laisse faire.* Une fois cet aphorisme bien assimilé, on devient aussi dangereux et imprévisible qu'une bombe à fragmentation.

Sammy, fortement ému par la profonde leçon de philosophie qu'il avait trouvée au fond de sa bouteille de Seagram's, me regarda en souriant.

— Te fais pas de mouron, mon petit Jackie, bredouilla-t-il. J'ai tenu tête à Derek Stephens, et je l'ai fait pour la femme que j'aime. Ça me rend heureux.

C'est à ce moment-là que j'ai décidé que, quelle que soit la tournure que prendraient les événements, je ferais tout pour que Sammy survive. Il n'était peut-être qu'un ivrogne, un incompétent, mais il savait comment s'attaquer à plus fort que lui. Je me sentais presque d'humeur à faire une prière, puis je pensai qu'il valait mieux offrir un verre à Sammy.

— Ce soir, c'est ta soirée, lui dis-je.

— Ça, tu peux le dire.
Après être resté silencieux un petit moment, j'ajoutai :
— Je pense qu'il va essayer d'avoir ta peau.
— Probablement, acquiesça Sammy en hochant la tête.
Je levai un bras, et la serveuse vint prendre la commande.
— La même chose, annonçai-je. Et apportez la bouteille.

# 19

Le mardi, l'aube se leva, radieuse et tout à fait inopportune. Les oiseaux, la circulation, les diverses activités humaines résonnaient douloureusement dans la tête d'un homme qui souffrait d'une gueule de bois bien méritée. J'ouvris un œil et regardai mon réveil : neuf heures moins le quart. Je fis l'effort d'appeler Blu.

— Comment ça va, baby? demandai-je. Quelle sorte de torture Stephens est-il en train de mettre au point pour Sammy?

Elle prit tout son temps avant de me répondre :

— Je n'ai pas parlé à Derek depuis hier.

— Dois-je comprendre : « Il ne prend pas mes appels », ou : « Nous n'avons pas eu l'occasion de nous téléphoner » ?

Une pause encore plus longue que la première, avant de préciser, avec un tremblement dans la voix :

— La première hypothèse.

— Baby, vous allez vite reprendre le dessus. Vous avez compris que ce type est une ordure.

— Vous ne pouvez pas dire ça, Jack, vous ne le connaissez pas.

— Et je m'en félicite! m'exclamai-je. Mais dites-moi comment vous allez.

— Je vais. Michele Sonnier a appelé.

Elle balança son nom d'une façon désinvolte, comme si je n'avais pas pensé à elle chaque seconde depuis qu'elle avait disparu sous mes yeux dans le Glen.

— Ah, elle a appelé? À quel sujet? parvins-je à articuler posément.

— Elle a dit : « Prévenez Mr. Hammond que je vais bien et que je le rappellerai. »

– C'est tout? Elle va bien et elle me rappellera?

– Oui.

– Vous en êtes sûre?

– Oui. Est-ce que vous venez au bureau?

Je me laissai aller en arrière sur mes oreillers. *Elle va bien. Elle va me rappeler.* Un vif sentiment de soulagement s'empara de moi, mêlé de désir, puis, soudain, un dégoût de moi-même parce que j'étais incapable de me maîtriser. *Ceci*, pensai-je, *est un test. L'univers, égayé de voir qu'il y a seulement quelques heures je prétendais ne pas me faire de souci à ce sujet, a décidé de me mettre à l'épreuve.*

– Jack? dit Blu, qui commençait à s'impatienter au téléphone. Vous m'avez entendue?

– Répétez la question.

– Vous venez au bureau, oui ou non?

– Pas dans l'immédiat, répondis-je. Je dois d'abord trouver quelqu'un.

– Qui donc?

– Ne vous inquiétez pas. Je vous téléphonerai un peu plus tard.

Je raccrochai et me préparai à sortir. En fait, je n'ai pas rappelé Blu ce matin-là, parce que j'ai passé la plus grande partie de la journée à chercher l'homme que j'avais fini par trouver. Il n'était pas à son bureau. Il n'était pas chez lui. Dès que je mentionnais son nom à une personne qui le connaissait, elle s'empressait de changer de sujet. Ce type aurait pu tout aussi bien être radioactif. J'avais presque perdu tout espoir de le contacter, quand sa secrétaire m'appela sur mon portable aux environs de quinze heures. Elle s'inquiétait pour lui. Et elle s'adressait à moi en murmurant presque, comme si elle avait peur que quelqu'un puisse surprendre sa conversation téléphonique. *Que voulez-vous dire, inquiète?* demandai-je. *Inquiète*, répéta-t-elle, *c'est tout ce que je peux vous dire*. Mais si je me rendais à Orme Park, je risquais de le trouver là-bas. C'était un petit homme aux cheveux bruns et à l'air épuisé. Elle ne pouvait pas m'aider davantage.

– Dr Robinson? Thomas Robinson?

L'homme auquel je m'adressais portait un pantalon de jogging, un pull-over peu épais et ne s'était pas rasé depuis plusieurs jours. Il avait une mine de déterré. *Du moins correspond-il à la description.* Alors j'insistai.

— Dr Robinson, est-ce que vous pourriez m'accorder une minute?

Il leva vers moi un visage exprimant une totale indifférence.

— Rien ne vous arrête, dit-il, en se penchant en avant sur son banc et en cherchant des yeux les oiseaux sur la pelouse. Il tenait un sachet de graines dans la main, mais, pour l'instant, il n'y avait pas d'amateurs. Même les oiseaux paraissaient garder leurs distances avec lui.

— Quelle belle journée, dis-je en m'asseyant près de lui. Vous venez souvent ici?

— Depuis quelque temps, j'y viens souvent, en effet, répondit Robinson.

Il était mince, et ne devait pas mesurer plus d'un mètre soixante-dix. Ses cheveux étaient courts, et la coupe on ne peut plus classique, mais ils étaient ébouriffés et paraissaient ne pas avoir été lavés depuis un certain temps. Il gardait les doigts plongés dans les graines, continuant de chercher des oiseaux d'un regard absent.

— Vous êtes difficile à pister, dis-je. Votre secrétaire m'a dit que vous n'alliez pas à votre bureau à des heures régulières.

— Pas depuis quelque temps, en effet, acquiesça-t-il d'une voix paisible.

Il se détourna légèrement de moi, comme s'il avait l'intention de rester assis sur ce banc sans dire un mot jusqu'à ce que je me décide enfin à m'en aller.

— Écoutez, je ne vais pas tourner autour du pot plus longtemps. Je voudrais vous poser des questions sur le Lipitran AX.

Il lui fallut un long moment avant de se décider à demander, d'une voix encore plus basse :

— Qui êtes-vous? Un avocat?

— Comment avez-vous deviné?

Il laissa échapper un petit rire presque silencieux.

— Après une tragédie, on voit toujours apparaître les charognards. (Il leva les yeux vers la cime des arbres.) Vous perdez votre temps.

— Ah bon?

— Il n'y aura pas de procès, pas cette fois, affirma-t-il.

— Comment pouvez-vous en être certain? m'étonnai-je.

— Le traitement a raté, et alors? (Il baissa les yeux vers son sachet de graines qu'il referma en entortillant le papier.) Et alors? répéta-t-il. Ils ont signé des décharges. Soigneusement formulées. Établies par des types comme vous. Alors, au revoir. Il n'y a pas de cadavres ici sur lesquels vous pouvez vous nourrir.

Je fixai son visage, il paraissait brisé. Nous restâmes silencieux un long moment, jusqu'à ce qu'il me regarde en s'exclamant :

— Encore là? Il faut me croire. Il n'y a pas de trésor à déterrer. Allez chasser les ambulances ou je ne sais quoi. (Puis il détourna le regard.) Ne faites pas attention à moi, dit-il. Je viens de tuer sept personnes.

— Sept? Je croyais qu'il y en avait huit?

Robinson me regarda de nouveau. Il paraissait au bout du rouleau, et le sentiment de culpabilité qui l'habitait le poussait à s'exprimer de façon sarcastique.

— Sept, répéta-t-il. Le huitième a survécu. Il s'appelle Lacayo. (Il resta pensif un moment.) Enfin, la vérité, c'est qu'il n'est pas tout à fait mort, précisa-t-il. Le moins qu'on puisse dire, c'est qu'il ne va pas bien. Il se trouve à l'hôpital Grady Memorial où il s'agrippe au filet de vie qui reste en lui.

— Pourquoi ne pas me dire ce qui s'est passé? insistai-je.

— Pourquoi pas, en effet? acquiesça-t-il. Qui sait si ça ne va pas me faire du bien de ressasser une fois encore cette tragédie? Une thérapie, en quelque sorte.

— Je vous assure que je ne suis pas venu vous importuner sans raison. C'est très important que vous me mettiez au courant.

— Le Lipitran AX, commença-t-il en fermant les yeux, était censé être la balle d'argent qui allait tuer l'hépatite C. Et ç'aurait été quelque chose de primordial. (Il rouvrit les yeux et se tourna vers moi.) Cette saloperie se propage comme un feu de brousse, vous savez.

— Je le sais, oui.

— Et savez-vous que nous en sommes à l'hépatite E?

— L'hépatite E? Non, pas du tout.

— C'est pourtant le cas, assura Robinson en hochant la tête

d'un air sombre. Tout ça, parce que les gens n'arrêtent pas de forniquer et de se droguer.

— Je suis au courant pour l'hépatite C, mais je ne suis pas un expert. C'est vraiment aussi dangereux qu'on le dit?

— Encore plus, et malheureusement nombreux sont ceux qui l'ignorent encore. Vingt pour cent des personnes infectées développent un cancer du foie qui résiste à tous les traitements connus. Il progresse rapidement et l'issue est toujours fatale. Alors, quand on attrape l'hépatite C, c'est comme la roulette russe. Aller chez le médecin, c'est faire tourner le barillet. On a une chance sur cinq d'apprendre qu'on va mourir. Quant à D et E, on commence juste à les étudier.

— Donc, un traitement qui guérirait l'hépatite C rapporterait beaucoup d'argent.

— Il sauverait aussi la vie de beaucoup de gens.

— Je ne sais pas trop comment formuler ma question, mais est-ce qu'un tel fiasco se produit souvent, lors d'un traitement expérimental? Je veux dire qu'après les tests les patients soient tous...

— Morts? m'interrompit Robinson. Nous ne prenons pas souvent de grands risques, poursuivit-il. La plupart du temps, nous nous contentons d'être inutiles. (Il laissa son regard se perdre dans le parc.) La majorité des médicaments que nous essayons ne produit aucun effet, vous savez.

— Non, justement, je ne savais pas.

— Bien sûr que non. Nous sommes discrets à ce sujet. Si nous le disions haut et fort, nous ne trouverions plus aucun volontaire pour expérimenter une autre brillante idée. (Il se tourna vers moi, et son visage exprimait à la fois une certaine colère et beaucoup de trouble.) Mais, cette fois-ci, nous n'avons pas été seulement inefficaces, nous les avons tués. Ils ont littéralement explosé. Hémorragie par tous les orifices, les yeux, le nez, les oreilles, partout... Bon Dieu, c'était comme le virus Ebola.

— Quelle horreur.

— Pourtant, d'un point de vue scientifique, ç'avait l'air au point. On met le produit dans une éprouvette et on le regarde bouffer l'hépatite à la vitesse grand V. On l'injecte à une souris, ça fait des merveilles. Voilà pourquoi on n'a pas fait de tests sur des primates, ça paraissait inutile. C'est bien ce qui prouve...

214

– Quoi?

– Qu'un être humain n'est pas une souris. (Un moineau fit des cercles de plus en plus rapprochés et finit par se poser à cinq mètres de Robinson.) Viens, petit, l'encouragea-t-il en gazouillant presque et en lançant quelques graines.

L'oiseau pencha la tête d'un côté, puis sautilla vers les graines dont il s'empara d'un mouvement brusque avant de repartir à tire-d'aile. Robinson le suivit des yeux jusqu'à ce qu'il disparaisse dans les frondaisons. Puis il reporta son regard sur moi.

– Quand je pense que j'ai réussi à persuader chacun d'eux qu'il allait guérir.

– Ils devaient tout de même être conscients qu'ils prenaient des risques?

– Oui, mais tout plein de mon arrogance scientifique je les ai *convaincus* que j'allais les guérir.

– Et il y a eu un problème.

– C'est le moins que l'on puisse dire.

Sur ces paroles, il se leva et commença à traverser la pelouse, murmurant quelques mots qu'il me fut impossible de saisir.

– Je n'ai pas entendu, lançai-je en le suivant.

– Oh, je me moquais de moi-même. De ma brillante carrière, précisa-t-il avec un rire amer. Il arrive un moment où vous vous dites que les choses ne peuvent pas aller plus mal, et puis vous découvrez que vous avez tort. Ça peut être pire. Je viens de vivre le deuxième grand ratage de ma vie.

– Le deuxième?

– Oui, acquiesça-t-il. Peu de gens peuvent se vanter d'avoir déconné à ce point au cours d'une vie. Je suis docteur en connerie.

– C'était quoi, la première?

Robinson s'arrêta de marcher.

– Je ne suis vraiment pas d'humeur à ressasser ce genre de souvenir. Dites-moi plutôt ce que vous voulez exactement et finissons-en.

– Je veux que vous m'aidiez.

– Un avocat qui demande que je l'aide? Dieu du ciel! Et qu'est-ce qui pourrait bien me pousser à vous aider?

– Ceci : je ne crois pas que ce soient vos tests qui ont tué les malades. Il y a eu une intervention extérieure.

Les yeux de Robinson se réduisirent à une fente.

— Qu'est-ce que vous me chantez là?

— J'ai des raisons de croire que quelqu'un a cherché à modifier les données.

Le visage du médecin se durcit.

— Si tel était le cas, ce serait l'un des pires salauds qui aient jamais vu le jour. J'espère que vous savez de quoi vous parlez. Ces patients sont *morts*.

— Est-ce que vous savez que le système informatique des laboratoires Grayton a été piraté? (Le sang se retira du visage de Robinson.) Le moindre détail concernant la compagnie, des e-mails aux essais de médicaments, a été téléchargé sur un ordinateur extérieur.

— Qui? demanda-t-il en me saisissant par le poignet. Dites-moi qui a fait ça.

— Mon client.

— Je vais le tuer.

— Trop tard.

— Il est mort? demanda Robinson.

— Oui. Il s'appelait Doug Townsend.

Il écarquilla les yeux et se mit à trembler.

— Je le revois très bien. Grand et pâle. C'était votre client?

— Oui. Je suis à peu près certain qu'il travaillait pour un concurrent.

— Alors j'ai tué le gars qui volait nos secrets, constata Robinson, un peu désorienté.

— Eh bien, non. Lui est mort d'une overdose de Fentanyl.

— Du Fentanyl? Il était dans un hôpital?

— Il était chez lui et, apparemment, il s'en est injecté une dose massive. Personne ne semble comprendre pourquoi.

Robinson secoua violemment la tête.

— C'est impensable. Il fallait pratiquement le ligoter pour lui faire une piqûre.

— Il m'avait confié lui-même que la vue d'une seringue le rendait parano.

— Si, pour une raison ou une autre, il avait surmonté son aversion, il aurait dû se faire au moins vingt trous dans le bras avant de trouver une veine.

— C'est exactement ce que j'ai pensé. Et puis pourquoi se suicider au Fentanyl s'il allait mourir à cause du Lipitran?

Robinson paraissait de plus en plus nerveux.

— Qu'est-ce que vous savez d'autre?

— Que Doug n'était qu'un pion. Mais au cours des derniers mois il a touché pas mal d'argent. De toute évidence, de l'argent qu'il avait gagné en piratant votre compagnie. Et je crois deviner pour qui il travaillait. (Je choisis soigneusement mes mots :) Si je ne me trompe pas, il s'agit de la même personne qui se trouve derrière la manipulation de vos essais cliniques.

— Qui est-ce?

— Personnellement, je pense qu'il s'agit de Charles Ralston.

Je vis soudain Robinson vaciller, comme s'il venait de recevoir un coup violent. Il leva alors les yeux vers le ciel et c'est à lui qu'il adressa ses imprécations :

— Il ne t'a pas suffi de me détruire, il faut que tu réduises en poussière le peu qu'il restait.

— Vous le connaissez personnellement?

— Si je le connais! s'exclama-t-il en se retournant vers moi et en donnant l'impression de recracher du poison. Dans notre monde de chaos, je peux très bien l'imaginer en train d'accomplir une telle démarche. Il m'a déjà anéanti une première fois, ce serait la suite logique.

— Vous vous êtes déjà affrontés? (Il acquiesça d'un signe de tête, avec une expression de souffrance sur le visage.) Alors il ne me reste plus qu'une seule question à vous poser : acceptez-vous de m'aider?

Tout d'un coup, je crus sentir l'odeur âcre de la mort s'exhaler du Dr Robinson. Puis il sourit d'une façon sardonique et manifesta une exaltation presque inquiétante à l'idée d'une possible vengeance.

— Vous aider à avoir la peau de Ralston? Pour ça, je suis prêt à verser mon sang.

Essayer d'apaiser Robinson pour lui soutirer des paroles sensées fut une tâche aussi rude que de dessoûler un ivrogne. Il venait d'être saisi par une espèce de folie devant mes yeux ébahis, et il fallut du temps pour qu'il reprenne le contrôle de lui-même.

Quand ce fut possible, je le conduisis chez Trent's, le bar le plus proche du parc. Il tremblait encore un peu en s'asseyant sur une chaise, et, après qu'on lui eut servi un café, je vis ses doigts se crisper nerveusement autour de la tasse. J'ignorais encore ce qui s'était passé entre lui et Ralston, mais je devinais que c'était grave. Je n'eus pas beaucoup de mal à le convaincre de me faire des confidences.

— Je veux commencer par préciser une chose, dit-il. Ralston n'est pas un grand homme de science. Il aime simplement à le faire croire. En vérité, c'est un médiocre. Son vrai talent, c'est l'escroquerie.

— Expliquez-vous.

— Je faisais partie d'une équipe de chercheurs à Emory, commença-t-il en reposant sa tasse. En 1986, si ma mémoire est bonne. L'épidémie d'hépatite explosait dans les villes et j'étais déterminé à trouver quelque chose pour l'enrayer. J'ai réussi à obtenir une subvention R01, et après je me suis crevé le cul jour et nuit.

— R01?

— Ce qu'il y a de mieux en fait de subventions. Les R01 se chiffrent en millions de dollars. Dans mon cas, pour être précis, quatre millions cent mille dollars.

— C'est beaucoup d'argent.

— Oui, je supervisais seize jeunes chercheurs fraîchement diplômés qui passaient du sang infecté par l'hépatite C à la centrifugeuse du matin au soir. L'université était partie prenante, nous avions les ressources nécessaires et nos progrès étaient constants. La clef du problème était d'isoler, dans le sang, une enzyme particulière ayant une affinité pour l'hépatite.

— Une affinité?

— C'est le langage qu'on utilise au labo. Quand des cellules s'agglutinent, on dit qu'elles ont une affinité. (Je hochai la tête pour lui faire comprendre que je suivais.) Mais il a fallu nous rendre à l'évidence, ça ne se produit pas naturellement. Si tel avait été le cas, l'hépatite n'aurait pas été plus dangereuse qu'un rhume. On aurait pu en guérir facilement.

— Alors qu'avez-vous fait?

— En résumé, il faut trouver l'enzyme ad hoc et la combiner

avec l'agent qui tue le virus et s'agglutine à elle. On obtient alors un missile téléguidé pour détruire la maladie.

— La balle d'argent.

— La balle d'argent, le médicament miracle, comme vous voulez. C'est le genre de rêve dont la communauté scientifique fait la publicité pour pousser le public à la financer. *Envoyez-nous de l'argent et nous guérirons le cancer avec une seule piqûre.* En fait, parvenir à lier cette enzyme au virus est une opération incroyablement difficile à réaliser. De plus, il faut choisir la bonne enzyme au départ, parmi des centaines d'autres, puis la modifier.

— Alors que s'est-il passé?

Robinson se pencha vers moi.

— Nous avons réussi, à force de travailler comme des dingues. C'était tellement dur que certains de mes garçons et filles ont abandonné en route. J'avoue m'être conduit comme un garde-chiourme avec eux. Mais, dans ce cas précis, la fin justifiait les moyens. Nous avons fini par découvrir qu'il existe une enzyme dans le corps humain, appelée P137, qui est presque parfaite. Personne ne l'avait utilisée jusque-là parce qu'elle est presque indétectable. Elle se cache dans le flux sanguin, se contentant d'occuper de l'espace. Pour autant qu'on le sache, elle ne sert à rien. Il s'agit probablement d'un vestige de notre lointain passé génétique, quelque chose dont nous avions peut-être besoin il y a cent mille ans. Et puis elle est restée là, enfouie profondément dans les ombres moléculaires; la trace d'une trace.

— Ensuite? demandai-je, de plus en plus curieux.

— Nous en avions besoin en quantité. Pendant un certain temps, j'ai essayé d'en stimuler la production dans le corps, mais ça n'a rien donné. La solution est venue quand nous sommes parvenus à la synthétiser. Nous pouvions alors en produire autant que nous le souhaitions et les manipuler comme nous l'entendions.

— Formidable.

— Oui. Nous avions conscience de livrer une course contre la mort, dit Robinson en me regardant et, tout à coup, nous étions en vue de la ligne d'arrivée. À ce moment-là, beaucoup de gens faisaient pratiquer des tests à cause du sida, et nous commencions juste à nous rendre compte que l'hépatite C allait se révéler tout aussi meurtrière, même si, dans l'esprit du public, le sida paraissait bien plus effrayant. Pourtant, en Amérique du Nord, l'hépatite C pouvait potentiellement tuer davantage de malades. Il y a déjà trois millions de personnes infectées, vous le saviez?

— Non.

— Donc, nous étions sur le point d'aboutir. Nous le percevions. Comme quand il y a un peu de brouillard et qu'il est évident qu'il va se dissiper dans quelques minutes. Nous allions découvrir ce que nous cherchions depuis des années. (Les yeux de Robinson me parurent soudain immenses. Il revivait cette période excitante de ses recherches et paraissait en pleine extase. Puis il s'assombrit brusquement et marqua une légère pause.) C'est alors que j'ai commis une erreur fatale, reprit-il.

— Quelle erreur?

Il avait retrouvé son air abattu et regardait par la fenêtre. Ses yeux exprimaient une grande fatigue, et aussi la souffrance d'une terrible défaite.

— Ralston, finit-il par cracher. Charles Ralston, le roi des voleurs.

— Racontez-moi ce qu'il a fait.

— Orgueil démesuré. Ego. Stupidité. De ma part, je veux dire. (Il regarda au fond de sa tasse de café, tout en se replongeant de nouveau dans son passé.) Je m'étais rendu à un colloque à l'université de Columbia.

— Où Ralston travaillait.

— Où Ralston travaillait, exact. Naturellement, j'étais surexcité. Enfin... nous pensions être bientôt en mesure d'empêcher de nombreux malades de mourir. Difficile de garder quelque chose d'aussi énorme pour soi.

— Mon Dieu! Vous voulez dire que...

— Je n'ai pourtant pas dit grand-chose, me coupa Robinson en se frottant les tempes. Mais c'était déjà trop. Je me rappelle exactement mes paroles : «Les P137 sont soudain devenues très importantes dans ma vie.» Je crois même que j'ai souri en prononçant cette phrase que je trouvais magnifiquement sibylline.

— Elle l'aurait été pour moi, en tout cas.

— Pour vous, peut-être, mais pas pour Ralston, dit-il en

hochant la tête. Je l'ignorais à ce moment-là, mais il travaillait sur le même projet à Columbia. Sans aboutir nulle part. Médiocre comme il est, il cherchait dans la mauvaise direction.

— Et vous l'avez éclairé.

— Oui. Il est médiocre, soit, mais pas idiot. Et je lui ai donné les clefs du royaume. Il était calé sur la synthèse des enzymes, alors, quand il a su où regarder, il ne lui a fallu que quelques semaines pour arriver au même point que nous.

— Et vous n'aviez pas déposé un brevet?

— L'imprimé se trouvait encore sur mon bureau.

— Et je suppose que Ralston n'a pas perdu de temps.

— Ralston s'est empressé de téléphoner à Stephens, qui se trouvait à New York, et qui était déjà connu pour son expertise concernant les brevets de produits pharmaceutiques. Il lui a conseillé de démissionner de l'université de Columbia dès le lendemain.

— Et vous, là-dedans?

— Quand j'ai été mis au courant de leur manœuvre, il était déjà trop tard. Stephens avait établi un contrat inattaquable. Et ma carrière se trouvait derrière moi.

— Je suppose qu'Emory n'a pas beaucoup apprécié.

— Ce fut la plus grande humiliation depuis la fondation de l'université. Les chercheurs avaient travaillé comme des esclaves. Ils se disaient qu'ils allaient participer à un événement historique. Et, parce que je n'avais pas su tenir ma langue, tous leurs espoirs s'étaient encore envolés. Je n'ai pas eu le courage de les affronter. J'ai disparu pendant un certain temps. De toute façon, avec la réputation que m'a value cette histoire, aucun laboratoire n'aurait pris le risque de m'engager. (Il prit sa tasse et but une gorgée de son café froid.) Quand ma situation est devenue catastrophique, j'ai accepté un poste de visiteur médical.

— Je suis vraiment désolé pour vous.

— Oui, j'ai vécu des moments pénibles. Horizn gagnait des fortunes avec ma découverte, et personne ne pouvait rien y faire. Ralston s'est montré moins bête que moi, son brevet était intouchable.

— Ils gagnent vraiment beaucoup d'argent?

— Avec le nombre de malades en constante augmentation,

malades qui doivent prendre le traitement jusqu'à la fin de leurs jours, il faut compter en milliards de dollars.

— Mais si je comprends bien, un jour, vous avez pour ainsi dire ressuscité? Comment êtes-vous entré en contact avec les laboratoires Grayton?

— Ce qui compte pour moi, c'est d'essayer de guérir les gens, affirma-t-il. Mais je reconnais que c'est aussi un problème d'ego. Je le répète, Ralston gagnait des fortunes avec *ma* découverte. Je suis donc allé trouvé Grayton pour lui expliquer qu'il existait un moyen de battre Ralston.

— Quel moyen?

— Des recherches plus poussées. Ne plus penser à inventer un médicament pour une affection chronique, mais un médicament pour guérir la maladie.

— Et Grayton a acheté cette idée?

Robinson acquiesça d'un signe de tête.

— Je n'ai pas pu accrocher une compagnie aussi importante qu'Eli Lilly, mais Grayton est obligé de prendre des risques pour survivre. C'est dur de se mesurer aux multinationales. Alors on a passé un marché, car j'en sais plus sur l'hépatite que n'importe qui, y compris Ralston et son équipe. Malgré son succès, le médicament commercialisé par Horizn a une génération de retard. Je suis bien placé pour le savoir puisque c'est moi qui l'ai inventé, répéta-t-il. (Le regard de Robinson paraissait me traverser et se perdre au-delà de moi.) Et j'ai eu l'impression de revivre. Le vieil homme m'a procuré tout ce dont j'avais besoin. C'était magnifique. Les chercheurs, l'équipement, les ressources. (Sa voix ne fut plus soudain qu'un murmure.) Et puis c'est devenu l'enfer.

— Vous avez une idée de ce qui a coincé?

Robinson secoua la tête.

— Non. J'ai tout vérifié au moins mille fois. Ces patients devraient se balader aujourd'hui complètement et définitivement guéris. Et sept sur huit sont morts.

Le silence se prolongea un peu entre nous tandis que nous réfléchissions chacun de notre côté.

— Supposons, dis-je, que Ralston soit effectivement derrière ce drame. Quel est son but? Vous voler le médicament comme la dernière fois?

— Le voler ? Mais Ralston n'en voudrait pas si je le lui donnais.

— Je ne vous suis pas.

— Si le Lipitran était commercialisé avec succès, sa compagnie ne vaudrait plus rien. Tandis que si nous sommes obligés d'abandonner sa mise au point il pourra continuer à vendre son médicament pendant les vingt prochaines années. Et avec sept patients qui ont déjà succombé, le Lipitran est aussi mort qu'eux.

Je pouvais constater que Robinson replongeait dans sa dépression.

— Examinons ce que nous avons, dis-je, pour essayer de regagner son attention. Ralston fait pirater votre ordinateur et sait très exactement ce que vous êtes en train de faire. Et il souhaite vous arrêter à tout prix.

— C'est ce que je commence à croire.

— Mais nous ignorons comment il a pu s'y prendre.

Robinson hocha tristement la tête.

— C'est bien ce qui fiche votre hypothèse en l'air, dit-il amèrement. Si vous saviez comme je voudrais que vous ayez raison ! Mais j'étais toujours présent dans le laboratoire. Et Ralston n'avait que deux façons d'agir : altérer le composé lui-même ou changer le dosage pour qu'il devienne toxique. Et il n'en avait pas la possibilité.

— Commençons par le composé.

— Il était fabriqué de A à Z chez Grayton, donc Ralston n'avait aucun – je dis bien *aucun* – moyen d'en altérer la pureté. Je vérifiais cette pureté moi-même un nombre incalculable de fois jusqu'à ce que le produit soit injecté aux patients.

— Bien, alors, le dosage ?

— J'ai supervisé chaque traitement. Tout s'est bien passé et il n'y a eu aucune réaction allergique. Il faut donc en conclure que ces patients avaient le pire médecin du monde. Moi. (Puis il frappa du poing sur la table, attirant l'attention d'autres clients, et je lui fis signe de se calmer.) Je vous dis que le composé et les dosages étaient parfaits, dit-il, sans presque desserrer les dents. Il a trouvé une autre façon de me baiser !

— De *les* baiser, docteur, dis-je posément.

— Oui, de les baiser, acquiesça-t-il en baissant les yeux.

— Mon problème à moi, c'est que justice soit faite pour mon ami : Doug Townsend.

— Votre problème n'est pas simple à résoudre, déclara Robinson en me regardant droit dans les yeux. Si Ralston a loué ses services pour pirater les laboratoires Grayton, il a pu vouloir se débarrasser de lui quand il a jugé qu'il ne lui était plus utile et qu'il représentait un danger. Mais ils auraient dû savoir aussi qu'il participait aux tests et qu'ils n'avaient pas besoin de prendre le risque de lui injecter une overdose de Fentanyl.

— Parce qu'ils auraient su qu'il était déjà presque mort? demandai-je.

— Qui voudrait compromettre un crime parfait? Le tuer une deuxième fois était inutile et dangereux.

— Je suis d'accord. D'autant plus qu'un meurtre attire l'attention de la police et que c'est très certainement la dernière chose qu'ils pouvaient souhaiter.

— Exact. Alors, je crois que vous devez considérer la possibilité que quelqu'un d'autre ait tué votre ami, déclara Robinson.

— Sans doute. Mais nous nous battons pour la même cause. Si vous avez vraiment découvert un médicament capable de guérir l'hépatite C, vous devez vous battre afin de sauver des vies. (Après une courte pause, j'ajoutai :) Et vous payer l'homme qui vient de détruire votre vie une deuxième fois.

— Je ferai tout ce qui est en mon pouvoir, déclara Ralston en me regardant franchement. Mais je vous ai confié tout ce que je savais. Si ces types ont trouvé un moyen de manipuler mes tests, ils jouent dans la cour des grands. (Sur ces paroles, il se leva et ramassa son sac de graines.) Et pour l'instant, nous ne savons rien. Rien de rien.

— Nous?

Robinson se tenait debout devant moi, et je devinais une faible note d'optimisme écrasée par une montagne de défaitisme. Il ne demandait qu'à croire ce que je venais de lui dire, mais il avait peur de ne pas résister à un choc supplémentaire. S'il s'associait à mes efforts et que nous nous fassions descendre en flammes, ce qu'il resterait de lui se retrouverait dans un hôpital psychiatrique. Il en était déjà dangereusement proche. Mais il parvint à se reprendre suffisamment pour prononcer les paroles que j'attendais de lui.

— Si vous réussissez à en apprendre davantage, vous savez où me trouver.

J'ignore quel est le prix d'un être humain. Au cours de mon enfance, on m'a appris à croire que c'était Dieu qui le fixait. Le Créateur nous ayant tous dotés au départ de la même dignité, celui qui essayait d'en altérer le prix avec une balle ou un couteau devait amputer la sienne de la différence. Mais il devient de plus en plus difficile d'y croire. Il n'y a pas si longtemps, dans la salle d'audience du juge Odom, j'ai vu une vie humaine adjugée pour vingt misérables dollars — triste collection de papier et de métal récupérée par un drogué en manque. Et j'ai trouvé ce meurtre enterré en page dix du journal, tandis que toute la ville se mobilisait pour sauver un écureuil piégé dans une canalisation. Alors, en l'absence de consensus, il faut choisir qui croire. Soit nous sommes tous reliés les uns aux autres par une âme commune, auquel cas, tuer est très, très, très mal. Ou ce n'est pas le cas, et le plus fort mange le plus faible. Les réponses ne sauraient être plus opposées.

Toutefois, on a du mal à admettre que les gens qui gagnent leur vie en vendant des médicaments puissent ne pas avoir l'esprit très clair sur le sujet. On s'attend qu'ils soient du côté des vivants sans la moindre ambiguïté. Et l'on parvient presque à y croire, jusqu'à ce que quelqu'un nous parle des fortunes qui sont en jeu. Alors, tous les vieux poncifs sur la nature humaine reviennent nous hanter. Parce que l'expérience de la vie nous a appris que, lorsque plusieurs milliards de dollars sont en jeu, personne n'est vraiment en sécurité.

Au milieu de ces pensées moroses, j'entendis en esprit le tic-tac de l'horloge. Nous étions mardi, et, le lundi suivant, Charles Ralston et Derek Stephens deviendraient les récipiendaires d'une fortune inimaginable, quand des dizaines de milliers de personnes auraient acheté des actions d'Horizn. À en croire Robinson, le succès de son Lipitran aurait mis en péril chaque centime de cette juteuse opération, et même l'avenir d'Horizn à court terme. *Tic, tac, tic, tac.* Pour être honnête, Robinson était fort mal en point, écrasé par un sentiment de culpabilité et de désastre absolu. Il était théoriquement possible que sa haine pour Ralston vienne de là; auquel cas, il se racontait peut-être des histoires pour le reste. Trop d'échecs ne font pas paraître le monde horrible, trop d'échecs poussent à croire que le monde nous en veut et a décidé de rendre notre vie pitoyable. Le Dr Robinson avait beaucoup avancé le long de cette route. Mais ma conclusion fut la suivante : il me restait six jours pour découvrir le prix que Ralston et Stephens accordaient à la vie de huit personnes, dont une majorité de drogués et de paumés. Découvrir si ces deux hommes étaient vraiment des monstres.

Tout m'apparaissait clairement. Je savais qui étaient les méchants et je savais qui j'avais envie de sauver. Je comprenais tout et d'avoir l'esprit aussi clair m'apportait un grand réconfort. C'était un sentiment euphorisant. Qui dura au moins un quart d'heure.

# 20

— Jack? Quand allez-vous vous décider à venir au bureau?

— Chaque chose en son temps, baby. J'ai mes priorités. Comment ça va? Est-ce que Stephens a perdu les pédales ou quoi?

— Jack, j'ai ici quelqu'un qui vous attend.

Je regardai ma montre, il était presque cinq heures.

— Ah bon? J'ai mal lu mon agenda?

— C'est Mr. Stephens qui vous attend.

J'eus du mal à en croire mes oreilles.

— Il est là? En ce moment?

— Hm hmm.

— Dans mon bureau?

— Hm hmm.

— Dites-lui de ne pas bouger.

— Je ne pense pas qu'il ait envie de bouger.

— J'arrive.

Derek Stephens n'avait pas du tout l'air en colère. Il ne semblait pas avoir besoin de faire des efforts gigantesques pour garder le contrôle de lui-même. C'était apparemment, pour lui, un jour parmi d'autres. Il donnait à penser qu'il n'avait jamais associé les mots Sammy, Liston et Ferrari. Il se leva de l'un des fauteuils de la salle d'attente en souriant, ce qui était assez déconcertant. Il faisait preuve d'un tel détachement qu'il avait l'air de me recevoir dans *son* bureau. Ce genre d'attitude est un don. C'est même lui qui prit la parole le premier.

— Jack, dit-il, je suis heureux que vous ayez pu venir. J'espère que vous aurez quelques minutes à m'accorder.

Mon regard se porta sur Blu.

— Ça va, baby? (Elle acquiesça d'un bref signe de tête, le visage impénétrable.) Vous pourriez peut-être sortir boire un café?

— Il y a du café ici, Jack, répondit-elle d'une voix incertaine.

— Allez faire un petit tour quand même. À tout à l'heure.

Ma secrétaire jeta un bref coup d'œil à Stephens et prit son sac à main.

— Je vous en prie, dis-je à Stephens, c'est par ici.

Je passai dans mon bureau et posai mes lunettes de soleil sur une table. Mon visiteur fit le tour de la pièce des yeux, se demandant certainement comment il était possible de pratiquer le métier d'avocat dans un bureau moins grand que la salle de bains jouxtant le sien. Toutefois, s'il m'arrive de me laisser monter sur les pieds au tribunal pour la bonne cause, il n'en est pas question dans mon bureau. Ici, c'est tolérance zéro. Et après ma conversation avec Robinson j'aurais plutôt eu tendance à descendre en dessous de zéro. Mon interlocuteur était peut-être un meurtrier en série sans le moindre scrupule. Mais peut-être seulement. J'adoptai donc un ton aussi neutre que possible. Je m'assis, le laissai contempler mon œil gauche enflé et demandai sèchement :

— De quoi voulez-vous me parler?

Stephens avait pris place en face de moi, et m'observait avec un léger sourire aux lèvres.

— J'ai une idée, Jack. Soyons amis, vous et moi.

Je lui rendis son sourire.

— Eh bien, je me tâte, Derek. Pourquoi devrais-je accepter?

— Parce que, de cette façon, je pourrais vous donner un conseil d'ami, ce qui est plus agréable que l'autre sorte de conseil.

— Je ne pensais pas avoir besoin de l'un ou de l'autre.

— Les gens qui en ont le plus besoin l'ignorent généralement, dit-il en haussant les épaules. Mais j'ai l'impression que cette conversation ne prend pas une bonne tournure. Si nous la reprenions au début?

Je décidai de lui laisser un peu d'espace pour manœuvrer, afin de voir où il voulait en venir.

— Derek, mon vieux pote, je suis tout ouïe, raillai-je.

— Vous avez fourré votre nez où il ne fallait pas, cher Jack. Notamment sous les jupes de la femme de Charles Ralston.

*Bon, il veut se montrer méchant. Aucun problème, je saurai me montrer à la hauteur.*

— Vous m'excuserez de ne pas apprécier ce genre de commentaire de la part de quelqu'un qui ne pense qu'à sauter les secrétaires.

Stephens sourit d'un air pensif, comme s'il était en train de se dire : *Bien, tu as du répondant, voilà qui rend le jeu plus intéressant.*

— Ce n'est pas vraiment le sujet du jour, mais vous n'appréciez donc pas ma relation avec Blu?

— Je ne voudrais pas vous faire une réponse offensante.

— Aucun problème, déclara-t-il, en ponctuant sa phrase d'un geste magnanime.

— C'est que Blu est vraiment une gentille fille, pas maniérée pour deux sous, Derek. Un cœur d'or. Alors que vous, par contre, vous êtes un snob décadent qui croyez que parce que vous avez lu quelques livres vous valez mieux que les autres. Mais ça, c'est une question de goût, n'est-ce pas? Alors, ce n'est pas ça qui me gêne.

— Qu'est-ce qui vous gêne, alors?

— Le fait que vous sortiez ma secrétaire jusqu'au jour où vous pourrez la mettre dans votre lit. Vous profiterez de ses charmes, démesurés, aussi longtemps qu'ils vous stimuleront, mais pour ce qui est de la considérer comme un être humain à part entière, à qui vous pourriez proposer le mariage par exemple, l'idée ne vous effleurera même pas. Non que je veuille que vous l'épousiez, ce n'est pas ce qui compte. Ce qui compte, c'est que vous n'épouserez pas Blu parce que vous devriez la présenter à vos riches amis comme étant le genre de femme que vous aimez. Vous auriez peur qu'elle vous embarrasse aux dîners bon chic, bon genre, par exemple en se penchant vers vous pour vous demander quelle fourchette utiliser, ou qui était le poète Dante, ou pourquoi il faut s'extasier devant les toiles de Kandinsky. Ou peut-être qu'elle dirait quelque chose de gentil, par exemple qu'elle veut faire repeindre votre chambre à coucher couleur bleuet, et tous vos amis new-yorkais au cul serré lèveraient discrètement les yeux au plafond. Et c'est le genre de chose qui *tuerait* un type dans votre genre. Non, Derek, mon vieux, vous n'épouserez pas Blu McClendon, mais vous l'utiliserez un certain temps et vous la laisserez tomber quand elle aura cessé de vous plaire. La pauvre fille ignore comment reconnaître les ordures de votre espèce, parce qu'il n'est pas dans sa nature de faire des projets machiavéliques. Quant à moi, je sais reconnaître un salaud quand j'en vois un. Et plus je pense à vous, plus je méprise mon propre sexe.

Stephens m'avait écouté les yeux mi-clos et son sourire était devenu un peu forcé.

— Quelle tragédie que vous ayez perdu la boussole pour cette fille, Jack. Sincèrement, vous auriez fait un merveilleux avocat. (Il se pencha en avant.) J'ai vérifié vos antécédents, naturellement. Je ne pouvais pas vous laisser renifler les sous-vêtements de Michele sans prendre quelques renseignements. (Il pressa ensemble le bout de ses doigts.) Je résume, parce que je suis un peu pressé. Vous aviez du talent, vous étiez brillant et il fut un temps où vous étiez ambitieux. Mais vous avez cédé à la mauvaise tentation et vous avez atterri (coup d'œil circulaire méprisant) ici. (À cet instant, je me fis une promesse silencieuse : *S'il prononce son saint nom, je lui brise les dents.* Il continuait de parler, la voix parfaitement assurée.) Ça remonte à combien ? Deux ans ? Peu de temps après la fin de vos études. Vous aviez été engagé par Carthy, Williams et Douglas, un excellent cabinet, et vous pouviez espérer un bel avenir. Puis vint votre petit accroc à la déontologie et vous avez déraillé. Ce que je veux souligner, c'est que vous vous êtes déjà immolé sur l'autel d'une jolie femme. Êtes-vous certain de vouloir recommencer ?

J'étais pleinement conscient du nombre de siècles d'asservissement financier je me préparerais si je lui démolissais le portrait, mais sur le moment je me dis que ça ne pourrait pas gâcher mon plaisir.

— Actuellement, vous vous sentez le maître du monde, n'est-ce pas, mon vieux Derek ?

— En effet, c'est un peu l'impression que j'ai, ironisa-t-il.

— Vous avez une petite amie, probablement une pimbêche diplômée du Connecticut, mais vous en avez une. Et votre petit à-côté se trouve être une des plus belles femmes du monde. Pour couronner le tout, vous êtes à une semaine de devenir incroyablement riche.

— Si vous me disiez où vous voulez en venir ?

— Vous n'avez rien.

Derek Stephens parut trouver ma remarque particulièrement amusante.

— Rien ?

— Rien. Et vous voulez savoir pourquoi ? Parce qu'il n'y a aucune trace de noblesse dans votre succès. (Je me penchai vers lui.) Vous n'avez pas fait le *travail*, Derek. Vous avez volé le traitement de l'hépatite, et vous avouerez que votre succès est un peu moins reluisant que vous n'aimeriez à le faire croire.

Stephens me fixa de ses yeux qui ne trahissaient pas le moindre trouble.

— Il n'y a qu'un seul homme qui raconte ces sornettes, constata-t-il. Je trouve très instructif que vous ayez eu l'occasion de bavarder avec lui.

— C'est un vrai fan de votre patron.

— Tom Robinson est un scientifique d'une valeur indiscutable. Il lui est arrivé de faire du bon travail — même s'il lui est arrivé de le surestimer. Mais il a commis une erreur, et il ne se supporte plus. Vous voudriez que je le plaigne ? Pas question. Les affaires, c'est comme la guerre, et tous ceux qui réussissent le savent. (Il fit de nouveau le tour de mon bureau des yeux.) Enfin regardez comme vous êtes installé, Jack. C'est avec cet objectif en tête que vous avez fait des études de droit ?

— Du moins n'ai-je rien volé.

— Très bien, commenta-t-il en haussant les épaules. Vous ne m'aimez pas, je ne peux rien faire contre ça. Vous êtes libre de penser que je suis dépourvu de scrupules. Aussi je ne vais pas vous demander de me faire confiance. Je vais gagner votre confiance.

— Ça, ce serait un vrai tour de force.

— Est-ce que Michele vous a déjà parlé de Briah ? demanda-t-il posément.

À peine eus-je entendu ces quelques mots que le monde se mit à prendre de la gîte. C'était le grand secret, celui que Michele m'avait demandé de garder à tout prix. Et Stephens venait de prononcer ce nom d'une façon banale, comme s'il parlait de la pluie et du beau temps.

231

— Briah? murmurai-je, la gorge nouée.

— Oui, Jack. Je suis au courant pour Briah, et Charles aussi.

— Elle m'a pourtant dit...

— Je devine ce qu'elle vous a dit. Elle ment.

— Elle ignore que vous savez.

— Faux. Vous n'avez qu'à lui poser la question. En observant son visage, vous devinerez la vérité.

Je fermai les yeux malgré moi. Les implications de ce qu'il me disait étaient trop énormes pour que je tente de les considérer. Je venais de me cogner à un mur, et si c'était par la faute de quelqu'un qui se servait de moi, ma façon de considérer le monde allait changer de façon dramatique. Stephens restait assis patiemment, me laissant le temps de rassembler mes esprits.

— Est-ce que vous savez que Michele a un casier judiciaire? demanda-t-il encore.

— Non, avouai-je en rouvrant les yeux. (Je sentais une vague de nausée me secouer.) Quel crime a-t-elle commis?

— Il n'y en pas eu qu'un, précisa Stephens. T'aniqua était une petite fille très malheureuse.

— T'aniqua.

— Oui, Jack. Nous savons, nous aussi, qui se cache derrière Michele Sonnier.

Ma respiration se faisait de plus en plus difficile. J'avais l'impression de manquer d'oxygène.

— Elle m'a dit que Ralston ne devait jamais le savoir, qu'il ne l'accepterait pas.

— Et pourtant il le sait. Alors il serait inutile de discuter pour savoir si, oui ou non, ça changerait quelque chose pour lui.

Sa logique était irréfutable. Mais elle ne répondait pas à la question que je ne pouvais m'empêcher de lui poser, tout en ayant conscience de mon humiliation :

— Vous pouvez me dire pourquoi? demandai-je. Pourquoi elle affabule de cette façon? Si Ralston est au courant, pourquoi me supplier de l'aider à retrouver sa fille?

— Parce qu'elle ne peut pas l'atteindre par des moyens légaux, affirma Stephens. Alors elle se sert de ses talents pour manipuler les gens et les pousser à l'aider. (Il fit une courte pause avant d'ajouter :) Je suis à peu près certain qu'elle vous a raconté que les services sociaux lui avaient enlevé le bébé à la naissance.

– Oui.

– C'est l'une de ses histoires préférées. Mais il existe d'autres versions : le bébé lui a été volé dans un centre commercial, ou le père l'a enlevé. (Il sourit tristement.) Pour vous consoler, je peux vous dire que vous n'êtes pas le premier à vous y laisser prendre. Vous êtes le... cinquième, si je ne me trompe pas. Ce qui fait de votre ami Doug Townsend le quatrième.

Je ne pus m'empêcher d'écarquiller les yeux.

– Vous êtes au courant pour Doug ?

– Ce qu'il faut bien vous enfoncer dans la tête, Jack, c'est que je sais tout ce qu'il y a à savoir sur Michele. (Il croisa mon regard.) *Tout.* (La vision de ce que nous avions fait dans le jet d'Horizn me traversa l'esprit.) Ne vous faites pas de souci, dit-il, comme s'il pouvait lire en moi. (Une lumière venait de s'allumer dans ses yeux.) Elle est lumineuse, n'est-ce pas ? Dès qu'elle ouvre la bouche, on est convaincu que c'est une déesse. Une telle beauté vous coupe le souffle. Mais il s'agit d'une illusion. C'est une femme profondément perturbée. Après avoir été une enfant incontrôlable. Quand Briah a été conçue, personne n'aurait dû être surpris qu'elle refuse d'accepter ses responsabilités concernant le bébé.

J'eus le sentiment que l'intérieur de mon corps se transformait en pierre.

– Que s'est-il passé ?

– Il y a eu un accident. Le bébé a failli se noyer pendant que Michele s'amusait avec des amis dans la pièce voisine.

– Je vois.

En réalité, je ne voyais rien du tout. Je me sentais toujours plus confus et brisé à chaque minute qui passait.

– Elle donnait un bain à la petite fille et son attention a été distraite. Par la marijuana et l'alcool, pour préciser les choses. Le bébé a été sauvé par la police qui avait eu vent de la petite fête. C'est une voisine qui s'inquiétait pour la petite fille qui leur a téléphoné. Ils ont trouvé Briah dans son bain avec la bouche à fleur d'eau. Si elle avait bougé la tête, elle serait morte noyée. (Stephens fit la grimace.) Alors oui, Jack, il est exact qu'ensuite les services sociaux lui ont enlevé l'enfant. Pour son bien.

– Et où se trouve-t-elle, maintenant ? Où est Briah ?

— Qu'est-ce qui vous fait penser que je le sais?

— Vous m'avez dit vous-même que vous saviez tout ce qu'il y avait à savoir sur Michele.

Il m'observa en silence pendant un moment.

— En fait, c'est vrai, avoua-t-il. Je le sais. Mais je ne vois pas en quoi vous êtes concerné. Je veux bien vous dire, pour vous apaiser, que Charles a veillé à ce qu'elle ne manque de rien. (Il laissa échapper un soupir.) Alors, de temps à autre, Michele éprouve des remords. Elle décide qu'il faut qu'elle retrouve sa fille pour tout lui expliquer. Après avoir laissé passer toutes ces années, elle veut jouer son rôle de mère. Mais Briah est bien là où elle se trouve, et rien de bon ne pourrait surgir de cette rencontre.

Essayant laborieusement de rassembler mes pensées, je ne trouvais rien à répliquer. Mon monde venait encore une fois de basculer. Je découvrais que la femme dont j'étais en train de tomber amoureux s'était servie de moi sans aucun scrupule; et mon soi-disant ennemi me confiait ses plus lourds secrets. Soudain, une idée me traversa l'esprit.

— Écoutez, dis-je, Sammy n'est pas le garçon le plus intelligent du monde. Et en plus il est frustré. Ayez pitié de lui.

— Je n'ai pas l'intention de faire quoi que ce soit à votre ami, m'assura Stephens.

— Il a tout de même transformé votre Ferrari en épave, ou du moins il s'est arrangé pour que quelqu'un d'autre le fasse à sa place.

— J'en suis bien conscient.

— Et vous ne prendrez aucune mesure de rétorsion contre lui?

— Aucune.

— Blu m'a pourtant dit que vous étiez particulièrement furieux.

— Vous auriez été content, vous?

— Moi? J'aurais pété les plombs. Alors pourquoi allez-vous laisser tomber?

— Bien que votre ami soit une larve pathétique, il a chronologiquement de la chance. Si mon nom apparaît dans les journaux, cinq jours avant l'introduction en Bourse d'Horizn, ce ne sera pas pour une histoire de fesses avec un employé subalterne du tribunal.

— Et après?

— Idem. La situation doit rester stable pour que le prix des actions grimpe. Alors pas question de faire de vagues. Si je dois passer à la télé, je n'ai aucune envie qu'on me pose des questions sur une dispute avec un plouc sudiste au sujet de ma voiture.

Je le dévisageai en silence. Rien dans cette conversation, vraiment rien, ne s'était déroulé comme prévu.

— Alors, il va s'en tirer? insistai-je.

— Oui. (Il se laissa aller en arrière contre le dossier de son fauteuil.) Et maintenant parlons de vous.

Je compris soudain ce que Stephens était venu faire dans mon bureau, et pourquoi il s'était risqué à me donner autant de renseignements douteux sur la vie secrète de la femme de Charles Ralston. *Bon Dieu, oui. Il n'est pas ici pour perdre un temps précieux. Il est venu me proposer un marché.*

— Je retourne un peu trop de pierres, c'est ça? lançai-je.

— On peut le dire de cette façon.

— Vous voulez que je cesse d'enquêter sur la mort de Douglas. Pas de vagues, hein?

— Il y a un milliard de dollars en jeu, Jack, et chaque cent de ce milliard de dollars repose sur la réputation immaculée d'Horizn.

— Ce n'est pas vraiment mon problème.

— Non. Et vous voulez des réponses aux questions que vous vous posez au sujet de votre ami.

— En effet, j'aimerais beaucoup avoir des réponses à ces questions.

Il plongea la main dans sa poche et en retira une carte qu'il déposa sur mon bureau.

— Demain matin, présentez-vous au siège d'Horizn. À la grille, remettez cette carte au garde.

— Qu'est-ce que j'irais y faire? demandai-je en haussant les sourcils.

— Vous avez rendez-vous avec Charles Ralston.

— Vraiment?

— Vous éprouviez des soupçons, et votre conversation avec Robinson n'a rien fait pour les dissiper! Mais la tragédie de Robinson lui est personnelle, et Horizn n'a rien à voir là-dedans.

Pour vous montrer sa bonne volonté, Charles a accepté de vous rencontrer afin de vous parler personnellement des problèmes que nous venons d'évoquer. C'est sa décision. Selon moi, il ne devrait même pas accepter de vous donner l'heure. Mais je ne supporterais pas non plus les écarts de sa femme. C'est donc qu'il est meilleur que moi humainement parlant. (Il se leva.) En conclusion, j'espère que vous allez vous montrer raisonnable avec Michele.

— Vous voulez dire : me tenir éloigné d'elle?

— La société Horizn est actuellement très vulnérable, et Michele est une femme versatile. Si elle craquait, personne n'aurait rien à y gagner. (Il s'approcha de la porte et, une fois sur le seuil, il se retourna vers moi.) Et j'ai aussi un message pour Tom Robinson. S'il formule la moindre accusation contre Horizn et que les médias s'en emparent, les laboratoires Grayton et lui-même ne seront plus rapidement qu'un triste souvenir. Lui n'a rien à prouver, et moi je prends très au sérieux les lois de ce pays qui protègent ses citoyens contre la diffamation. C'est compris?

— Je lui transmettrai votre message.

— C'est ce que vous avez de mieux à faire.

Stephens disparu, je restai assis seul dans mon bureau. L'alcool, devenu depuis trop longtemps mon anesthésique préféré, me faisait les yeux doux d'une amante. Un sentiment de culpabilité, mêlé de stupidité, me brûlait comme un méchant coup de soleil. Après la chaleur vient la douleur. Et après Derek Stephens venaient les récriminations personnelles.

J'avais joué le mauvais cheval. Je m'étais fait botter le cul. Je m'étais — et c'était, de loin, le plus dur à avaler — ouvert au talent d'une femme que je croyais être tellement au-dessus de moi que le simple fait de me trouver près d'elle était comme un rêve. Et je venais d'apprendre que, pour elle, il s'agissait d'un faux-semblant, d'un autre rôle.

L'amour, je le savais déjà, peut avoir des conséquences désastreuses. La simple illusion de l'amour fait déjà agir les êtres comme des imbéciles. Et tous les événements survenus depuis la mort de Doug Townsend ne faisaient que m'en convaincre davantage. Doug devait sa propre perte à ce qu'il essayait de faire

236

pour Michele. Sans cette fatale obsession, il serait encore parmi nous, ne se droguerait plus, et prendrait un nouveau départ dans l'existence. Sammy avait risqué sa propre vie pour l'amour de Blu. *Et Derek Stephens venait de me tendre mon propre chapeau pour que je l'avale. Le même homme qui s'activait, par ailleurs, à briser le cœur de ma secrétaire.* J'ouvris le tiroir du bas de mon bureau et en sortis une bouteille et un verre que je remplis. Je restai ensuite à le regarder, observant les reflets de la lumière dans les profondeurs du liquide couleur d'ambre.

Une conversation se déroulait à voix assez basse dans le bureau voisin, puis j'entendis le bruit de la porte qui se refermait. Stephens s'en allait. Je continuai de fixer le verre de whisky en pensant à Blu. J'avais souvent entendu répéter que la beauté pouvait devenir pénible à la longue. Mais c'était seulement aujourd'hui que je pouvais le comprendre. Les avantages les plus persuasifs de Blu étaient aussi ses pièges les plus dangereux. D'un côté, il y avait Sammy, dérangé dans sa tête, mais dont la lubricité ne l'empêchait pas de se montrer chevaleresque. Trop chevaleresque, d'ailleurs. Toujours à l'affût, il compliquait la vie de Blu. Un petit sourire, et il risquait de se pointer avec des fleurs et une bouteille de champagne. De l'autre côté, un type comme Stephens – qui avait le pouvoir de satisfaire tous ses désirs – allait se servir d'elle et la balancer. Je vidai mon verre d'un trait, le remplis de nouveau, et continuai de le fixer. J'ignore combien de temps dura cette contemplation. Tout ce que je me rappelle, c'est qu'à un moment donné la porte de mon bureau s'est ouverte et Blu est entrée d'un pas mal assuré.

— Comment ça va? demandai-je doucement.

— Bien, répondit-elle. Vous aviez des messages sur votre bureau.

— Écoutez, Blu, si vous souhaitez qu'on discute tous les deux...

— Non, tout va bien. (Elle passa les doigts à travers sa coiffure style pub télé.) Je vous assure que je vais bien, insista-t-elle. (Elle s'avança jusqu'à mon bureau pour glisser une feuille de papier vers moi.) Je démissionne, annonça-t-elle alors. Je vous donne un préavis.

Je m'apprêtais à lire le papier et je relevai les yeux vers elle.

— Qu'est-ce que vous racontez? Je n'accepte pas votre démission.

Elle cligna plusieurs fois des paupières, mais impossible de voir si elle avait pleuré.

— Que vous acceptiez ou non, Jack, je m'en vais. J'essaie simplement de me conduire en professionnelle.

— Pourquoi?

— Parce que.

— C'est à cause de Stephens? Bon Dieu, Blu, si jamais il fait pression sur vous...

— Non, assura-t-elle, en devenant cramoisie.

— Alors, c'est quoi? Vous ne pouvez pas me laisser tomber sans m'expliquer au moins pourquoi.

Elle me tourna le dos, et je n'eus plus aucun doute : elle pleurait au point de risquer d'inonder le bureau.

— Laissez-moi partir, Jack. Ne m'obligez pas à expliquer pourquoi.

Je me levai pour aller me placer face à elle et, glissant une main sous son menton, je la forçai à lever le visage vers moi.

— Vous êtes libre d'agir comme vous le souhaitez, mais je vous en prie, dites-moi pourquoi.

Son visage parfait était froissé par l'angoisse, des larmes jaillissaient de ses magnifiques yeux céruléens, mais le chagrin n'altérait en rien sa beauté. Et puis elle laissa échapper quelques paroles si humaines, si généreuses, si nobles, qu'elles se plantèrent comme une flèche dans mon cœur.

— Je le fais pour vous, Jack, parce que tant que je resterai ici Sammy ne vous enverra plus de clients.

Complètement sonné, je lui libérai le menton pour m'asseoir sur mon bureau. Elle avait raison, bien sûr. Elle avait entendu assez de déclarations d'amour stupides exagérées du genre de celles de Sammy pour savoir ce qui leur succédait. Sammy ne voudrait plus se trouver à moins de dix kilomètres d'elle, même s'il continuait de l'aimer au point d'en devenir à moitié cinglé. Quand un homme persiste à déclarer son amour avec autant de fougue pour finir par se faire jeter — même s'il s'y attendait au fond de lui, il n'était tout de même pas cinglé à ce point —, il ne lui est plus possible de prendre le téléphone pour parler de tout et de rien à l'objet de sa flamme. L'ego masculin l'en empêche. Sammy serait incapable de composer mon numéro de téléphone en sachant qu'il allait entendre la voix de Blu à l'autre bout de la ligne. Mais ce n'était pas de mon point de vue une raison suffisante pour que je la laisse franchir à jamais la porte de ce bureau. J'étais prêt à prétendre que je ne comprenais pas de quoi elle parlait, dans l'espoir que nous pourrions nous mentir et continuer comme si de rien n'était pendant au moins un certain temps.

— Ne soyez pas ridicule, dis-je. Bien sûr qu'il va téléphoner.

Elle refusait de marcher dans ma combine.

— Non, il n'appellera pas, Jack. Les hommes sont si...

— Écoutez-moi...

— Vous ne pourrez jamais vous en sortir sans Sammy, m'interrompit-elle sèchement. Et si je reste ici, il est clair qu'il ne téléphonera pas. Il s'est senti humilié et il ne se sera plus capable de me regarder en face. Alors la solution est simple : je pars.

— Voulez-vous m'écouter...

— Et c'est aussi votre meilleur ami, Jack. Je ne peux pas vous demander de renoncer à cette amitié.

— Ce n'est donc pas Stephens qui vous a demandé de quitter votre travail ?

— Non.

Je réfléchis une toute petite minute, puis déchirai sa lettre de démission en petits morceaux.

— Vous restez.

— Vous allez vous retrouver sans le sou.

— Est-ce que vous avez envie de travailler ici ?

— Bien sûr, que j'ai envie de travailler ici. Vous êtes... Oui, je veux travailler ici.

— Alors, vous allez continuer à travailler ici.

Elle me fixa pendant un petit moment et ses larmes se tarirent. Sa respiration continuait cependant d'être haletante comme si l'air qui l'entourait ne contenait pas assez d'oxygène.

— Pourquoi ? demanda-t-elle. Pourquoi faites-vous ça pour moi ?

— Pour une raison simple. Actuellement, j'ai honte de la partie masculine de l'espèce humaine. J'ai donc décidé d'assumer les torts de notre sexe. Je vais même accomplir quelque chose d'exceptionnel : je ne me prévaudrai pas de ce que je fais pour vous pour m'introduire dans votre petite culotte.

Il lui fallut encore quelques minutes, mais elle parvint à se calmer. Elle lissa alors sa blouse de la main, ajusta sa jupe, puis écarta les cheveux de son visage pour les coincer derrière ses oreilles. Elle s'approcha alors de moi pour me déposer un baiser sur la joue.

— Merci, dit-elle, un sourire timide retroussant légèrement ses lèvres. Merci beaucoup.

— De rien.

— Vous allez vous retrouver sans le sou.

— Probablement.

— Bien, alors s'il n'y a rien d'autre...

Elle franchit le seuil en finissant d'essuyer ses larmes.

# 21

Mercredi arriva sur Atlanta comme un murmure, une légère luminescence dorée venant de l'est. Assis dans mon appartement, je regardais mon quartier prendre vie, chaque lumière solitaire s'allumant à son tour. Des journaux volaient dans l'air avant d'atterrir sur des vérandas. L'une après l'autre, des alarmes tonitruantes sortaient brutalement chaque lève-tôt de sa dernière heure de sommeil, la plus précieuse. Les phares d'une unique voiture percèrent l'obscurité, de moins en moins opaque, et disparurent à l'aplomb de ma fenêtre du troisième étage. J'avais passé toutes ces dernières heures dans mon appartement, sans fermer l'œil, avec pour toute compagnie une bouteille de scotch et une liste de huit noms.

Il y a des gens qui, lorsqu'ils boivent, flottent dans le sombre néant d'un sommeil quasi comateux. Je ne suis pas de ceux-là. Je peux boire toute la nuit, même si cela se révèle, invariablement, être une très mauvaise idée. Quand je suis imbibé d'alcool, je deviens concerné par la misère du monde d'une façon morbide – et cet état de compassion est déjà assez difficile à supporter en restant sobre. Alors, ma bouteille de scotch et moi passâmes la nuit dans un territoire trop familier, à ruminer à propos des prêtres qui abusent des enfants, des P.-D.G. trop payés, de Clinton se faisant faire des pipes dans le Bureau ovale – en d'autres termes, à la déroute de la décence dans ce pays jadis si orgueilleux. Devant moi, apportant de l'eau à mon moulin, s'étalaient des noms qui correspondaient à des personnes décédées : Jonathan Mills – Chantelle Weiss – Brian Louden – Keisha Setter – Najeh Richardson – Michele Lashonda Lyles –

Doug Townsend. Et ils seraient sans doute bientôt rejoints par Roberto Lacayo, en train de se débattre entre la vie et la mort à l'hôpital.

Lorsque le soleil se leva, je fixais toujours cette liste. De ces noms, le seul que je pouvais me représenter physiquement, c'était Doug, avec tous ces détails qui concrétisent une existence. Mais il n'était pas difficile d'imaginer que la vie des autres avait des points communs avec celle de Doug. À un moment ou à un autre, les victimes étaient écartées du chemin, puis elles avaient découvert qu'elles souffraient d'une maladie incurable et avaient décidé de tenter leur chance avec ce nouveau traitement. S'ils étaient morts au cours des tirs croisés de deux entreprises pharmaceutiques entrées en guerre, ils n'étaient rien d'autre que des victimes sacrificielles. Et le fait que le monde entier parte à la dérive ne rendait pas cela plus acceptable.

Je restai encore assis en silence pendant une demi-heure, à siroter du whisky. J'ignore ce que j'espérais ; peut-être étais-je en train de penser que Dieu allait m'apparaître dans mon petit appartement minable pour m'expliquer le pourquoi des choses. Tout ce dont je me souviens, c'est que je terminai la bouteille à six heures trente, et que c'est le moment exact où je me sentis soudain libéré. Je reposai mon verre en me disant que je m'étais suffisamment interrogé sur des problèmes qui n'avaient pas de solution. Les choses étaient comme ça, il ne fallait pas leur chercher un sens. Car elles n'en avaient pas. Elles étaient comme ça. Point. *L'amore non prevale sempre*, baby, voilà la vérité. Pour survivre, il faut en prendre et en laisser. C'est la seule façon de trouver son chemin dans ce merdier. *Il n'y a pas de Dieu*, pensai-je, *et je suis Son prophète*. Je me levai pour aller me faire du café, en éprouvant le sentiment triomphant d'être athée. Emportant la bouteille de scotch vide, je fis un vœu : jamais plus je n'essaierais de noyer mes prétendus chagrins dans l'alcool. Je resterais en contact avec eux, les laissant se consumer dans mes cellules jusqu'au détachement final. Le monde était trop complexe pour que je puisse en redresser tous les torts, et, d'ailleurs, je n'étais pas moi-même blanc comme neige. Mais si je pouvais découvrir pourquoi sept sur huit des malheureux qui avaient cru pouvoir guérir de leur hépatite étaient morts, je le ferais. Je le ferais, parce que j'étais fait comme ça, et je n'avais besoin de fournir aucune autre explication. Et, à huit heures et demie, je passai sous la douche, laissant longuement l'eau brûlante emporter en s'écoulant une vie si pleine de fautes. À neuf heures, j'enfilai un veston sport, rejoignis ma voiture et mis le cap sur les laboratoires pharmaceutiques Horizn.

Les bâtiments d'Horizn s'élevaient au nord d'Atlanta, à Dunwoody, un endroit tranquille et boisé où plusieurs sociétés de moyenne importance avaient également élu domicile. Dès que je fus arrivé, j'eus un aperçu de la façon dont la psychologie de Charles Ralston imprégnait l'aspect extérieur de ses établissements. Ayant bâti sa compagnie sur une technologie acquise par des méthodes pour le moins douteuses, il faisait tout son possible pour s'assurer qu'on ne lui rende pas la pareille. Il avait transformé Horizn en une forteresse protégée par des systèmes de sécurité high-tech. Les chances de se glisser frauduleusement à l'intérieur étaient nulles.

Les bâtiments principaux étaient invisibles depuis l'entrée, dotée d'un poste de garde. Un long bras métallique articulé, d'aspect imposant, barrait la voie d'accès. Derrière, des rangées de méchants clous pointaient vers le haut et menaçaient les pneus des voitures qui auraient tenté de forcer le passage. Deux caméras, montées très en hauteur de chaque côté de l'entrée, pointaient leur œil vers le bas et ne laissaient rien échapper. Lorsque je m'arrêtai, un garde en uniforme, un écouteur planté dans une oreille, fit coulisser la petite fenêtre de sa guérite.

— Que puis-je pour vous ? demanda-t-il.

— Jack Hammond, me présentai-je en lui tendant la carte. Je viens voir Charles Ralston.

— Attendez, s'il vous plaît.

Il parla à voix basse dans un objet invisible de l'endroit où j'étais, et qui paraissait fixé au revers de son veston. Il ne se passa rien pendant un long moment. Puis l'homme m'interpella :

— Pourriez-vous tourner la tête vers moi, Mr. Hammond ? La caméra a du mal à vous saisir. (Je fis ce qu'il me demandait, et, après plusieurs secondes, il me désigna la route qui s'ouvrait devant moi, en disant :) C'est par là.

243

Je pénétrai donc sur le territoire d'Horizn, et suivis une voie asphaltée qui sinuait à travers des bois touffus. À intervalles réguliers, des caméras de surveillance fixées au sommet de hauts mâts s'intéressaient à ma progression. Après environ cinq cents mètres, le bâtiment principal m'apparut. Un rectangle de verre teinté et d'acier de six étages, relié par une galerie à un immeuble plus petit, construit en arc de cercle. Je me dirigeai vers l'immeuble principal et me garai sur le parking le plus proche.

En marchant vers la porte d'entrée, j'étais conscient qu'un système de sécurité invisible surveillait chacun de mes mouvements. Je grimpai rapidement les quelques marches, et un panneau de verre glissa silencieusement avant que j'aie pu le toucher. Il se referma tout de suite après, me laissant l'impression désagréable de me retrouver pris dans un piège, car un autre panneau de verre se tenait obstinément fermé devant moi. Une voix sortit alors d'un haut-parleur invisible.

– Veuillez regarder sur votre gauche, s'il vous plaît.

Je dus encore attendre un moment, puis cette seconde porte coulissa enfin, me permettant d'entrer dans le saint des saints. En l'occurrence, un vaste atrium ouvert jusqu'au toit de l'immeuble. De gigantesques plantes tropicales, entretenues à merveille, s'élevaient vers le soleil filtré par les panneaux de verre teinté. Une très jolie brunette se tenait à quelques pas de la porte.

– Bonjour, Mr. Hammond, dit-elle. Veuillez me suivre.

Elle me précéda jusqu'à un ascenseur situé de l'autre côté du hall. Elle pressa alors la main sur une surface plate métallique intégrée au mur et la porte s'ouvrit. Elle me fit signe d'entrer, j'y pénétrai seul et la porte se referma. Je regardai tout autour de moi et ne vis pas le moindre bouton ; il s'agissait visiblement d'un appareil express conduisant directement au bureau de Ralston. Comme prévu, une caméra vidéo m'observait depuis le plafond. Je m'élevai rapidement vers le sommet de l'immeuble.

Arrivé à destination, en sortant de la cabine, je me retrouvai dans un petit salon d'attente lambrissé de bois sombre et meublé de fauteuils confortables en cuir. Cette pièce évoquait l'atmosphère d'un salon classique anglais, et paraissait plutôt incongrue dans ce palais de verre bourré des derniers gadgets high-tech. Les murs étaient tapissés de diplômes, de récompenses et de photos de Ralston en compagnie des grands de ce monde. Il y avait également des lettres de remerciements artistement encadrées, adressées par la Maison-Blanche, le gouverneur, le maire. Les diplômes de Harvard et de Yale étaient spécialement éclairés par des projecteurs dissimulés derrière une poutre. Mais la place d'honneur était attribuée à une photo de Ralston face au conseil municipal d'Atlanta, en train de pointer un doigt accusateur vers ses membres. Au-dessous, on pouvait lire : *Charles Ralston défend son programme de distribution de seringues pour les nécessiteux de la ville.* Une femme d'âge moyen, à l'air zélé, vint à ma rencontre.

— Est-ce que je peux vous offrir quelque chose, Mr. Hammond. Thé ? Café ? (Je refusai d'un signe de tête.) Alors, si vous n'avez aucun souhait particulier, vous pouvez entrer.

Elle pressa la main sur une autre plaque d'identification, et la serrure de la porte située à ma droite se débloqua. Elle la poussa et me fit signe d'entrer.

Si l'antichambre du bureau de Ralston était un véritable panégyrique de sa réussite sociale, son bureau était exactement à l'opposé. Il représentait les deux cent cinquante mètres carrés les moins encombrés qu'il m'ait été donné de voir. Il ne contenait pratiquement rien, ce qui en accentuait la dimension. De toute évidence, la notion personnelle que Ralston avait du luxe, c'était l'espace ; un espace où rien ne venait parasiter les cogitations de l'esprit. La pièce occupait un angle de l'immeuble, ce qui la dotait de deux immenses parois de verre teinté. La lumière qui filtrait à travers était dorée, créant une atmosphère un peu sépulcrale. Les deux autres murs, peints en vert foncé, disparaissaient derrière de grandes peintures abstraites. À une extrémité de la pièce se trouvait un bureau, vaste surface argentée montée sur une structure de métal poli, sans le moindre petit morceau de papier posé dessus. Le fauteuil du P.-D.G. était en cuir noir tendu sur un châssis de chrome. C'était le seul siège. Apparemment, les visiteurs restaient debout. L'ensemble faisait penser à une cellule de moine conçue pour un millionnaire.

Ralston ne se retourna pas en m'entendant entrer. Debout devant l'une des parois de verre, laissant pendre les bras à ses côtés, il contemplait les bois entourant Horizn de tous côtés. Il était vêtu d'un costume sombre impeccablement coupé. Pendant un assez long moment, aucun de nous ne prononça un mot. Finalement, il se retourna et m'observa, toujours en silence. Ses traits étaient dessinés avec une précision mathématique. Il avait un visage étroit, et des lèvres fines qui lui donnaient un air déterminé. Mais rien dans son attitude n'évoquait la moindre menace ; au contraire, il semblait fatigué et entouré d'une aura de tristesse. Il ne ressemblait certainement pas à un homme qui se trouvait à quelques jours de remporter la plus grande victoire de sa vie professionnelle. Quand il prit enfin la parole, sa voix était si basse que je dus faire un effort pour comprendre ce qu'il disait.

— Pourquoi le monde des affaires ne pense-t-il qu'à faire la guerre, Mr. Hammond ?

Pas le moindre bruit ne pénétrait dans la pièce, au point de me faire hésiter à rompre ce silence avec ma propre voix.

— Je l'ignore, répondis-je, sans oser élever la voix moi non plus.

— Venez par ici, dit-il en accompagnant sa phrase d'un petit geste de la main.

Je traversai des mètres et des mètres de moquette grise et m'arrêtai à quelques pas de lui. Il me désigna les parois de verre.

— C'est magnifique, n'est-ce pas ?

En bas, les bois étaient nimbés d'un halo doré surréel.

— En effet, acquiesçai-je avec beaucoup de sincérité.

Côte à côte, nous restâmes à contempler l'étendue.

— Je ne suis pas un homme d'affaires, Jack, j'ai une formation scientifique. Vous le saviez ? demanda-t-il sans me regarder. (Puis, sans me laisser le temps de répondre, il ajouta :) Vous est-il arrivé de vouloir revenir en arrière ? De retrouver une époque de votre vie où tout semblait parfait ?

— Oui.

Il se tourna alors vers moi, et ses yeux inquisiteurs se trouvèrent à la hauteur des miens. Au bout de quelques secondes, il hocha la tête comme s'il approuvait.

— Jeune homme, j'étais passionné par la recherche. La recherche pure, sans me soucier d'obtenir ou non des subventions du gouvernement. Ma passion était d'observer et de me demander pourquoi. (Il sourit.) C'est une belle question, n'est-ce pas, Jack?

— La question pourquoi?

Il acquiesça d'un signe de tête.

— Vous étudiez une protéine et vous découvrez quinze fragments de peptides. Pourquoi quinze et pas seize? La réponse n'a rien à voir avec le business. C'est une question scientifique. (Il s'interrompit de parler pendant quelques instants, pour, me sembla-t-il, fouiller dans sa mémoire.) On se lance souvent dans les affaires avec un idéal. On veut aider les gens, en gagnant si possible quelques dollars au passage. Et tout d'un coup, sans qu'on ait rien vu venir, c'est la guerre. (Il resta de nouveau silencieux un long moment, perdu dans ses pensées.) Désolé pour cette attente à la grille, dit-il au bout d'un moment. Un léger problème avec le système de reconnaissance faciale. N'y voyez rien de personnel. Tous les gens qui pénètrent ici sont saisis dans notre base de données. (Il me regarda d'un air triste.) Même les amants de ma femme. (Un pénible silence s'installa alors entre nous. Le genre de silence capable de vous engloutir. Puis je voulus ouvrir la bouche pour essayer de dire quelque chose, mais d'un geste il me commanda de me taire.) Aucune importance, assura-t-il. Après qu'elle vous a choisi, vous ne pouvez plus lui échapper.

— J'avais pourtant cru que nous nous étions mutuellement choisis.

Charles Ralston m'adressa un léger sourire, vaguement compatissant. Puis il marcha vers son bureau et y posa un doigt. Le point placé sous son doigt s'illumina, et les murs de verre s'assombrirent de plusieurs nuances. Nous nous retrouvâmes soudain dans un vaste cocon d'or sombre. Il pressa alors le doigt sur un autre point du bureau et le mur qui se trouvait derrière lui s'éclaira, révélant un grand écran à plasma de deux mètres où s'afficha une double hélice. Ralston paraissait hypnotisé par l'image.

— Magnifique, n'est-ce pas? s'exclama-t-il. (Il appuya sur un bouton, et la séquence d'ADN commença à se dupliquer, la double hélice se repliant sur elle-même et se recombinant jusqu'à produire une copie conforme. Fasciné, Ralston ne quittait pas l'image des yeux.) Ma femme me trouve froid, Jack.

— Oui, je le sais.

— C'est que je suis un homme de science. Pas un philosophe ou un artiste. (Il pointa un doigt vers l'écran.) Ma philosophie, mon art se résument à ça. (La duplication continuait. Deux devinrent quatre, quatre huit, huit seize...) C'est la vie, Jack. Omnisciente. Omniprésente. Omnivore. (Il désigna de nouveau l'écran.) Oui, ceci est ma philosophie, et toute la nature se range à mes côtés.

Tout en continuant de fixer l'écran moi aussi, je tentais de saisir le sens de ses paroles.

— En ce bas monde, dis-je enfin, aucun choix n'est possible. Il n'existe aucune vraie intelligence. Aucune moralité.

— C'est que vous croyez en un monde particulier, commenta-t-il avec le sourire. Vous conservez une vision romantique des réalités. Les bons d'un côté, les méchants de l'autre. Et Clint Eastwood finit par conquérir la fille.

— J'aime la clarté.

— Je l'aimerais aussi, si elle existait. (Il désigna encore une fois l'écran.) Puis-je vous dire quelque chose que le reste du monde commence seulement à découvrir ?

— Je vous en prie.

— Il n'y a pas de morale. L'éthique n'existe pas. La chimie *est* la vraie théologie.

— Un foutu monde que vous êtes en train de construire.

— Très bien, Jack. Vous voulez parler morale avec moi ? Est-ce que le fait que vous vous sentiez coupable d'avoir couché avec ma femme devrait me pousser à moins vous haïr ?

— On m'avait donné à entendre que c'était quelque chose qui vous préoccupait fort peu.

Il m'adressa un regard plein de reproches, mais ne fit aucun commentaire immédiat. Au bout d'un moment, il demanda :

— Qu'êtes-vous venu faire ici, Jack ?

— Je suis venu parce que j'ai été invité.

— Vous avez été invité parce que vous aviez envie de venir, et parce qu'il n'existait aucune autre possibilité de me rencontrer.

Je réfléchis quelques instants avant d'admettre :

— En effet. J'avais envie de vous regarder en face. De contempler le grand mystère, l'homme de l'ombre. Stephens, je peux le comprendre. Il déplace beaucoup d'air, mais les avocats sont des parasites. Ils sont comme les poissons ventouses. Ils ont besoin d'un requin auquel se coller. Vous êtes le requin.

Le sourire de Ralston s'éteignit.

— Vous êtes quelqu'un de brillant, Jack.

— Je suis venu pour essayer de me faire une opinion sur vous. Vous avez été traîné dans la boue parce que vous vouliez que les toxicomanes échangent gratuitement les seringues usagées contre des neuves. C'était une action très courageuse pour quelqu'un qui occupe votre position. L'opération est coûteuse et vous a fait déconsidérer par nombre d'hommes politiques locaux. Donc je me dis que vous n'êtes peut-être pas seulement un homme dur en affaires, et que c'est en fait une bévue de Robinson qui a tué ces sept personnes. Et peut-être huit au moment où je vous parle. Si c'est le cas, je regrette mes soupçons et je suis désolé d'avoir couché avec votre femme. (Je marquai une pause avant de poursuivre :) D'un autre côté, il est possible aussi que vous soyez un véritable salaud dénué de tout scrupule, pour qui les vies de huit personnes innocentes ne pèsent pas lourd, si on les met en balance avec une montagne d'argent. Et, étant donné ce qui se passe dans le monde de nos jours, je ne serais même pas scandalisé si tel était le cas.

— Et que feriez-vous, si vous décidiez que j'étais coupable d'un tel péché?

— J'essaierais de vous abattre et de vous empêcher de vous approcher de Michele.

Ralston me regarda longtemps et avec beaucoup d'intensité avant de me demander :

— Et quelle est votre conclusion?

— Il serait plus facile de tirer une conclusion si Robinson n'était pas aussi atteint.

Mon vis-à-vis hocha pensivement la tête.

— Vous comprendrez que je ne peux pas laisser un homme comme vous se balader en répandant de telles rumeurs? (Je me demandai avec un peu d'inquiétude où il voulait en venir.) Alors je veux vous faire une proposition.

— Je vous écoute.

— Vous dites que vous voulez connaître la vérité? Très bien.

249

Je vais vous accorder cinq minutes pour me demander tout ce que vous voulez. Si je connais la réponse, je vous la donnerai. Je vous promets de ne pas mentir. Mais, en échange, je veux obtenir quelque chose de votre part.

— Quoi ?

— La paix. La cessation des hostilités. Les rumeurs ont beaucoup de répercussions, et celles dont vous êtes le dépositaire sont particulièrement malvenues.

— Mon accord ne peut dépendre que de vos réponses.

Ralston me regarda en silence pendant un certain temps avant de se décider.

— C'est de bonne guerre, acquiesça-t-il calmement. Vous pouvez commencer.

— Est-ce que Doug Townsend travaillait pour vous ?

— Oui.

*Donc, il ne m'a pas raconté d'histoires et au cours des prochaines minutes il va me dire la vérité toute nue.*

— Est-ce qu'il a piraté les laboratoires Grayton pour votre compte ?

— Dans le cadre de cette conversation entre vous et moi : oui.

— Que voulez-vous dire ?

— Je veux dire que nous ne sommes pas devant un tribunal. Il s'agit d'une conversation amicale.

— C'est clair. Comment l'avez-vous connu ?

— Le service de sécurité m'a informé que quelqu'un s'amusait à nous pirater. Un as. Ils n'avaient jamais rencontré un hacker aussi doué. À chacune de ses tentatives, il s'infiltrait plus profondément.

— Pourquoi ne l'avez-vous pas fait arrêter ?

— Quoi de plus stupide que de faire enfermer un tel esprit derrière des barreaux ? Ce serait du gâchis. Est-ce que les Américains ont enfermé Werner von Braun parce qu'il avait travaillé pour les nazis ? Bien au contraire, ils l'ont tout de suite mis au boulot. La seule chose qui comptait était d'identifier ce pirate et de savoir ce qu'il cherchait. S'agissait-il d'un concurrent ? Si oui, américain ou étranger ? Ou s'agissait-il de quelqu'un qui ne cherchait qu'à s'amuser ?

— Donc vous avez fini par démasquer Doug.

— Oui. Nous avons contrôlé son accès pour lui laisser une certaine liberté avec des limites précises. Je ne voulais surtout pas l'effrayer. Il fallait le manipuler avec précaution. (Le regard de Ralston se fit lointain.) Il y avait des choses qu'il était facile de deviner. Un QI de génie, et quelqu'un en marge de la société parce que souffrant de problèmes graves. En somme, les caractéristiques communes à de nombreux pirates informatiques. (Il marqua un temps d'arrêt.) Bien sûr, ce que je viens de vous dire, c'est ce que nous pensions avant de connaître son vrai mobile.

— Michele. Il cherchait un moyen de se rapprocher d'elle.

Ralston acquiesça d'un signe de tête.

— Il ne s'intéressait absolument pas à Horizn. Sa vraie obsession, c'était ma femme. Et il explorait Horizn comme il explorait tout ce qui faisait partie de la vie de Michele. Il ne possédait qu'un seul vrai talent et il l'exploitait au maximum. (Il croisa mon regard.) Que faire de ce jeune homme un peu dérangé? Il est inconcevable de détruire quelqu'un d'aussi talentueux, mais il peut se révéler dangereux de l'ignorer. Alors nous avons choisi une solution logique, nous l'avons engagé.

— Vous l'avez forcé à pirater Grayton et en échange il pouvait approcher Michele.

— «Forcé» n'est pas le mot qui convient, Mr. Hammond. Pour passer cinq minutes en compagnie de Michele, il n'aurait pas hésité à se trancher un doigt.

— Je trouve ça parfaitement répugnant.

— Ah! de nouveau le point de vue romantique.

— Vous vous êtes servi de votre propre femme.

— Elle n'en a jamais rien su. Pour Michele, Doug était ce qu'il paraissait être. Il vous reste trois minutes.

— Avez-vous une responsabilité dans ce qui s'est passé avec le Lipitran AX.

— Votre question est vague.

— Avez-vous tué les malades qui ont testé le Lipitran?

— Non. Nous n'avons été que des observateurs passionnément intéressés.

— Maintenant, c'est vous qui demeurez vague.

— Bon d'accord, Jack, dit-il en souriant. Je vais changer ma formulation. Grâce à votre ami, nous étions en mesure de suivre les progrès de Grayton. Et, à la vérité, ils ne sont pas allés très loin.

— Vous saviez que le test allait être un échec?

— Oui.

Ma question suivante et sa réponse marquèrent on ne peut plus clairement la distance qui nous séparait.

— Donc, si vous saviez que ce test allait être un échec, vous saviez aussi que ces patients allaient mourir?

— Imaginez le dilemme, répondit-il avec un haussement d'épaules. Il était impossible d'intervenir sans dire comment nous étions au courant.

— Pas impossible, affirmai-je. Simplement difficile.

Le visage de Ralston était devenu de marbre.

— Voulez-vous savoir ce que j'abhorre par-dessus tout, Jack?

— Oui.

— L'absence de méticulosité. L'imprécision. Le travail bâclé. (Pour la toute première fois depuis mon arrivée, ses yeux lançaient des éclairs et il faisait preuve de passion.) Vous êtes en train de chercher un moyen de me coller ces morts tragiques sur le dos. Mais je n'ai pas tué ces gens. La vérité, c'est que si Thomas Robinson était un médecin compétent ses patients seraient encore en vie. Observer la mort ne vous en rend pas responsable. Il vous reste une minute.

S'il y avait une confession dissimulée dans ses paroles, elle me demeurait obscure. Mais je n'avais pas le temps d'y réfléchir. Ne disposant plus que de quelques secondes, je décidai de changer de tactique.

— Est-ce que vous savez comment Doug Townsend est mort?

— Je me suis laissé dire qu'il était mort d'une overdose.

— Et vous n'avez rien à voir avec sa mort?

— Non seulement il ne me serait jamais venu à l'idée de tuer Doug Townsend, mais j'aurais accepté de payer pour le faire protéger si je l'avais su en danger. Grayton n'est que l'un de nos concurrents, Jack. Les talents de votre ami étaient inestimables. J'aurais aimé pouvoir utiliser ses services indéfiniment.

— Alors qui l'a tué?

— Je n'en ai pas la moindre idée, et je donnerais volontiers un million de dollars pour l'apprendre. Votre temps est écoulé.

(Nous restâmes un long moment à nous observer en silence. Le seul bruit audible était l'infime chuintement de l'air conditionné.) Alors, dites-moi, Jack, suis-je le monstre que vous imaginiez?

Je l'observai un instant sans faire un geste, immobile.

— Encore une question, dis-je enfin.

Un léger sourire joua sur ses lèvres.

— Votre temps est épuisé, Jack. Mais d'accord. Encore une question.

— Vous m'assurez que Doug Townsend était quelqu'un de précieux pour vous. (Il opina en silence.) Alors, si vous saviez que ces patients qui étaient entre les mains de Robinson allaient mourir, pourquoi l'avez-vous laissé se joindre à eux?

Le visage de Ralston parut se vider de son sang et le temps s'arrêter. L'inflexible sérénité plaquée sur son visage se désintégra sous mes yeux, se transformant en ce qui me parut être une vive angoisse qu'il avait un mal fou à contrôler.

— Que venez-vous de dire? murmura-t-il comme s'il n'avait plus une goutte de salive.

— Que Doug était soigné au Lipitran AX. Il avait subi deux traitements.

Ralston se dirigea comme un automate vers son bureau et pressa un bouton. *Merde, alors! Il ne le savait pas.* La porte s'ouvrit silencieusement dans mon dos.

— Adieu, Mr. Hammond, dit-il.

Je traversai d'un bon pas le parking d'Horizn, réfléchissant aux conséquences de la bombe que je venais de lâcher. *Il ne le savait pas. Ralston régnait sur son petit monde, mais il s'était produit un fait qu'il n'avait pas contrôlé. Et de s'en rendre compte l'avait terrifié.* À peine eus-je franchi la grille d'entrée, salué par le garde, que je composai le numéro de Robinson. S'il existait un homme au monde capable de comprendre pourquoi Ralston avait été saisi d'une telle peur, c'était lui. J'obtins son répondeur. Il n'avait pas changé le message depuis la catastrophe qui l'avait frappé, et son ton blagueur paraissait aujourd'hui plein d'une douloureuse ironie. Je lui laissai un message très bref lui demandant de me rappeler de toute urgence. Je suivis ensuite l'auto-

253

route 400 en direction de l'I-285 qui allait me ramener en ville. Au bout de quelques kilomètres, je tentai de nouveau de l'appeler et obtins encore une fois sa joyeuse machine. De frustration, je faillis jeter mon téléphone par la fenêtre. Voilà pourquoi je faillis manquer la 285. Voilà pourquoi je dus me forcer un passage à travers trois files de voitures pour accéder à la rampe qui y menait. Voilà pourquoi je jetai un coup d'œil dans mon rétroviseur pour voir quel chaos je laissais derrière moi. Et voilà pourquoi je repérai un véhicule blanc haut sur pattes qui essayait de se livrer à la même manœuvre hasardeuse. C'est ainsi que je découvris que j'étais suivi.

En arrivant sur l'I-285, je ralentis pour m'en assurer. La camionnette ralentit également et changea de file pour se faire plus discrète. Lorsque j'accélérai, elle fit de même. Je parvenais à distinguer le conducteur et son passager, mais peut-être d'autres personnes se trouvaient-elles dans la partie arrière dépourvue de toute ouverture. *S.O.S. Pas bon, ça, pas bon du tout.* Je tentai de me calmer en me persuadant que, même s'ils venaient d'Horizn, je n'étais pas forcément en danger. Il se pouvait que Ralston fût un criminel, mais pouvait-on imaginer une bande de sbires à ses ordres attendant en permanence dans le parking, au cas où il prendrait la décision soudaine de faire liquider quelqu'un? Il était plus probable qu'ils aient pour mission de me tenir à l'œil et de faire un rapport sur mes activités. Ils ignoraient peut-être même pourquoi.

*Parfait. Alors je vais faire simple. Aucun changement de programme avant de savoir qui sont ces clowns.* Je poursuivis donc ma route pour regagner mon bureau comme j'avais prévu de le faire. Je regardai alors dans mon rétroviseur et vis que la camionnette était à une dizaine de centimètres de mon pare-chocs arrière. *Merde!*

Je mis le pied au plancher, et le vieux V-8 de la Buick donna tout ce qu'il pouvait. Je dévalai Cleveland à fond la caisse, en essayant de regarder le plus loin possible devant moi pour éviter un drame. Il n'y avait pratiquement pas de circulation dans la rue, mais les nombreux véhicules garés un peu n'importe comment transformaient néanmoins ce dangereux périple en course d'obstacles. Je voulus attraper mon téléphone, mais il

254

glissa du siège du passager sur lequel je l'avais posé et disparut de ma vue. C'est probablement ce qui me sauva la vie, car conduire en ville à cette vitesse en téléphonant n'est pas recommandé.

La lourde camionnette paraissait handicapée par rapport à ma conduite intérieure, et je parvins à augmenter la distance entre elle et moi. Mais il aurait suffi qu'une voiture me déboîte sous le nez pour mettre un terme à cette course-poursuite. Un nouveau coup d'œil dans mon rétroviseur m'apprit qu'ils étaient à trois blocs derrière moi, mais faisaient le maximum pour me rattraper. Dans quelques secondes, j'allais pouvoir tourner dans une autre rue. Et puis ce que je redoutais arriva : une Chevrolet Caprice dernier modèle démarra à deux blocs devant moi et prit soin de se tenir au milieu de la rue pour m'empêcher de passer. *Bordel, il y a deux équipes.* La Chevrolet ralentit encore. Puis je vis s'allumer les lumières rouges indiquant que le conducteur freinait, au point qu'il pila presque sur place. Je n'avais aucune idée précise sur ce que je pouvais faire et vraiment peu de temps pour en trouver une. Je roulais vite, tout comme la camionnette lancée à ma poursuite. Je freinai à mon tour, me préparant au choc qui n'allait pas manquer de suivre. Puis, par pur réflexe, un peu avant l'impact prévisible, je braquai à gauche et mis le pied au plancher. Mon rétroviseur droit accrocha la Chevrolet et resta sur place. La camionnette était trop large pour espérer pouvoir effectuer la même manœuvre. Elle tamponna la Chevrolet au coin gauche de son pare-chocs arrière et lui fit effectuer une série de gracieuses arabesques. Je fonçai à toute allure vers le bout de la rue, virai à gauche pour remonter quelques mètres de Pine Street, avant de tourner de nouveau à gauche. Me retrouvant alors à contresens dans une rue à sens unique, je m'esquivai en prenant la première à droite et accélérai au maximum afin de mettre la plus grande distance possible entre mes poursuivants et moi. Ayant remonté plusieurs pâtés d'immeubles, je pris à gauche après avoir surveillé mes arrières. Aucune trace des deux véhicules. Une fois dans Fairburn, j'accélérai à fond.

*Je m'en suis sorti.* Après une dizaine de kilomètres, je me garai dans le parking d'un supermarché pour recouvrer mon calme et tenter de faire le point. *Putain, ça devient vachement sérieux.* Je restai un petit moment à essayer de reprendre une respiration normale, puis je me penchai pour récupérer mon téléphone. Lorsque je me redressai, la camionnette blanche se garait contre le flanc de ma voiture en projetant des gravillons dans tous les sens. L'homme installé sur le siège du passager pointait tranquillement un pistolet en direction de ma tête, par la vitre ouverte de sa portière.

Rien de tel pour vous clarifier l'esprit. Il me fit signe de baisser ma vitre à mon tour.

— Pas un geste, ordonna-t-il, après que je me fus exécuté. La portière est ouverte ?

— Oui.

— Arrête le moteur et ne bouge plus. N'essaie même pas de cligner des paupières.

Le conducteur de la camionnette sortit de son véhicule et vint vers moi.

— Pousse-toi à côté, dit-il avant de s'asseoir dans ma voiture en tenant son pistolet braqué sur mon torse. (À peine assis, il m'en pressa rudement le canon dans l'aine.) On va faire une petite balade, grogna-t-il. Ne tente rien, et regarde droit devant toi.

L'homme qui était resté dans la camionnette se mit au volant et s'éloigna lentement. Lorsqu'il fut à une vingtaine de mètres, mon agresseur donna une secousse brutale au canon de son arme, m'arrachant une affreuse grimace.

— Ne tente surtout rien, répéta-t-il. N'essaie pas de jouer au héros.

Nous suivîmes la camionnette. Elle prit la direction du nord pendant une dizaine de minutes, puis tourna à l'ouest sur l'I-20 en direction de Birmingham. Nous roulâmes pendant une vingtaine de minutes. Mon kidnappeur restait silencieux. Finalement, la camionnette stoppa à l'entrée d'un parking souterrain, situé sous un immeuble de bureaux de six étages en assez piteux état. L'homme composa un code, et le bras mécanique se leva, libérant le passage. Nous entrâmes derrière lui avant qu'il se rabaisse.

Une fois à l'intérieur, ils se garèrent près d'une sortie de secours. Mon chauffeur me prit par le bras en disant :

— Je vais descendre du même côté que toi. Vas-y doucement et ne t'avise pas de faire du bruit. (J'opinai en silence et nous sortîmes tous les deux de la Buick côté passager. Une fois dehors, l'homme pressa son arme dans mon dos.) Avance doucement.

Son acolyte débloqua la sortie de secours et nous grimpâmes tous les trois un escalier mécanique. Au troisième étage, celui qui marchait devant me fit signe de le suivre. Il alla déverrouiller la porte d'un bureau situé à l'autre extrémité du hall d'entrée et, poussé par le deuxième larron, je pénétrai dans cette pièce dont ils refermèrent la porte.

— Est-ce que je peux savoir ce que tout ça veut dire? demandai-je.

Ignorant ma question, ils me firent traverser cette première salle pour me conduire dans la suivante. Elle était vide, excepté deux chaises métalliques repoussées dans un coin. L'un des hommes alla ouvrir la porte d'un placard dont il sortit un large rouleau de ruban adhésif. Il s'approcha de moi en m'intimant de rester tranquille. Il déroula un long morceau de ruban qu'il sectionna avec ses dents et il l'enroula très serré autour de ma tête, en s'arrangeant pour me couvrir la bouche. Il renouvela l'opération, et cette fois il me masqua les yeux. Ensuite, il me tira brutalement les mains dans le dos et les ligota si étroitement que la douleur me fit croire qu'on les ébouillantait. Puis il me fit rouler à plat ventre et, me relevant les jambes à un angle qui mettait ma colonne vertébrale à la torture, il les attacha à mes poignets. Quand il fut satisfait de m'avoir ficelé dans cette posture de contorsionniste, toujours sans dire un mot, il me traîna dans le placard où je me retrouvai le visage collé au mur du fond. J'entendis la porte se refermer. Puis un clic quand il fit tourner la clef dans la serrure.

La forme de la douleur se modifie à mesure que le temps s'écoule. Au début, elle est en dents de scie, comme infligée par une lame crantée; puis, dans mon cas tout au moins, elle se transforma en grandes vagues concentriques qui m'écrasaient sous leur poids. Ensuite, la nausée m'emporta vers le large, de plus en plus loin, sans me laisser aucune chance de nager contre le courant furieux. Finalement – Dieu seul sait combien de temps plus tard, car j'avais perdu tout repère –, elle changea à nouveau d'aspect, se transformant en d'immenses montagnes de glace impossibles à escalader. Des montagnes dont tous les versants étaient menaçants. Au cours des premières heures, l'esprit essaie de s'éloigner de la souffrance, cherchant le soulagement dans les coins distants d'une demi-inconscience. Pendant quelques précieux moments, la pensée peut se détacher pour aller dans un endroit zen, au-delà du présent. Réduit à l'angoisse par une agonie impitoyable, on en vient à souhaiter des chocs plus violents qui permettraient à l'esprit de se détacher. Brefs instants qui se transforment en vision idyllique, en goutte d'eau dans le désert. *Je veux mourir, je t'en prie, je veux mourir.* Mais cette douleur particulière et horrible de mes bras et de mes jambes – qui se vidaient de leur sang à cause de la position dans laquelle on les avait ligotés d'une façon inhumaine – ne disparut pas dans un coma sans rêve. Non, elle ne fit que croître jusqu'à devenir un monstre qui accaparait toutes mes pensées. Je percevais chaque tendon distendu et les muscles attenants qui hurlaient au secours. Je tentai de me concentrer sur des jeux de l'esprit, de trouver un endroit sacré dans mon cerveau où me réfugier, mais j'étais sans cesse renvoyé dans mon corps qu'on avait forcé à prendre une posture monstrueuse.

Pour lutter contre une douleur aussi forte, il faut utiliser des armes aussi redoutables. Et, ce jour-là, j'ai appris que la seule chose sur terre plus puissante que la douleur était la peur. Car même pendant la pire agonie, il est encore possible de ressentir de la peur, d'une façon tout à fait distincte. Et, au milieu de cette douleur qui m'anéantissait, surgit un petit point noir qui se mit à grossir et que je finis par identifier. Je craignais qu'en devenant inconscient – un état que j'appelais pourtant de toute ma volonté – je ne perde mes mains, ou du moins plusieurs doigts qui se nécroseraient, irrémédiablement. Je me disais aussi que j'allais rester enfermé dans ce placard assez longtemps pour y mourir de soif.

Alors, je me mis à tirer sur le ruban adhésif, ce qui, à ma grande horreur, ne fit qu'augmenter la douleur. Ce n'était pas la solution, à moins d'y mettre toutes mes forces, auquel cas je pouvais très bien me disloquer les deux bras et rester ligoté dans des conditions atroces. J'attendis donc environ une heure de plus, opposant la peur à la douleur, écoutant les arguments des deux, pour finir par me décider à pousser sur mes jambes et mes bras avec toute l'énergie qui me restait.

Une vague d'angoisse m'envahit et je perdis connaissance. Quand je revins à moi, après je ne sais combien de temps, je tentai de bouger les jambes, et, après deux ou trois tentatives, je découvris qu'elles étaient libres. Alors, à ce moment précis, tout changea. Centimètre par centimètre, je parvins à m'asseoir. Puis, avec d'infinies précautions, je fis passer mes mains attachées sous mes fesses et sous mes pieds. Les levant ensuite jusqu'à mon visage, j'arrachai les bandes adhésives qui me recouvraient les yeux et la bouche.

Dans ce placard, l'obscurité était totale. Pas le moindre rai de lumière ne filtrait sous la porte. Je restai assis immobile pendant un moment, heureux de simplement pouvoir respirer. Je sentais le sang se remettre à circuler dans mes membres, mais mes mains étaient toujours étroitement liées et il me fallut une bonne vingtaine de minutes pour les détacher avec les dents.

Enfin complètement libre, je me hasardai à me lever, pour

retomber à quatre pattes en soufflant bruyamment. Chaque muscle, chaque articulation, chaque os de mon corps me faisait souffrir. Et j'éprouvais de violents vertiges. Je m'appuyai néanmoins au mur du fond pour faire un nouvel essai. Petit à petit, à force de volonté, je parvins à me tenir debout. Je sentis le sang se ruer vers le bas et rouvrir des veines en train de se fermer. Je restai plusieurs minutes appuyé au mur à faire doucement fonctionner mes poignets, mes coudes, mes genoux et mes chevilles. Comme la porte était fermée à clef, je n'avais d'autre solution qu'un bon coup d'épaule pour tenter de l'ouvrir. Il en fallut trois. Je me fis mal, mais par comparaison avec ce que je venais de subir ç'avait l'air d'une caresse. Après que la porte de ce fichu placard se fut ouverte à la volée, j'en sortis prudemment, m'attendant à me faire agresser à tout instant. Mais, de toute évidence, l'étage entier était inoccupé, car en dépit du vacarme que je venais de faire il ne se produisit aucune réaction. Il ne me fallut pas longtemps pour constater que la porte du bureau était également fermée à clef, ce qui me poussa à commettre une grosse faute : je lui flanquai un grand coup de pied vengeur et manquai m'évanouir de douleur. Je dus recourir une nouvelle fois à mon épaule droite qui, j'en étais sûr, devait déjà être d'un beau bleu. La porte finit par s'ouvrir, et, comme je l'avais deviné, tout l'étage était désert.

Un bref coup d'œil à ma montre m'apprit qu'il était dix-sept heures trente, et déjà la lumière du jour baissait. J'avais donc passé cinq heures dans ce foutu placard. Je gagnai le hall d'entrée en boitant bas et pris l'ascenseur pour regagner le parking. Arrivé en bas, je voulus d'abord ouvrir prudemment la porte de quelques centimètres, mais elle laissa échapper un horrible grincement qui me paralysa de peur. J'étais persuadé que mes kidnappeurs allaient me sauter dessus. Il n'en fut rien. L'endroit était totalement vide et j'eus la bonne surprise de trouver ma voiture garée à la même place. La portière s'ouvrit sans problème, et, alors que je m'apprêtais à bricoler les fils pour démarrer, je vis que la clef de contact était restée sur le tableau de bord. Je me laissai choir lourdement sur le siège sans oser utiliser mes bras pour amortir le choc. J'avais mal partout. Toutefois, à mon grand soulagement, tout semblait fonctionner. Et avec le sang qui circulait de nouveau normalement la douleur paraissait vouloir s'estomper.

Je fis démarrer le moteur et me regardai dans le rétroviseur. Des fragments de bande adhésive me barraient encore le visage. À l'endroit où la bande avait été collée, la peau était rouge et irritée. Je reculai pour sortir de l'emplacement où se trouvait la Buick, quittai ce parking souterrain et, une fois dehors, je tournai la tête avec difficulté pour m'assurer que personne ne me suivait. Je pensais rencontrer des embouteillages pour regagner Atlanta, mais les rues étaient presque désertes. Il me fallut quelques minutes pour comprendre. Le soleil, si bas sur son arc, n'était pas en train de se coucher, il se levait. Il était cinq heures et demie du matin. Et je n'avais pas passé cinq heures dans ce placard, mais plus de dix-sept.

# 23

Le trajet jusqu'à mon appartement se révéla très pénible. Ensuite, je me fourrai au lit tout habillé et sombrai avec délice dans un sommeil réparateur. Quand je me réveillai, quelques heures plus tard, je mourais de faim et me levai. J'éprouvais toujours du mal à marcher. Je claudiquai jusqu'à la cuisine pour y préparer de quoi me colmater l'estomac. Ensuite, je retournai dormir, et finalement, vers une heure de l'après-midi, je pris une douche bouillante, laissant le ballon d'eau chaude se vider entièrement. Après m'être essuyé, je retournai nu dans ma chambre afin de m'observer dans le miroir. Mes chevilles, mes poignets et mon épaule droite portaient de méchantes marques d'un bleu-violet, et je devais bouger avec précaution pour éviter de trop souffrir ; le reste semblait être en bon état. *Donc, tu as été kidnappé, saucissonné, et fourré dans un placard. On ne t'a rien volé. Pas même la voiture. Ces deux types ne t'ont donné aucune explication ni posé aucune question. Ils t'ont fourré dans ce bureau déserté et t'ont abandonné à ton sort.*

Je m'habillai, mais au cours des heures suivantes j'eus de bons et de mauvais moments. Je dormis encore, mangeai, et bus plus d'eau que je ne le croyais possible. Des crampes soudaines me faisaient bondir du lit, comme si on m'avait posé un fer rouge sur le corps. Puis les malaises s'estompèrent, et vers sept heures du soir je sentis que je redevenais moi-même.

J'essayai de téléphoner à Robinson et obtins de nouveau son répondeur. Je restai assis à réfléchir en essayant de me détendre, si bien que j'ai fini par m'endormir. En tout cas, je serais incapable de dire à quel moment quelqu'un a commencé à frapper à ma porte discrètement. Je me levai pour écouter. On frappa encore, toujours avec précaution. J'allai dans ma chambre et, rejetant quelques magazines qui encombraient le tiroir de ma table de chevet, je me saisis du pistolet abandonné là depuis longtemps, une relique de l'époque où, adolescent, j'allais faire du tir à la cible à Dothan. Il n'avait pas l'air très impressionnant, mais c'est tout ce que j'avais. Je n'étais même pas certain qu'il était encore capable de tirer une balle. Je traversai alors l'appartement en direction de la porte d'entrée, laquelle, pour ma plus grande frustration, n'avait pas d'œilleton. Je fis craquer le plancher en m'approchant de la porte, et les coups cessèrent. Constatant que ma présence était découverte, je me plaçai prudemment sur le côté et demandai d'une voix ferme, en agrippant mon pistolet :

— Qui est là ?

— Jack, oh, Jack, dit une voix. Pour l'amour du ciel, laisse-moi entrer.

Ce n'était pas *une* voix, c'était *la* voix. Je déverrouillai la porte et une Michele en larmes se précipita dans mon appartement.

Elle passa ses bras autour de moi, me serrant contre elle. Elle enfouit son visage dans mon épaule meurtrie, m'arrachant un gémissement. Elle déboutonna alors ma chemise et découvrit toutes les autres marques, y compris celles laissées par les individus de la Folks Nation qui n'avaient pas complètement disparu.

— Doux Jésus ! Jack ! Que t'est-il arrivé ?

— Une série de mauvaises rencontres.

Du bout des doigts, elle me caressa tendrement la joue.

— C'est encore enflé. Oh, chéri, je suis désolée.

— Après m'être fait expulser par les flics, je suis retourné au Glen pour essayer de te trouver et j'ai rencontré des jeunes gens qui n'appréciaient pas ma visite et me l'ont fait savoir. Le kidnapping est venu ensuite.

— Tu as été kidnappé, mais par qui ?

— J'ai bien l'impression que ton mari y est pour quelque chose.

— Charles ? s'exclama-t-elle en se raidissant.

— Je lui ai rendu visite.

— Pourquoi as-tu fait une chose pareille?

— J'ai reçu une invitation. C'est Stephens qui s'est déplacé jusqu'à mon bureau pour me l'apporter.

— Mon Dieu!

Je ne pus m'empêcher de détourner la tête pour trouver le courage de lui dire :

— En ce qui concerne ton passé, la version de Stephens est un peu différente de la tienne. Ce n'était pas très agréable à entendre.

Elle m'agrippa par le bras.

— Avant que tu ajoutes un seul mot, laisse-moi te dire que je regrette de t'avoir menti, et, si je l'ai fait, c'était pour protéger quelqu'un.

— Pas pour me protéger moi, en tout cas. Ou alors ça n'a pas fonctionné.

— J'ai menti pour protéger Briah.

Je me dégageai et retournai dans la pièce, l'abandonnant dans l'entrée. À la vérité, je n'étais pas certain d'avoir envie de m'expliquer avec elle.

— Je vais te dire la vérité, Michele. Je pense qu'il vaudrait mieux que tu trouves quelqu'un d'autre pour résoudre tes problèmes. Quelqu'un pour qui le mensonge a moins d'importance.

— Explique-moi comment il faut faire pour ne pas mentir, implora-t-elle. Toute ma vie n'est qu'un mensonge, comment savoir quand le moment est venu de cesser de mentir? Et plus ça va, plus ça devient difficile de s'en sortir. Les couches s'accumulent...

Elle laissa sa phrase en suspens. Elle était coincée entre le résidu de quatorze années d'illusion et le pressentiment que le jeu touchait à sa fin. Mais j'avais beau avoir de la compréhension pour ses difficultés, je savais que j'avais atteint mes limites d'indulgence quant à la façon dont elle menait sa vie. Je voulais des éclaircissements; et, si je ne les obtenais pas, j'abandonnerais le terrain et j'oublierais tout ce qui la concernait.

— D'accord, je vais t'expliquer comment il faut faire, Michele. Tu as réussi à pousser le mensonge au-delà de ce qui est humainement convenable. Peut-être qu'au tout début ça avait un sens. Mais maintenant, tu as le choix entre voir la vérité apparaître peu à peu et provoquer ta chute, ou prendre le contrôle de ta propre vie après avoir déclaré ton indépendance.

Visiblement effrayée, sa respiration s'était faite haletante.

— Je perdrais tout, dit-elle. Briah aussi.

— Tu la perdras de toute façon si tu ne commences pas à dire la vérité.

Elle me jeta un regard qui exprimait toute sa frustration.

— Tu ne comprends donc pas ce qui se passe en réalité? Bien sûr que Charles connaît l'existence de Briah. Il sait tout sur tout le monde. Mais la seule chose qui assure sa sécurité, c'est de garder son existence secrète.

Je la regardais en me disant que je ne m'y laisserais plus prendre.

— Je t'écoute, mais si je sens que tu glisses le moindre mensonge dans ton histoire, tu ne me reverras plus.

— Charles et moi étions mal assortis depuis le début. À Groton et à Yale, il avait côtoyé de grandes familles, et rien ne comptait davantage pour lui que de pouvoir s'intégrer. Il choisissait jusqu'aux vêtements que je devais porter. *Cette* robe. *Ces* chaussures. Non, non, surtout pas *cette* broche, j'espère que tu plaisantes, chérie. Je n'avais même pas le droit de décider de la couleur de mon vernis à ongles.

— Pour autant que j'aie pu le constater, ce que tu me racontes, c'est du passé.

— Oui, j'ai fini par me rebeller. Charles déteste mon nouveau look, mais il a su reconnaître qu'il avait son utilité. À l'époque dont je te parle, j'étais encore trop jeune pour savoir ce que je voulais vraiment. Alors il en a profité pour influencer ma façon de penser et de ressentir. Et je l'ai cru pendant un temps. Il était né dans ce monde où je m'étais introduite par imposture. Comment ne pas croire qu'il avait toujours raison? Il distribuait de l'argent aux œuvres de charité, mais chaque centime donné l'était pour une raison précise. Il possédait une liste de tous les gens qui comptaient vraiment, et quand nous recevions une invitation, avant de l'accepter, il prenait soin de vérifier sa liste.

— Je peux imaginer tes sentiments. Mais ce que tu me racontes n'a rien à voir avec tes mensonges au sujet de Briah.

— Ça a tout à voir, au contraire. Des années ont passé, mais je n'arrivais pas à chasser Briah de mon esprit. Alors j'ai décidé de la rechercher, rien que pour m'assurer qu'elle allait bien. C'est du moins ce que je me suis raconté à ce moment-là. J'ignore comment j'aurais réagi si je l'avais effectivement trouvée. Mais je n'ai pas été assez prudente et Charles a découvert mon secret. Il s'est laissé aller à la pire colère de sa vie. J'ai cru pendant un moment qu'il allait me frapper. (Elle détourna le regard.) Ce n'est pas le fait que j'aie une fille quelque part qui l'a mis dans cet état mais que son épouse ne soit qu'une fille du ghetto encombrée d'un enfant illégitime. Tu n'as aucune idée de l'effet que cette révélation a pu avoir sur lui. Il a hurlé qu'il n'avait pas obtenu un doctorat pour ramasser les détritus d'un jeune con qui devait vivre aujourd'hui de l'aide sociale. (Elle avala sa salive avec difficulté.) Cette scène a été pour moi comme une sorte de mort, dit-elle d'une voix sourde. C'est ce jour-là que j'ai appris qui était vraiment l'homme que j'avais épousé. Mon mari n'éprouve que de la *haine* pour les gens des ghettos, Jack. J'ai mis longtemps à comprendre pourquoi, puis, un jour, l'explication m'est venue de manière fulgurante. Tout ce que je connaissais de lui – toute sa vie – prenait soudain un sens.

— Explique-toi.

— Mon mari a honte d'être noir, assura-t-elle, le visage de marbre. Il a amèrement honte d'être un *nègre*. Et chaque fois qu'il me regarde il est obligé de se souvenir de sa propre couleur.

Un long silence pénible s'installa entre nous.

— Tu pourrais le quitter, dis-je enfin.

— Non, c'est impossible, s'exclama-t-elle en secouant violemment la tête. Impossible tant qu'il existe un Derek Stephens. Tout le monde croit que Charles dirige Horizn, mais c'est une plaisanterie. C'est Derek Stephens qui prend toutes les décisions importantes.

— Tu es en train de me dire que ton mari n'est qu'une marionnette entre ses mains?

— Au début, si Charles était distant, il n'était pas méchant. Disons qu'il ressemblait un peu à un robot. Mais depuis qu'il travaille avec Derek, il a beaucoup changé. Derek est maléfique, Jack. C'est lui qui a empoisonné tout ce qu'il y avait de bon chez Charles. Ils passent des heures ensemble à parler et à comploter.

— Et en quoi Stephens serait-il concerné si tu demandais le divorce?

— Je représente une plus-value pour Charles, et donc une plus-value pour Horizn. J'espère que quand la compagnie sera cotée en Bourse Stephens trouvera un moyen de se débarrasser de moi en faisant passer mon mari pour un martyr. Mais je n'ai aucun doute qu'il se vengerait en faisant tuer Briah si je faisais quoi que ce soit pour ridiculiser le P.-D.G. d'Horizn.

Je la regardai d'un air circonspect.

— Stephens raconte que les services sociaux t'ont enlevé ta fille pour négligence grave.

— Comment aurais-je pu me montrer négligente envers ma fille, alors que j'ai quitté la maternité sans elle? (Elle traversa la pièce pour venir près de moi. Elle prit alors mes mains dans les siennes et les pressa contre son visage.) Je suis désolée, Jack. J'ai menti pour protéger Briah. Je ne le ferai plus jamais.

— Je ne demande qu'à te croire.

— Pardonne-moi. J'essaie de faire trop de choses en même temps.

Elle m'entoura de ses bras, me faisant presque perdre l'équilibre et m'arrachant un gémissement. Elle s'excusa avant de me prendre par la main et de m'entraîner vers la chambre où je m'assis sur le lit. Elle m'enleva complètement ma chemise et me massa de ses mains douces.

— Tu as de quoi te soigner, au moins un antiseptique?

— Dans la cuisine, répondis-je, sous l'évier.

Elle hocha la tête, m'embrassa l'épaule et partit chercher quelque chose pour me soigner. Elle revint en brandissant un tube blanc.

— Cette pommade va te faire du bien, assura-t-elle. (Elle m'obligea à m'allonger sur le ventre et s'assit près de moi.) Ne bouge plus. (Elle fit pénétrer l'onguent dans mes muscles et j'en ressentis un apaisement rapide.) Ils t'ont salement arrangé. Je suis suis désolée.

Je fermai les yeux et la laissai continuer son massage. Je parvenais enfin à me calmer et j'avais l'impression que la vie se remettait à circuler en moi. Soudain, elle me fit basculer sur le dos et dégrafa mon pantalon qu'elle fit glisser le long de mes hanches.

Je me retrouvai bientôt en caleçon, et elle embrassa ma poitrine, mon ventre, tout en me massant l'intérieur des cuisses. J'étais fatigué, pas seulement physiquement, mon âme aussi. Et plus le temps passait, plus je me sentais détendu, au point d'être bientôt à moitié endormi. J'entendis sa voix me murmurer à l'oreille :

— Repose-toi, mon chéri.

J'eus juste le temps de me rendre compte qu'elle s'étendait à mon côté et calait sa tête sur mon épaule. Plus tard, au milieu de la nuit — une nuit sans lune, très sombre —, je me réveillai et la trouvai paisiblement endormie près de moi. Je repoussai les couvertures, dévoilant son corps sombre et magnifique qui se détachait sur le drap blanc. Je la regardai dormir pendant un long moment. Sa poitrine se soulevait régulièrement. *Tu la crois?* La question se glissa dans ma tête comme un murmure. J'observai son visage pour y chercher des traces de culpabilité. Puis elle finit par prendre conscience que je la regardais et battit plusieurs fois des paupières avant de se réveiller complètement et de me regarder à son tour.

— Tu as l'air d'aller mieux, murmura-t-elle en souriant. Ça me fait plaisir.

— Je vais mieux, acquiesçai-je. Beaucoup mieux.

Et dans la nuit noire je laissai mes doigts répondre à mes questions, caressant son ventre, remontant vers ses seins. Elle laissait échapper des murmures de satisfaction, s'abandonnant à mes mains et à mes baisers. Ce qui suivit fut une exquise confusion, un grand moment. Des minutes passèrent et quand, enfin, nos corps se joignirent, elle était transformée. Elle était forte — elle exigeait tout ce que je pouvais lui donner — et insatiable. Tout ce que j'avais vu sur la scène — l'abandon complet, l'intensité de l'instant présent — se retrouvait dans sa façon de faire l'amour. Il y avait une sauvagerie en elle, cette nuit-là, une passion désespérée, à bout de souffle. À l'instant d'atteindre la jouissance, elle redressa la tête en se mordant la lèvre, prolongeant la pression, l'étreinte, la friction. Je la suivis de très près, et quand j'ouvris les yeux elle me regardait en souriant, agitant son bassin de toutes ses forces. Puis tout fut consommé, et elle m'entraîna dans un sommeil profond, sombre et sans rêves.

# 24

Le lendemain matin, un vendredi, je la trouvai déjà habillée quand je me levai, comme la dernière fois qu'elle avait passé la nuit chez moi. Elle s'activait dans la cuisine et je m'approchai d'elle par-derrière, mon peignoir ouvert. Elle se laissa aller contre moi, acceptant que je l'embrasse dans le cou.

— Tu as faim ? demandai-je. (Comme elle ne répondait pas, je la fis pivoter vers moi.) Ça va ?

— Il faut que je parte, annonça-t-elle en baissant les yeux. Charles doit prononcer un discours à Georgia Tech et je dois l'accompagner.

— Il insiste toujours pour que tu joues ton rôle dans ses spectacles ?

Elle hocha la tête, visiblement malheureuse.

— Je ne supporte plus l'idée d'être ne serait-ce qu'une seconde avec lui. C'est affreux.

— Je t'accompagne.

— Jack, ce n'est pas une bonne idée. S'il te voit, ça pourrait mal tourner.

— Rassure-toi, il ne se passera rien. Je veux voir si je peux découvrir quelque chose.

Elle me regarda intensément, mais, me voyant déterminé, elle n'essaya plus de me faire changer d'avis.

— Sois prudent, dit-elle. Je m'en vais. Il prononce son discours à onze heures et il est déjà plus de huit heures. Je dois être présentable pour participer à son cirque. (Elle ne parvenait pas à dissimuler son anxiété et laissa échapper un soupir, avant de me déposer un rapide baiser sur la joue en disant :) Je t'aime, tu l'as compris, n'est-ce pas? (Puis, avec un sourire qui ne parvenait pas à effacer la tristesse de son visage, elle ajouta rapidement :) Ne dis rien, ça rendra les choses plus faciles.

Je l'embrassai sur le front, puis sur la bouche.

— Fais très attention à toi, dis-je. (Je lui rendis le sac qu'elle avait oublié dans ma voiture lors de notre expédition dans le Glen.) Ton téléphone est là-dedans, tu t'en souviens? Charge-le, j'aurai peut-être besoin de te joindre.

Elle prit le sac et m'embrassa à son tour sur les lèvres.

— Ce serait mieux si Charles ne s'apercevait pas de ta présence.

— Ne te fais pas de souci.

Après le départ de Michele, je fis ma toilette, puis tentai une fois encore de joindre Robinson. Et, une fois encore, j'entendis le joyeux message qu'il avait enregistré sur son répondeur en des temps meilleurs. J'avais à peine raccroché que mon téléphone portable sonna. C'était Blu.

— Jack? Où étiez-vous passé? Vous venez au bureau?

Étant donné le mal que j'avais eu tout récemment à la persuader de ne pas démissionner, je jugeai le moment mal choisi pour lui raconter que je m'étais fait kidnapper.

— Désolé de vous avoir fait faux bond, m'excusai-je en faisant attention pour la première fois à la lampe rouge qui clignotait sur mon répondeur. J'ai manqué quelque chose?

— Nicole Frost vient d'appeler. Elle compte sur vous pour l'accompagner à Georgia Tech, comme promis.

— Je suis prêt à partir.

— Rendez-vous devant l'entrée à onze heures moins dix.

— Je me rappelle, merci.

— Vous êtes sûr d'aller bien?

— Tout à fait sûr. Rien d'autre?

— Si, j'ai fait une liste. Et Billy Little a appelé deux fois.

— Qu'est-ce qu'il voulait?

— Que vous le rappeliez. Il a dit que c'était important.

— Bon, dis-je, il faut que j'y aille. Téléphonez à Nicole et dites-lui que je serai là, d'accord?

Pour Billy, je verrais le problème plus tard. Il voulait sûrement que je le mette au courant de tout, et je ne me sentais pas encore

270

prêt. S'il décidait de prendre les choses en main – ce qu'il ferait très certainement –, je serais handicapé par son insistance à appliquer la loi à la lettre. Non que j'aie quoi que ce soit contre la police, mais j'avais fini par penser que si quelqu'un parvenait à découvrir ce qui était arrivé à Doug et aux autres malheureux qui testaient le Lipitran ce serait une personne déterminée à ne pas respecter les règles.

Il me restait à m'habiller. Grâce à dix-huit heures de sommeil et au massage de Michele, je me sentais presque normal quand je pris la direction de Georgia Tech.

Le campus de cette université n'a rien d'idyllique. Situé en pleine ville, il s'étend à l'ombre des gratte-ciel, et se trouve ainsi symboliquement dominé par le pouvoir économique au sein duquel ses étudiants souhaitent être admis. Les bâtiments paraissent aseptisés et n'ont qu'un lointain rapport avec les bastions confortables et recouverts de lierre où il fait bon étudier. Je me débrouillai pour glisser ma voiture dans une minuscule place de parking puis me lançai à l'assaut d'une colline aux pentes abruptes pour gagner le Ferst Center où Charles Ralston devait prononcer son discours.

Les étudiants du cru – l'avenir des États-Unis en short et T-shirt – servaient de toile de fond à un petit groupe de financiers bien récurés et impeccablement attifés. Les brokers, qui s'adressaient mutuellement des sourires anxieux remplis de dents, se remarquaient au milieu des étudiants comme une incongruité architecturale. Ayant eux-mêmes quitté depuis peu les lieux sacrés des études, ils avaient pourtant l'air de s'en être éloignés à des années-lumière. Encore jeunes pour la plupart – même si certains ne faisaient que s'accrocher à ce qui restait de leur de saine jeunesse –, à la différence des étudiants qui les entouraient, ils arboraient leur devise tatouée sur le front : *Tu dormiras plus tard*. À gauche du nouvel immeuble étaient parqués les véhicules de nombreuses radios et chaînes de télévision. La future introduction en Bourse d'Horizn attirait les médias comme des mouches.

J'aperçus Nicole devant l'entrée du hall. Elle était lancée dans une conversation enthousiaste avec un jeune homme de moins de trente ans, beau et florissant. Elle souriait jusqu'aux oreilles.

Ses cheveux noirs qui lui tombaient sur les épaules étaient ramenés en arrière. Elle portait une robe bleu ciel dont l'ourlet lui arrivait légèrement au-dessus des genoux, et des chaussures à talons hauts assorties. Elle avait toujours été mince, mais maintenant elle était carrément étique. Ce qui ne saurait surprendre, vu qu'elle n'avait probablement pas eu le temps de déjeuner correctement depuis trois ans. Mais la superbe bouche satinée et les yeux pétillants d'intelligence – qui avaient empêché tant d'étudiants de s'endormir la nuit – étaient toujours susceptibles de causer des ravages. Quand elle m'aperçut, elle s'illumina de quelques watts supplémentaires, ce que je n'aurais pas cru possible. Elle vint vers moi, s'arrêta, examina mon visage en louchant presque, tendit la main pour m'arracher mes lunettes de soleil.

– Jack! s'exclama-t-elle. Qu'est-ce qui t'est arrivé? (J'ouvrais la bouche pour répondre, quand elle m'arrêta d'un geste.) Non, ne dis rien, je devine. Tes gentils clients, hein? Jack, vraiment, comment peux-tu continuer à t'occuper d'eux?

– Ouais, je suis sûr que les P.-D.G. crapuleux ne savent pas se servir aussi bien de leurs poings.

– Jack, comment peux-tu dire des choses pareilles? (D'une seule main, elle replaça mes lunettes de soleil sur mon nez avec précaution, tout en arrangeant le col de ma chemise de l'autre. Le frottement sur mon cou encore endolori ne fut pas agréable.) Enfin, regarde-toi, chéri, tu as perdu toutes tes cravates?

– Je m'en suis servi pour allumer le feu. (Mon amitié avec Nicole remontait à loin, mais je n'étais pas disposé à lui confier ce qu'il m'était arrivé au cours des derniers jours.) Trouvons-nous des places, dis-je.

– Tu me fais de la peine, Jack, dit-elle en faisant une grimace. Je t'assure.

Nous grimpâmes les marches et pénétrâmes dans l'immeuble, une bâtisse de brique rectangulaire avec une sculpture à l'antique plantée devant. La foule traversait l'atrium pour gagner l'auditorium et nous suivîmes le mouvement. Nous choisîmes des places vers le fond, aux deux tiers de la salle. De chaque côté de la scène se déployait un grand écran vidéo.

– Ralston fait recette, lança Nicole. (Une pléiade de reporters se trouvaient aux alentours du plateau, accompagnés de leurs cameramen, leur équipement sur l'épaule.) Ah, je le vois, ajouta-t-elle.

En effet, à droite de la scène se tenait Ralston, qui tournait le dos à la foule. Il discutait avec un grand homme dégingandé vêtu d'un costume qui lui allait particulièrement mal. J'observai le grand manitou d'Horizn pendant un moment, repensant aux instants passés avec sa femme, et apaisant mon sentiment de culpabilité en me disant que leur mariage n'était plus qu'apparence depuis longtemps. Leur mésentente ne s'expliquait pas uniquement par le fait qu'elle ait menti sur ses origines. Ils étaient non seulement issus de classes différentes, mais aussi d'époques différentes. Ralston était sans doute plus âgé qu'elle, mais il était beaucoup plus moderne. Du point de vue émotionnel, Michele était une romantique que la pratique de son art reliait à des périodes où l'amour apparaissait comme une fin en soi, ce qui ne faisait que mettre en relief la froideur de son mari. Ralston était un homme nouveau et un nouveau genre de criminel. Ses crimes à lui n'avaient rien de commun avec la barbarie des ghettos d'Atlanta. Il n'avait pas en lui la colère menaçante et extérieure de la Folks Nation. Il était simplement fatigué de la moralité, comme si, influencée par son esprit scientifique, l'idée de moralité s'était usée et avait cessé d'être pertinente pour lui. Sa haine était comme nivelée, exempte de toute passion. La haine du ghetto était vivante, imprévisible, et c'était par conséquent quelque chose qui pouvait évoluer, voire guérir. Ralston, lui, était devenu une simple machine à consommer, comme le virus qui lui avait permis d'amasser une fortune. Assis ici, parmi ses enfants idéologiques, je ne me sentais pas à ma place. *Tu crois en une certaine forme de monde, Jack. Les bons et les méchants.* C'était peut-être le problème. Peut-être qu'il n'y avait plus de bons et de méchants. Peut-être qu'il fallait décider soi-même ce qu'on pouvait tolérer et l'appliquer. Peut-être que j'étais un dinosaure et que les Nightmare, Ralston, Stephen, et les étudiants attentifs de Georgia Tech étaient dans le vrai.

— Et *la* voici, murmura Nicole.

Je tournai la tête, et en la voyant je revins sur terre. Elle venait de s'asseoir au premier rang, légèrement sur la droite, si bien que

273

je pouvais contempler son profil. Elle avait relevé ses cheveux, comme au Quatre Saisons, et portait des boucles d'oreilles en or très simples. Elle était si belle que j'en avais mal. Sa vue m'emplissait de désir, de passion, et même d'amour – des notions démodées d'une ère lointaine, mais encore assez puissantes pour me pousser à aller me faire démolir le portrait par la Folks Nation. Peut-être que nous étions tous les deux des dinosaures qui ne se trouvaient pas à leur aise dans le siècle où ils devaient vivre et cherchaient un réconfort l'un chez l'autre. Étant le fils d'un homme qui s'était échiné toute sa vie à gratter le sol à Dothan, Alabama, pour essayer de subsister, j'en avais appris assez sur la désespérance pour comprendre le monde qui était le sien. Et Michele avait tellement besoin d'être sauvée que je me sentais irrésistiblement attiré vers elle. Je voulais être son chevalier à l'armure étincelante, mais ce putain de siècle ne s'y prêtait pas.

Nicole se pencha vers moi pour murmurer :

– Je me demande s'il était déjà riche quand ils se sont mariés.

– Et pourquoi te poses-tu cette question ?

– Non, mais regarde-la, chéri. Une femme comme elle n'épouse pas un prof de fac. (Après quelques instants de silence, elle ajouta :) Il devait au moins être un petit peu riche, même s'il n'était pas plein aux as comme il va l'être très bientôt.

À ce moment-là, Ralston fit signe à Michele, qui se leva et s'approcha de son mari. Il lui passa un bras autour des épaules et elle participa à la conversation avec l'homme au costume mal taillé. Ralston lui murmura quelques mots à l'oreille, qu'elle accueillit d'un petit sourire crispé. C'était pénible à regarder quand on savait combien tout ce cinéma lui coûtait. Elle en était venue à le haïr, mais elle continuait de lui obéir par peur ; et il en serait ainsi tant qu'il tiendrait la vie de sa fille entre ses mains.

Quelques minutes plus tard, les lumières baissèrent progressivement, et le brouhaha qui régnait dans l'auditorium s'apaisa. Ralston s'assit à côté de sa femme, mais ils n'échangèrent pas un mot. J'arrivais tout juste à les distinguer dans la lumière qui les éclairait depuis la scène. Michele regardait droit devant elle. Puis le grand homme qui s'était entretenu avec eux monta sur le plateau et fut accueilli par quelques applaudissements clairsemés et peu enthousiastes.

— Bienvenue sur le campus de Georgia Tech, commença-t-il. Je suis le docteur Barnard Taylor, doyen du collège de biotechnologie. Aujourd'hui est un grand jour pour nous. (À ce point de son discours, une photo en noir et blanc de Charles Ralston jeune apparut sur les écrans qui l'encadraient.)

Nicole se pencha vers moi pour murmurer :

— Le show commence.

L'image montrait le jeune Ralston vêtu d'une blouse blanche, en train de s'activer dans un laboratoire. Pour un simple cliché, il était très instructif : l'expression de son visage trahissait toute son ambition. Il paraissait en même temps concentré et heureux. Il se trouvait visiblement dans son élément.

— Charles Ralston, poursuivait l'orateur, a commencé sa carrière par une activité qui est proche de notre cœur : la recherche. (Ici et là, quelques ricanements se firent entendre.) Le travail du Dr Ralston a allongé la vie de plusieurs milliers de personnes. L'antiomyacine est à ce jour le seul médicament connu pour lutter contre les effets de l'hépatite C, en diminuant de façon significative le risque de cancer pour les malades qui en sont atteints. Ce médicament a rendu l'espoir à tous ceux qui attendent impatiemment un remède qui les guérira.

En entendant ce discours, ma conversation avec Robinson me revint en mémoire. Il était parvenu à convaincre Grayton d'investir des millions pour en finir définitivement avec l'hépatite C. Il était facile de deviner qui avait tout à perdre s'ils réussissaient à mettre au point un médicament efficace : Horizn. J'en étais là de mes réflexions quand les bâtiments d'Horizn s'affichèrent sur les écrans.

— Au cours des quinze dernières années, persévérait le doyen, Charles Ralston a conduit Horizn dans de nouveaux domaines de la recherche pharmaceutique, apportant une immense contribution au traitement de la néphrite et d'autres maladies rénales. En même temps, employant plus de quatorze cents personnes, il est devenu l'un des pontes du monde des affaires d'Atlanta. (Le Dr Taylor se permit un sourire.) Parmi ces quatorze cents personnes, on compte des diplômés de Georgia Tech.

Cette petite phrase lui valut ses premiers applaudissements sincères et quelques cris enthousiastes.

— Je ne veux pas parler seulement des capacités professionnelles de Charles Ralston, mais aussi de ses qualités d'homme de cœur qui retiennent trop peu l'attention des médias dans le monde des affaires actuel.

Sur les écrans apparurent les images d'un film vidéo tourné en noir et blanc, et donnant un aperçu saisissant des quartiers les plus sordides d'Atlanta. Difficile d'ignorer qu'ils étaient situés à quelques kilomètres de l'endroit où nous étions rassemblés, et le contraste était déroutant. Les chaises sur lesquelles nous avions pris place, sans même leur accorder un deuxième coup d'œil, étaient plus luxueuses que tout ce qu'on pouvait trouver derrière les grilles de ces horribles ghettos.

— Ces images soulignent le *scandale* de la santé publique aux États-Unis. Tandis que les politiciens cherchent à obtenir des votes en leur faveur en réduisant les impôts des riches, ils ne lèvent pas le petit doigt pour lutter contre la pauvreté, le racisme et la désespérance qui tuent nos citoyens les plus pauvres. Si les Afro-Américains étaient considérés comme une population à part entière, ils viendraient au quarantième rang dans le monde pour la mortalité infantile. Et quand je regarde en direction du monde des affaires, je n'en vois pas beaucoup faire des efforts pour remédier à ce problème. Heureusement, nous avons parmi nous aujourd'hui une brillante exception à cette règle de l'indifférence.

Nouveau changement sur les écrans où fut projetée une photographie plus récente de Ralston, toujours en noir et blanc, style Annie Leibowitz. Il y apparaissait légèrement maussade et fixait l'appareil tel un sphinx au regard insondable ; pourtant, quelle ironie, il n'en avait pas moins l'air indéniablement romantique.

— Le programme d'échange de seringues usagées pour des seringues neuves, lancé par le Dr Ralston, est un défi lancé aux autres groupes pharmaceutiques, poursuivait Taylor. Au lieu de se contenter d'engranger les profits générés par cette maladie, Charles Ralston s'efforce d'en stopper la propagation. Horizn possède le brevet du médicament le plus efficace au monde pour traiter l'hépatite C. Et cependant, en dépit d'un coût financier et politique élevé, cette entreprise fait tout ce qui est en son pouvoir pour empêcher les citoyens d'Atlanta d'avoir besoin de ce médicament. Il y a des gens dans cette ville qui ne croient pas à la nécessité de ce programme d'échange de seringues, mais, heureusement, Charles Ralston n'a pas tenu compte de leur avis. Il a choisi de sauver des vies et je tiens à célébrer son courage et sa générosité. Et, aujourd'hui, c'est notre petite communauté qui bénéficie de sa philanthropie. Je tiens donc à vous donner l'occasion de fêter cet homme extraordinaire avec moi. Mesdames et messieurs, veuillez accueillir le meilleur ami des chercheurs de Georgia Tech : le Dr Charles Ralston.

Ralston se leva et eut droit à une véritable ovation. Il grimpa l'escalier menant à la scène dans une bousculade de journalistes, de photographes et de cameramen dont les lampes puissantes l'entouraient d'un étrange halo. Pour l'Atlanta du XXIe siècle, il représentait l'homme idéal : un Noir ayant réussi des études brillantes, et qui, une fois devenu un homme d'affaires milliardaire, n'hésitait pas à tendre la main à ses frères du ghetto. Le public avait beau être, en majorité, composé de Blancs et d'Asiatiques, les applaudissements furent sincères, sauvagement enflammés et prolongés. Je suis persuadé que si Ralston avait soudain annoncé qu'il briguait le poste de gouverneur de l'État la plupart des personnes présentes se seraient enrôlées pour l'aider dans sa campagne. Il parvint enfin à se débarrasser de la meute des journalistes pour gagner le plateau, et tendit la main au doyen qui l'ignora pour le serrer dans ses bras avec émotion. Ralston eut une brève expression de surprise vite effacée, avant de tapoter amicalement l'épaule du doyen, à la façon d'un père qui ne souhaite pas qu'un enfant lui abîme ses vêtements. Taylor ne parut s'apercevoir de rien, et prolongea son embrassade quelques secondes encore, avant de libérer Ralston pour qu'il puisse rejoindre le micro.

Il se tenait immobile dans son costume parfaitement coupé, essayant d'un geste de calmer les applaudissements.

– Merci beaucoup. Merci. (Finalement, il parvint à obtenir le silence.) C'est un grand plaisir pour moi de me retrouver ici au milieu de mes collègues scientifiques. J'aime me replonger dans le milieu universitaire, de temps à autre, pour me rappeler la passion qui était la mienne lorsque j'étais étudiant. En voyant vos jeunes visages devant moi, je ressens beaucoup de nostalgie, car je suis envieux de ce que vous pourrez découvrir au cours de toute la vie que vous avez devant vous. Envieux du monde que vous allez créer. Envieux du pouvoir qui sera un jour entre vos mains.

Le plus grand silence régnait dans l'auditorium. Les étudiants absorbaient les paroles de Ralston comme des fanatiques écoutant un chef religieux.

— Il y a ceux qui vous mettront des bâtons dans les roues, au cours de votre voyage dans le futur. Ils tenteront de s'abriter derrière leurs dieux pour limiter vos recherches. Vous les combattrez. Et vous vous rappellerez constamment deux choses : premièrement, qu'ils ont existé de tout temps. En 1633, Galilée a dû prononcer à genoux, devant le tribunal de l'Inquisition, l'abjuration de sa thèse. Ceux qui s'opposeront à vos recherches sont les descendants de ces ignorants. Deuxièmement, vous triompherez. Pas peut-être. Pas probablement. Certainement. Ceux qui craignent la marche en avant de la science prendront un jour leur place sur le tas de cendres de l'histoire aux côtés de ceux qui pensaient que la Terre était plate et que les Noirs – il s'arrêta un instant pour ravaler son émotion et baissa les yeux –, que les Noirs étaient des objets, quelque chose qu'on pouvait acheter et vendre. (Il regarda de nouveau son public.) Toute cette ignorance sera un jour vaincue. La société Horizn finance des recherches génétiques dans cette université pour la même raison qu'elle le fait ailleurs : dans l'espoir d'en faire profiter l'espèce humaine. Je crois en ce monde-là, le monde du futur. Je crois en un monde où les gens n'auront plus besoin de se rendre à Bombay pour acheter au marché noir un rein dont ils ont désespérément besoin. C'est quelque chose qui convient à un Européen au porte-monnaie bien rempli, mais pas à mon peuple. Je crois en un monde où la *Grus americana*, la grue blanche, sera sauvée de l'extinction grâce à la science du clonage. Et, par-dessus tout, je crois en des remèdes pour les maladies dévastatrices que nous devons affronter, maladies qui atteignent mon peuple d'une façon disproportionnée. Je ne cesserai jamais d'agir, à travers la recherche ou le programme d'échange de seringues, pour sauver leurs vies.

Un tonnerre d'applaudissements éclata spontanément dans l'auditorium. Ralston se tint immobile en attendant qu'il finisse par s'apaiser.

— Je vais vous laisser avec cette pensée, continua-t-il quand il put enfin reprendre la parole. Il y a ceux qui croient qu'un homme de science vit dans une tour d'ivoire, que la science ne se préoccupe pas des soucis quotidiens. À ceux-là, je crie que la science est la vie. Rien n'existe en dehors de son influence. Et, aujourd'hui, les pouvoirs publics doivent comprendre que le rôle de la science est plus crucial que jamais. Nous sommes devant la porte d'un nouvel Éden. Dans chaque Éden, il faut qu'il y ait un Adam et une Ève. Nous sommes les témoins de l'évolution du genre humain, de la création de l'humain transgénique. Tous ceux qui se trouvent dans cette salle auront la chance incroyable de pouvoir vivre ce moment de triomphe. Depuis un demi-million d'années, les humains ont lentement progressé vers l'instant où ils vont enfin se débarrasser des entraves de leur destinée génétique qu'ils vont pouvoir choisir. Ce n'est rien de moins qu'une libération de l'esclavage des gènes. C'est l'événement le plus important dans l'histoire de l'humanité. Par comparaison, les inventions de la roue et du feu sont de vulgaires détails. Et vous, conclut-il en ouvrant ses deux bras en direction du public, vous en serez les maîtres.

La fin de son discours déclencha des applaudissements encore plus nourris, s'il se pouvait. Ralston fit un geste en direction de la coulisse, et un homme et une femme s'avancèrent sur la scène, en portant l'un de ces énormes faux chèques que l'on remet aux gagnants des loteries. Ils le présentaient à l'envers, si bien que le montant en était dissimulé.

— J'ai rarement dépensé de l'argent aussi judicieusement, déclara alors Ralston. Le collège Charles Ralston d'ingénierie biomédicale se livrera à des recherches fondamentales pour l'humanité. Et si certains d'entre vous cherchent du travail après avoir obtenu leurs diplômes, je pense que je pourrai faire quelque chose pour eux.

Encore des applaudissements et des vivats, qui allèrent crescendo quand le chèque fut retourné. Il était libellé pour une somme de quatre millions de dollars.

Tout le public se leva comme un seul homme, et Ralston fit signe à Michele de venir le rejoindre sur la scène. Elle se leva comme un automate obéissant. Elle semblait avoir beaucoup de

279

réticence à jouer son rôle dans ce spectacle médiatique. Quand elle fut près de son mari, elle fit face aux caméras, le visage totalement inexpressif. Pas le moindre sourire n'étirait ses lèvres.

Nicole me tira par le bras.

— Je crois que je viens de tomber amoureuse, gazouilla-t-elle. Ce mec est fabuleux.

— Tu es sûre de vouloir que ce soit lui, le nouveau Messie?

— Tu es complètement à côté de la plaque, Jack. Ce que vient de prophétiser Ralston se produira de toute façon. La seule question qui reste en suspens, c'est de savoir qui en profitera.

Les caméras filmèrent encore quelques minutes, et, avec un sourire crispé, Ralston libéra Michele de ses obligations. Elle fit mine de quitter la scène, mais à peine avait-elle fait quelques pas qu'un visage que je ne m'attendais pas à voir entra dans mon champ de vision. Celui de Bob Trammel, que j'avais vu pour la première fois au Quatre Saisons, et dont j'avais fait plus tard la connaissance à Saint Louis. Michele se figea en le voyant, mais il continua d'avancer vers elle en arborant un sourire épanoui et faux. Quand elle fit mine de le contourner, il posa la main sur son bras et l'entraîna hors de la scène. Ils disparurent tous les deux derrière les immenses rideaux noirs.

— Attends-moi une minute, tu veux bien? demandai-je à Nicole.

— Non, mon chéri, je dois me dépêcher, répondit-elle. Téléphone-moi, d'accord?

— Promis.

Elle fit signe à quelques connaissances et je me frayai difficilement un chemin à contre-courant dans la foule qui quittait la salle pour rejoindre la scène. Quand je finis par l'atteindre, les médias avaient plié bagage. Personne ne fit attention à moi quand je gravis un escalier de côté. J'avais vu Ralston s'éloigner en compagnie du doyen. Il se hâtait probablement vers son prochain rendez-vous. Franchissant les rideaux, je fus surpris par la quasi-obscurité qui régnait dans la coulisse, mais j'aperçus Michele, que Trammel tenait fermement par le bras. L'air terrifiée, elle finit par se dégager nerveusement. J'étais certain que Trammel venait de proférer une menace. D'ailleurs, il se remettait à parler. J'en avais assez vu. Je sprintai — même handicapé par la douleur, je pouvais me déplacer rapidement – et couvris les cinq mètres qui me séparaient d'eux en un rien de temps. Michele fut la première à me voir, car l'homme me tournait presque le dos.

— Jack! s'exclama-t-elle en se mettant vivement hors de portée de Trammel. Il est trop tard, Jack. Il faut que tu t'en ailles.

Quand il se retourna pour me faire face, il m'adressa un sourire méchant. Le genre de sourire que les ceintures noires de quelque chose adressent aux innocents assez inconséquents pour se mettre en travers de leur chemin. Pendant une seconde, j'ai cru que j'étais bon pour ma troisième agression violente de la semaine. J'étais sur le point d'adopter cette attitude impassible qui empêche de se soucier de ce que les minutes suivantes vont apporter – l'ingrédient essentiel d'une bagarre de rue – quand la porte qui nous faisait face s'ouvrit devant de jeunes étudiants qui se mirent en devoir d'envahir coulisse et plateau, encouragés par leur professeur, une dame à lunettes.

— Dépêchez-vous de vous installer. Nous ne pouvons disposer de la scène que pour une heure.

Trammel adopta une mine moins belliqueuse, mais je m'en aperçus à peine. Ce qui ne m'échappa pas, en revanche, ce fut la fuite de Michele. Elle avait profité de l'intrusion du groupe pour franchir rapidement la porte dans l'autre sens. Son soi-disant assistant fit un pas en avant pour la suivre, sans se soucier de bousculer les étudiants qui maintenant s'agglutinaient et formaient un solide barrage, puis il y renonça. Même dans l'état d'énervement qui était le sien, il savait que deux hommes pourchassant une femme sur un campus universitaire n'allaient pas passer inaperçus, surtout quand la femme était célèbre et que les camions des chaînes de télévision étaient encore garés devant le bâtiment. Les derniers finirent enfin par franchir la porte, et leur professeur qui la tenait ouverte nous dévisagea avec beaucoup de suspicion. Elle donnait l'impression de savoir qui avait le droit de se trouver ici, et visiblement, pour elle, nous n'en faisions pas partie. En fait, elle vint jusqu'à nous d'un pas décidé.

— Est-ce que je peux vous renseigner? demanda-t-elle d'un air entendu.

Trammel ne trouva rien à répondre.

— Pourriez-vous nous indiquer où se trouve l'immeuble Couch ? demandai-je sans réfléchir.

— Certainement, dit-elle. Vous *sortez d'ici* et c'est tout à fait à l'autre bout du campus.

— Merci beaucoup, dis-je en inclinant la tête. Allez, viens, mon vieux Bob, on y va. Pas question de déranger le cours de cette charmante dame.

Trammel me jeta un regard mauvais et me suivit à l'extérieur. Le professeur ne nous quitta pas des yeux tant que nous restâmes dans son champ de vision.

Il y a des moments où attendre pour voir ce qui va suivre est une attitude idiote. Bob Trammel — que j'avais surpris en train de malmener une femme — n'était pas, décidai-je, un homme raisonnable. Alors, après que la porte se fut refermée sur nous, je lui expédiai le plus méchant direct de toute ma vie. Le point de rencontre se situa quelque part entre sa pommette gauche et son œil, me causant une douleur foudroyante à la main. Mais ce coup réussit à expédier le cher Bob au pied de l'escalier en lui faisant survoler les marches, et il atterrit en un tas informe. Alors, sans perdre une seconde, je fonçai le long d'un couloir et ne tardai pas à retrouver le soleil qui baignait le campus de Georgia Tech.

Avoir refait le portrait de Bob Trammel me causait un plaisir infini, mais ne m'empêchait pas de m'inquiéter pour Michele, dont je ne voyais nulle trace. Une fois dans ma voiture, je me retrouvai dans les embouteillages de l'heure du déjeuner. Les voitures semblaient faire du sur-place dans toutes les rues avoisinantes.

J'avais réussi à franchir deux pâtés d'immeubles en direction de l'I-75 quand j'aperçus la Lexus gris argent de Michele dans une autre file et à une dizaine de voitures devant moi. Voyant qu'elle s'apprêtait à tourner à gauche pour rejoindre le sud d'Atlanta, je me débrouillai pour changer de file, ce qui me valut quelques imprécations méritées.

J'aurais pu attirer son attention, mais renonçai à le faire. Je préférais la suivre. Si elle était en danger, je voulais être assez proche pour m'interposer, mais d'un autre côté je préférais d'abord connaître la nature du danger. Voilà pourquoi je la laissai continuer sans me faire remarquer à une cinquantaine de mètres derrière elle. Quelques minutes plus tard, je commençai à me douter de notre destination, tout en en repoussant l'idée aussi longtemps que je le pus. Toutefois, constatant qu'elle ne tournait pas dans Crane Street, il m'était impossible de me leurrer davantage. Michele se dirigeait vers le McDaniel Glen.

Je vis sa voiture franchir les grilles de fer et la suivis sans hésiter. Je roulais à une trentaine de mètres derrière elle. Ne pas me faire repérer à l'intérieur du ghetto serait sans doute impossible, les rues étant droites comme des I et la circulation quasi nulle. Je fus donc obligé de ralentir pour agrandir la distance entre nos deux voitures. Elle n'alla pas très loin, et quand elle s'arrêta j'eus tout juste le temps de glisser la Buick derrière une autre voiture stationnée près du trottoir. J'avais par hasard trouvé un emplacement idéal, je pouvais l'observer à travers les vitres du véhicule qui dissimulait le mien, tout en restant pratiquement invisible.

Au bout de quelques instants, un homme sortit de l'immeuble devant lequel elle attendait, assise au volant. Il fit le tour de la Lexus pour venir de son côté et lui fit signe de baisser sa vitre. J'eus l'impression que mon cœur allait cesser de battre : c'était Jamal Pope. Il se pencha vers elle en s'appuyant à la portière. Naturellement, il m'était impossible d'entendre un seul mot de leur conversation depuis l'endroit où je me trouvais, mais leurs attitudes respectives me permettaient de deviner que leur entretien était orageux. Ils s'agitaient de plus en plus, puis Pope fit un pas en arrière et j'enclenchai le levier de la boîte automatique, tout en gardant mon pied sur le frein. S'il se produisait un renversement de situation brutal, je voulais pouvoir me rapprocher de Michele aussi vite que possible. Toutefois, je ne me dissimulais pas que mes options contre un type comme Pope étaient limitées : je n'étais pas armé, et Pope était aussi dangereux qu'un chat sauvage. À moins que je ne parvienne à l'écraser, l'issue d'une bagarre avec lui ne me laissait aucun doute quant au résultat. Mais l'écraser ne faisait pas partie pour moi des options envisageables.

Leur dispute dura encore quelques instants, puis ils parurent se calmer. Pope se rapprocha même de la vitre ouverte, un sourire cauteleux sur le visage. Et il alla jusqu'à passer une main à l'intérieur de la voiture pour caresser les cheveux de Michele. J'en eus tout de suite la nausée. *Mon Dieu! Michele et Pope? Non, impossible.* Elle lui lança une dernière phrase et démarra. Pope regarda la Lexus s'éloigner. Puis Michele vira dans la première rue à droite, pour rejoindre ensuite l'entrée du Glen.

J'ouvris alors ma portière, mais ce fut suffisant pour me valoir toute l'attention de Pope. Je sortis de ma voiture sans m'en éloigner. Pope m'observa sans animosité particulière, mais l'affabilité dont il avait fait preuve à mon égard lors de nos précédentes rencontres n'était plus de mise. Je m'avançai alors vers lui, en prenant bien soin de garder les mains éloignées de mon corps. Quand je fus arrivé à environ cinq mètres de lui, il me lança :

— Vous vous êtes remis rapidement.

— J'aimerais quelques réponses, dis-je. Au sujet de la femme avec qui vous étiez en train de discuter.

Jamal Pope hocha la tête d'un air dubitatif.

— Ce n'est pas votre période de chance. Vous devriez vous tirer pendant qu'il en est encore temps.

— Écoutez-moi, Jamal, c'est vous le big boss, ici, exact? Pas la police. Il ne se passe rien dans le Glen sans votre accord.

— C'est exact, reconnut-il avec un haussement d'épaules.

— Alors c'est à vous qu'il appartient de faire respecter un peu de décence dans le coin. Vous ne pouvez pas laisser le chaos s'installer.

Jamal Pope pencha légèrement la tête sur le côté.

— J'aimerais comprendre où vous voulez en venir.

— Vous escroquez Michele Sonnier en vous servant de sa fille, je me trompe? (L'expression de Pope s'assombrit dangereusement, mais je n'en continuai pas moins :) Vous pourrez me tuer quand j'aurai fini, mais laissez-moi vous dire ceci : vous dépassez les bornes. Les gens du quartier se détruisent sans doute eux-mêmes, la pauvreté et le désespoir peuvent y régner, mais bon Dieu, Pope, il faut tout de même qu'il y ait certaines limites!

Il m'observa silencieusement pendant un moment qui me parut très long. Comme Ralston — son homologue qui faisait dans le commerce légitime de la drogue –, il me prouvait qu'un tueur complètement amoral pouvait rester méditatif, voire se plonger dans des réflexions philosophiques. Mais sa moralité obéissait à des critères particuliers et n'avait pas lieu d'être dès qu'il s'agissait des affaires.

— Vous et cette fille, finit-il par dire, c'est pas l'idée du siècle.

— Figurez-vous que je m'en doutais. Mais merci quand même du conseil.

Il tendit le bras en direction de ma Buick.

— Combien d'essence vous avez dans ce tas de merde?

— Je sais pas vraiment.

Il accueillit ma réponse évasive par un haussement d'épaules.

— De toute façon, le mieux pour vous, c'est de remonter dans votre vieux tacot, de vous tirer d'ici, et de rouler jusqu'à la panne sèche. Allez aussi loin que possible, pour vous assurer que je suis hors de portée.

— Pour l'amour du ciel, Pope, essayez donc d'aider les vôtres!

Ses yeux se réduisirent à deux fentes.

— Vous avez sorti mon petit Keshan de ses ennuis, rappela-t-il. Mais vous tirez trop sur la ficelle.

— Pope, bon Dieu! Regardez autour de vous.

Il jeta effectivement un regard panoramique, puis reporta son regard sur moi en hochant la tête.

— T'as tout faux, mec, s'exclama-t-il. C'est pas moi qui ai fait ce monde-là, j'essaie simplement d'y survivre. Ainsi, ce qui te préoccupe, c'est une simple transaction financière? Ta nana veut retrouver quelqu'un et j'ai accepté de m'occuper de son problème. En somme, je lui rends un service. Contre des honoraires.

— Enfin, Pope! Est-ce que sa fille se trouve dans le Glen, oui ou non?

— Pour cinquante mille dollars, il le faudra bien. Et c'est tout ce qui compte.

— Vous êtes en train de parler d'un être humain, Pope. Et vous êtes noir vous aussi. Ça ne veut rien dire pour vous? (Je me sentais de plus en plus submergé par la colère.) Je suis sûr qu'elle vous donnera tout l'argent que vous voulez.

— C'est en effet ce qu'on a décidé, elle et moi.

— Vous êtes en train de commettre une erreur, Pope. Vous vous mêlez de choses qui vous dépassent. Essayez de comprendre que Michele est en cheville avec des gens très puissants qui ne veulent pas qu'elle retrouve sa fille.

— Ah bon? Et qui donc, s'esclaffa Jamal Pope.

— Des gens extrêmement riches qui voyagent en avion privé, qui ont du pouvoir et qui ont déjà tué huit personnes.

Je vis que j'avais toute son attention, mais sa réponse me déçut.

— Alors, je crois que le prix va augmenter, dit-il.

— Je vous en prie, Pope, ne faites pas l'idiot, ou cette histoire va très mal se terminer, croyez-moi.

Il laissa encore fuser son rire, mais son air bravache habituel l'avait abandonné.

— Qu'ils viennent donc m'affronter dans mon monde, dit-il, et on verra bien.

Son ignorance intransigeante réduisait ma patience à néant.

— Derek Stephens n'en a rien à foutre, de ton territoire, murmurai-je entre mes dents.

— Derek Stephens est le seul Blanc que je connaisse qui se préoccupe de mes semblables, rétorqua-t-il.

La surprise m'empêcha de lui répondre immédiatement.

— Vous connaissez Stephens? Derek Stephens? Le gros ponte des laboratoires Horizn? m'étonnai-je.

— Parfaitement! acquiesça-t-il.

— Vous voulez me faire croire que Stephens est déjà venu se balader dans le McDaniel Glen?

— Non, je le rencontre à l'extérieur avec les seringues.

— Qu'est-ce que vous racontez?

— Je parle de l'échange de seringues.

— Et il se charge personnellement de collecter les seringues utilisées?

— Oui, mon garçon. Rabbit ramasse les seringues de tous ceux qui le veulent bien. Stephens lui a montré comment s'y prendre. C'est vachement bien organisé. C'est l'utilisateur qui doit enfiler lui-même la protection sur l'aiguille. Pas question de prendre des risques. Et puis on inscrit le nom et l'adresse de celui qu'a rapporté la seringue.

— Le nom et l'adresse de ceux qui rendent les seringues sont enregistrés?

— C'est ce que je viens de dire, visage pâle. Alors, ne raconte surtout pas de conneries sur Stephens, parce que c'est mon pote.

Lors des débats sur le programme d'échange de seringues, l'accent avait été mis sur le fait que les participants devaient pouvoir garder l'anonymat. Donc, il y avait forcément quelque chose de louche dans ce que venait de m'apprendre Jamal Pope, même si je n'avais pas la moindre idée de ce que cela pouvait signifier. Et je ne voyais qu'une personne capable d'éclairer ma lanterne sur le sujet : le docteur Thomas Robinson. Je me hâtai vers ma voiture en lançant à Jamal Pope, par-dessus mon épaule :

— Il faut que je file.

— Un conseil, répliqua-t-il. Ne t'avise pas de remettre les pieds ici !

Il me fallut une demi-heure pour regagner mon appartement, ce qui fait qu'il était presque quinze heures lorsque j'y arrivai. Je fonçai tout droit sur mon attaché-case et en sortis la liste des huit personnes qui avaient participé au test du Lipitran. J'ouvris ensuite un plan de la ville que j'étalai sur la table de la salle à manger. Je trouvai le premier nom : *Chantelle Weiss, 4239 Avenue D. L'Avenue D., je connaissais.* Armé d'un feutre noir, je la repérai sur le plan et la marquai d'un X. C'était en plein cœur du McDaniel Glen. *Jonathan Mills, 225 Trenton Street.* Je découvris que c'était à quelques rues de l'Avenue D. *Najeh Richardson.* Pas à l'intérieur du Glen, mais à la frontière. Idem pour les autres. Tous les volontaires ayant participé aux tests de Robinson vivaient dans le Glen ou tout près. *Bien, ils vivaient dans le Glen et se droguaient tous. Il participaient donc très certainement au programme d'échange de seringues. Et si c'est le cas leurs noms et adresses étaient connus d'Horizn. Mais où va-t-on à partir de là ?* Puis une idée explosa dans ma tête comme un feu d'artifice. *Stephens s'est débrouillé pour empoisonner les huit avec les seringues. Ça ne peut être que ça ! Pas question de perdre du temps à téléphoner à Robinson, je fonce le récupérer dans son parc.*

Je fourrai les papiers dans mon bureau, dévalai l'escalier quatre à quatre et sautai dans la Buick. Je passai quarante-cinq minutes à m'énerver dans les embouteillages avant d'atteindre ce foutu parc. C'est avec soulagement que je repérai Robinson, assis, parfaitement immobile, sur le même banc que la dernière fois. En m'entendant arriver, il tourna la tête, mais après m'avoir reconnu il regarda de nouveau droit devant lui.

Je n'étais pas d'humeur à mettre les formes.

— Vous étiez passé où? aboyai-je. Je vous ai téléphoné au moins vingt fois!

Le Dr Robinson n'avait pas dû dormir depuis longtemps.

— Bla, bla, bla, bla, dit-il en restant impassible.

— Vous recommencez à déconner.

— Oui, et vous voulez savoir pourquoi?

— Pas vraiment.

— Parce qu'il n'y a aucun moyen de coincer ce salaud. Il est plus fort que moi.

— Je sais comment Ralston et Stephens ont tué vos patients.

— Qu'est-ce que vous dites? s'exclama-t-il en sursautant.

— Par le biais de leur programme d'échange de seringues.

Robinson me regarda d'un air dubitatif.

— Ça m'a l'air plutôt tiré par les cheveux.

— Vous feriez mieux de m'écouter, dis-je sèchement. Je suis à peu près certain que les huit personnes sur lesquelles vous avez pratiqué les tests pour le Lipitran participaient à leur programme d'échange de seringues. Et j'ai appris que tous devaient donner leurs noms et adresses. Stephens les a empoisonnés avec les seringues.

— C'est ça votre théorie? demanda-t-il d'un ton ironique.

— Oui, puisque je vous dis...

— Oubliez-la, m'interrompit-il. Mes tests obéissaient à des lois fédérales. Les patients que je traitais n'étaient pas autorisés à s'injecter quoi que ce soit d'autre.

— Mais s'ils étaient accros, peut-être que...

— Non, trancha-t-il. À partir du jour où ils ont signé, ils ont commencé à prendre de la méthadone par voie orale. Et les seules aiguilles avec lesquelles ils ont été en contact, ce sont les nôtres quand on leur a administré le Lipitran. Ils participaient peut-être au programme de Ralston auparavant, mais pas après avoir signé pour le test. Et même en supposant que l'un d'eux se soit laissé tenté, il en reste sept autres.

— Bordel de bordel! m'exclamai-je, déçu, en voyant mon

hypothèse devenir plus qu'improbable. J'étais tellement certain d'avoir coincé ces ordures.

— Oui, eh bien, il faut savoir s'habituer aux déceptions. Je vous l'ai déjà dit. Si Ralston a réussi à saborder le Lipitran, c'est qu'il est allé beaucoup plus loin que quiconque.

— Je m'en souviens.

— Alors ne venez pas m'ennuyer avec vos stupides histoires d'aiguilles empoisonnées. Dites-moi plutôt comment vous en êtes arrivé à croire ces sornettes.

— D'abord, j'ai rendu visite à Ralston.

— Et il vous a reçu? demanda Robinson, l'air sombre.

— Oui. Ensuite, je suis allé au McDaniel Glen, où j'ai eu non seulement la surprise d'apprendre que Stephens collectait lui-même les seringues usagées pour les remplacer par des neuves, mais qu'il enregistrait aussi les noms et adresses des utilisateurs. (Je vis avec satisfaction qu'en entendant mentionner le nom de Stephens Robinson se mit à m'accorder davantage d'attention.) Donc, leur foutu programme n'est pas anonyme comme il est censé l'être. Chaque seringue correspond à un nom et à une adresse.

Il se leva et se mit à faire les cent pas en marmonnant des paroles inintelligibles entre ses dents pendant un temps qui me parut infini. Au moment où, n'y tenant plus, je m'apprêtais à le saisir par le cou pour lui faire cracher le morceau, il s'arrêta de lui-même.

— Oh, mon Dieu! s'exclama-t-il en se retournant vers moi.

— Quoi, mon Dieu?

— Comment un être humain a-t-il pu imaginer un truc pareil? Quelle sorte de cerveau faut-il avoir?

— Allez-vous me dire à quoi vous pensez, oui ou merde?

— Il s'est servi de son programme d'échange de seringues pour tuer mes patients.

J'étais à deux doigts de le tabasser.

— Mais, putain! C'est ce que je me tue à vous dire depuis une heure, me contentai-je de hurler.

— Pas tout à fait, Jack. Personne n'a été empoisonné. C'est impossible. J'aurais remarqué des résidus autour de la marque de l'aiguille. C'est *infiniment* plus subtil que ça.

— Accouchez!

Il était planté devant moi, le visage gris. Il ne me fit pas languir plus d'une seconde.

— Je vais vous expliquer la façon de penser d'un psychopathe. (Il se mit à parler en marchant de long en large, comme s'il faisait une conférence.) Le corps réagit aux toxines grâce au système cytochrome P-450. Vous en avez entendu parler?

— Non.

Il me regarda d'un air ébahi.

— Vous ne vous êtes jamais demandé quelle réaction produit l'absorption d'un cachet d'aspirine?

— Le mal de tête disparaît.

— Je veux parler de ce qui arrive à l'aspirine. Quatre heures plus tard, on n'en trouve plus trace dans votre système. Que s'est-il passé?

— Je ne me suis jamais posé la question.

— Il a été métabolisé par le système cytochrome P-450.

— Alors l'aspirine est une toxine?

— Essayez d'en avaler un tube entier en une seule fois, ça vous le confirmera.

— Jusque-là, j'arrive à vous suivre.

— Bien. Quand une toxine pénètre dans le corps humain, le système P-450 analyse sa structure chimique. Puis il mobilise quelques gènes – deux ou trois sur une trentaine de mille environ – et demande au corps humain de fabriquer les enzymes appropriées. Elles sont nécessaires pour métaboliser la composante inconnue. C'est assez impressionnant quand on sait qu'on ne se rend jamais compte de rien. Pendant cette opération délicate, on peut être tranquillement assis sur son cul en train de bouffer des pop-corn.

— D'accord, je suis impressionné, acquiesçai-je. Mais j'aimerais comprendre le rapport avec la mort de vos patients.

— Vous savez ce qu'est la thalidomide? demanda-t-il en me regardant comme si j'étais un demeuré.

— Oui, dis-je, en repensant à tous ces bébés nés handicapés.

— Voilà ce qui arrive quand le système P-450 est impuissant à barrer la route à un nouvel agresseur, si je puis dire. Ce système s'est affiné au cours de milliers d'années pour contrôler ce qui se passe dans la nature. Mais nous ne cessons d'inventer des choses que nous inoculons dans le corps humain. Des choses qui n'existaient pas auparavant. Alors l'affinage du système ne sert plus à rien quand il s'agit de produits synthétiques.

— Je comprends.

— Les avocats ont pourri la vie du fabricant, mais la vérité, c'est qu'il n'existait aucun moyen de prévoir ce drame. Il y a eu des tests, bien sûr. Et pour quatre-vingt-dix pour cent des sujets tout s'est bien passé. Seulement, voilà : les dix pour cent restants étaient des femmes enceintes qui donnèrent naissance à des bébés sans bras. (Il resta pensif un moment avant d'ajouter :) Vous savez, Jack, un essai clinique, ça consiste à donner le médicament à des volontaires. C'est ça, un test.

L'implication de ce qu'il venait de me dire me laissa sans voix.

— Je m'imaginais que les résultats étaient plus prévisibles, finis-je par avouer.

— Heureusement que c'est ce que pensent la majorité des gens, parce que, sinon, on ne trouverait pas beaucoup de volontaires pour les tests.

— Si on revenait à Ralston ?

— Dans une minute. Il ne faut pas croire que le problème s'est limité à la thalidomide. Chaque médicament révèle son lot d'allergiques. Plus le médicament est puissant et plus les allergies sont nombreuses. Et le Lipitran l'est particulièrement. Donc, inévitablement, un certain nombre de malades ne pourront pas le métaboliser. Et ils seront exposés à de très gros problèmes.

— Que cherchez-vous à démontrer ?

Il se retourna vers le parc sans répondre, comme s'il refusait d'affronter la réalité.

— Imaginez que vous puissiez trouver ces personnes à l'avance ? demanda-t-il sans élever la voix. Imaginez que vous soyez assez calé en génétique pour prévoir qui un médicament risque de tuer avant même que ces personnes le prennent.

— Vous croyez ça possible ?

Lorsque Robinson se retourna vers moi, tout le sang s'était retiré de son visage.

— J'en crois Charles Ralston tout à fait capable. Pour réussir, il avait besoin de deux choses, et je viens de comprendre qu'il en disposait.

— C'est-à-dire?

— D'abord la formule du Lipitran. Et, grâce au piratage de Grayton par Townsend, il a pu en produire la quantité qui lui était nécessaire.

— Et l'autre, c'est quoi?

— Il lui fallait l'ADN de centaines de toxicomanes. Peut-être même un millier.

— Le programme d'échange des seringues.

— Oui. Il est devenu le héros de son peuple en se servant d'eux d'une manière criminelle.

— Expliquez-moi comment il s'y est pris.

— Évidemment, ça paraît facile une fois qu'on a compris. Ralston produit une petite quantité de Lipitran et en donne un certain dosage à un toxico. Un seul toxico, ignorant ce qu'on lui injecte. Son système P-450 se met alors à produire les enzymes qu'une personne normale produit pour métaboliser le remède. Puis le toxico revient voir Stephens un peu plus tard pour échanger sa seringue. Ralston la lave avec un liquide physiologique salin et il récupère les substances sanguines restées dans la seringue. Il détient la réponse précise des enzymes humaines au Lipitran. Le reste est à la portée d'un débutant.

— Il a donc bien utilisé les seringues usagées qu'il collectait lui-même.

Robinson acquiesça d'un signe de tête.

— Chacune d'elles, précisa-t-il, contient l'ADN du toxico qui l'a utilisée. Et cet ADN peut lui donner toutes les informations qu'il a besoin de connaître. Il devient facile de repérer ceux qui n'ont pas les enzymes nécessaires.

— Mais tout ça a dû demander un sacré bout de temps.

— Sans doute. Il l'a commencée quand, sa distribution de seringues?

— Il y a deux ans environ, si ma mémoire est bonne.

Ma réponse arracha un rire amer au Dr Robinson.

— Comme nous avec le Lipitran. (Il ferma les yeux d'un air las.) Après avoir détecté ces pauvres types, il savait qu'en leur administrant le Lipitran il les condamnait à une mort atroce.

— Lors de notre rencontre, il a nié toute responsabilité.

— Il ne les a pas touchés, même pas approchés. Si on leur

avait donné des gardes du corps armés, ça n'aurait pas changé le problème.

— Mais comment a-t-il pu persuader chacune de ces huit personnes de se porter volontaire pour tester le Lipitran?

— Ce sont des toxicos, et il leur fournit leurs seringues neuves. Il a pu leur promettre n'importe quoi, y compris de l'héroïne pharmaceutique quand ce serait terminé. Pour un drogué, c'était lui offrir le paradis.

Je me tenais immobile à côté de Robinson dans le silence du parc. Je me disais que, parfois, avoir un don, un talent, n'a foutrement rien à voir avec la vertu et la droiture.

— On le tient tout de même, ce salaud, m'exclamai-je, soulagé.

— On ne tient rien du tout, assura Robinson, il va s'en tirer.

Éberlué, je me tournai vers lui.

— Quoi?

— Oui, il va s'en tirer, Jack. Nous avons échafaudé une belle petite théorie, mais nous ne possédons pas la moindre preuve.

— Comment ça?

— Personne n'a survécu. Il suffirait d'un survivant pour étayer notre démonstration.

— Lacayo! m'exclamai-je.

— Il est mort, il y a deux jours, m'apprit-il avec un rire sans joie. D'une façon aussi atroce que les autres. Je suis allé le voir et sa mère m'a surpris. Elle m'a frappé. (*Voilà pourquoi je n'ai pas réussi à te trouver*, pensai-je.) À vrai dire, j'envie son sort, ajouta-t-il, oui, sincèrement, j'aimerais mieux être à sa place qu'à la mienne.

— Vous pourriez faire de nouveaux tests? suggérai-je.

— Vous voulez savoir pourquoi Ralston est un véritable génie? Parce que maintenant il a la loi de son côté. Si j'osais recommencer des tests avec le même médicament, on pourrait aller jusqu'à m'accuser de tentative de meurtre. (Il fit une vilaine grimace.) Et la vie de qui voulez-vous que je risque, Jack? Vous me voyez expliquer à un tribunal pourquoi j'ai injecté du Lipitran à un autre patient, alors que les huit premiers volontaires auxquels je l'ai administré en sont morts? D'une mort particulièrement horrible?

— Non, je l'avoue.

— Et même si ce nouveau patient survivait je me retrouverais quand même en prison jusqu'à la fin de mes jours. (Il leva les yeux au ciel puis les ferma.) Vous voyez bien qu'il s'agit du crime parfait. C'est sans précédent. Ralston a tué huit personnes en utilisant leurs propres corps contre eux. Il est devenu un héros pendant qu'il se livrait à ces meurtres. Et pour couronner le tout, le gouvernement fédéral le protège contre quiconque chercherait à faire éclater la vérité.

Un long silence suivit. Il était difficile de ne pas éprouver une certaine admiration pour le génie de Ralston, tout en étant viscéralement révolté par la façon dont il l'utilisait.

— Bon Dieu de bon Dieu! finis-je par éclater. J'étais sûr qu'on les tenait.

— Eh bien, ce n'est pas le cas.

— Je repense tout d'un coup à une chose que j'ai trouvée très bizarre. Quand j'étais dans le bureau de Ralston, j'ai découvert qu'il ignorait que Doug Townsend participait au test sur le Lipitran.

— Qu'est-ce que vous dites?

— Ralston ne savait pas que Doug participait à votre test. C'est moi qui le lui ai appris.

— Et quelle a été sa réaction?

— Il s'est quasiment effondré devant moi et m'a fait comprendre que l'entretien était terminé.

Robinson me sauta pratiquement dessus et s'agrippa aux revers de mon veston.

— Jack, il faut que vous me trouviez le corps de Townsend, et il n'y a pas une seconde à perdre.

— Son corps? Vous imaginez les complications?

— Si Ralston ne savait pas que votre ami participait au test, c'est qu'il ne faisait pas partie des toxicos choisis par lui. Townsend a dû se porter volontaire de son propre chef sans que Ralston l'apprenne.

— Mais qu'est-ce que ça veut dire?

— Ça veut dire qu'il est un *survivant*.

— Il est mort, docteur, m'exclamai-je, éberlué.

— Il est mort d'une overdose de *Fentanyl*, Jack, pas à cause du

Lipitran. Vous me suivez? Tout ce dont j'ai besoin pour coincer Ralston se trouve dans le corps de Doug Townsend en ce moment.

— Deux secondes. Si Doug était volontaire pour tester le Lipitran, vous devez déjà avoir un échantillon de son sang.

— Bien sûr. *Avant* qu'il ait pris le Lipitran. Mais *après*, je ne l'ai pas revu.

— Il a été assassiné parce qu'il aurait été guéri.

— Exactement. Où se trouve son corps?

— À l'institut médico-légal.

— Bien, mais il y a une chose qu'il ne faut pas perdre de vue, Jack. Si j'ai pu arriver à cette conclusion, Ralston aussi. À la seconde où vous lui avez appris que Townsend avait pris du Lipitran.

— Alors ça ne peut être que lui qui m'a fait enlever à ma sortie d'Horizn.

— Quoi?

Je racontai mon kidnapping à Robinson, et la façon quasi miraculeuse dont j'étais parvenu à m'en sortir.

— S'ils ont essayé de me tuer, ils s'y sont mal pris, concluai-je.

— Méfiez-vous, Jack. Ils ne feront sans doute pas la même bêtise deux fois.

— Vous êtes certainement en danger vous aussi.

— Je vais aller à Grayton. C'est une véritable forteresse.

— Bonne idée. Je vous téléphone dans une ou deux heures.

— Encore une fois, soyez très prudent. Un cerveau qui a imaginé ce moyen de tuer mes patients est capable de n'importe quoi.

La récupération du corps de Doug nécessitait plus qu'un simple coup de fil passé à Billy Little. Je devais lui formuler cette requête de vive voix. Il était seize heures cinquante. En général, Billy ne quittait jamais son bureau avant dix-huit heures.

En me voyant entrer, il afficha sa surprise :

— Ah, te voilà. Mais où étais-tu passé?

— Désolé, Billy. Blu m'a dit que tu avais appelé, mais j'ai été très occupé.

Je posai un papier devant lui.

— Laboratoires Grayton Technical, lut-il. Et alors?

— C'est la boîte que Doug Townsend a piratée. Je t'en ai déjà parlé.

— Oui, je m'en souviens, acquiesça-t-il en hochant la tête.

— Ils ont besoin du corps de Doug. Leur directeur de recherche, le Dr Thomas Robinson.

— Vraiment? demanda Billy en haussant un sourcil.

— Robinson faisait des tests pour un médicament et Doug s'était porté volontaire. Il pense qu'il peut obtenir des renseignements précieux en faisant quelques prélèvements sur son corps.

— De quels tests est-on en train de parler?

— Un médicament contre l'hépatite C.

Billy me regarda un moment d'un air dubitatif, avant de lancer :

— Tu sais ce que je me demande?

— Pourquoi tu n'as pas été informé que Doug avait une hépatite C? Je l'ignorais moi aussi, et j'étais son ami.

— Pas du tout, rétorqua Billy. Je me demande pourquoi tout d'un coup le cadavre de Townsend est devenu le plus populaire de la ville.

— Qu'est-ce que tu veux dire?

— Je veux dire que ton Dr Robinson arrive trop tard.

— Trop tard?

— Oui, quelqu'un a déjà demandé le corps hier, m'apprit Billy en se levant. (Il alla vers une armoire métallique grise et en sortit un document qu'il me tendit.) Lucy Buckner, Phoenix, Arizona.

— La cousine de Doug? Je lui ai laissé plusieurs messages, elle ne m'a jamais rappelé.

— Eh bien, apparemment, elle a rappelé Ron Evans.

— Ron Evans?

— Le type qui s'est présenté avec une procuration, signée en bonne et due forme, pour prendre possession du cadavre de Doug Townsend. Je n'avais aucun motif pour refuser, Jack. L'enquête a conclu au suicide.

Le choc que je venais de subir m'empêcha de lui répondre. *Sans bavure. Pas de cadavre, pas de preuve. Voilà pourquoi ils ne m'avaient pas tué. Ils avaient seulement besoin de me mettre hors circuit pendant un certain temps. Le temps de régler le problème du cadavre de Doug.*

— Si tu me racontais ce que tu sais, Jack, me relança Billy. Ce type, Townsend, c'est quoi, la vraie histoire?

Je me sentais épuisé. Plus fatigué que je ne l'avais jamais été.

— Ah quoi bon, Billy? Il n'y a plus rien à faire, maintenant.

— Réfléchis bien, Jack, je peux peut-être t'aider.

— Non, assurai-je en fermant les yeux. C'est terminé.


Il restait une pièce du puzzle à mettre en place, et plus tard, cette nuit-là, je tentai d'y parvenir. Après avoir retrouvé son numéro, je téléphonai à la cousine de Doug. Une voix de femme à l'accent du Sud me répondit assez sèchement.

— Qui est à l'appareil?

Je me forçai à demeurer aimable.

— Je suis Jack Hammond, et j'étais l'avocat de Doug. Je vous ai laissé plusieurs messages après sa mort.

— J'ai déjà dit à Mr. Evans qu'on pouvait faire ce qu'on voulait de son corps, dit-elle, de plus en plus irritée. Aider la science ou n'importe quoi. Enfin, pour trois mille dollars, comme convenu.

*Trois mille dollars. De l'argent de poche!*

— Quelqu'un vous a offert trois mille dollars pour le corps de Doug?

— Écoutez, si Doug s'était fourré dans les ennuis, je n'y suis pour rien. J'ai dit des centaines de fois à ce garçon de laisser tomber la drogue.

— Je ne vous accuse de rien, Mrs. Buckner. Je cherche seulement des renseignements sur l'homme qui vous a acheté le corps de Doug.

— Il m'a dit qu'une faculté de médecine paierait pour pouvoir étudier son corps.

— A-t-il précisé laquelle?

— Non. Il m'a demandé de signer les papiers et de les lui faxer pour qu'il me vire l'argent. J'ai répondu que tout ça était très joli, mais que je faxerais les papiers *après* avoir reçu l'argent.

— Et vous l'avez reçu?

— Oui. Trois mille dollars transférés à la Western Union. Je suis allé les récupérer, et je lui ai faxé les papiers de là-bas.

— Vous avez conservé le numéro de fax, Mrs. Buckner?

— Oui, il est inscrit ici, près du téléphone. C'est le 414 555 1610.

Je notai les chiffres.

— Et il ne vous a pas fourni d'autre moyen d'entrer en contact avec lui?

— Non. Mais je suis pas surprise que Doug se soit fourré dans les ennuis. Ce garçon n'a pas cessé de nous causer des problèmes depuis le début.

Je ne sais pas si elle avait l'intention de continuer sur sa lancée, mais je lui raccrochai au nez sans dire au revoir. Je composai alors le numéro de fax qu'elle m'avait donné et obtins un cinéma dans le comté de Cobb. *Pas la moindre bavure, comme d'habitude. Ils avaient «emprunté» un numéro de téléphone pendant une courte période.* Après avoir reposé le combiné, vidé de toute énergie, je me laissai tomber dans un fauteuil. *Cette fois, c'était vraiment fini.*

Je fermai les yeux. *Dire qu'on avait été si près du but.* À quelques heures près, je n'étais pas parvenu à rendre justice à Doug et à sept autres victimes. Huit personnes étaient mortes, et il était devenu impossible de remonter jusqu'aux coupables.

*Ainsi va le monde*, me dis-je une fois de plus. Ralston et Stephens allaient rafler leur milliard de dollars. Le ghetto aurait perdu quelques âmes de plus, mais la grande ville d'Atlanta ne s'étant jamais souciée d'eux de leur vivant, elle n'aurait même pas besoin de les oublier.

Plus tard, au plus profond de la nuit, je me réveillai et me sentis tout de suite vif et alerte. Je fixai le plafond pendant un petit moment, me demandant si j'avais perdu l'esprit. Je conclus que non. Mon idée tenait debout. Et elle n'avait rien à voir avec les cellules, les gènes et autres mystères de la science que j'avais tellement de mal à concevoir. Elle était banalement humaine. Et le fait que je sois toujours en vie me prouvait que Ralston et Stephens n'y avaient pas encore pensé. Si cette idée ne leur venait pas à l'esprit dans l'immédiat, je tenais ces deux salauds par la peau des couilles.

# 25

À huit heures, le lendemain matin, je m'installai dans la Buick. Elle avait des ratés depuis la course-poursuite de la veille, le parallélisme des roues était à revoir, et la transmission – Dieu seul sait quand le liquide ad hoc avait été remplacé pour la dernière fois – manifestait tous les symptômes d'une maladie grave. Pour ma plus grande satisfaction, elle fit néanmoins l'effort de me conduire jusqu'à l'institut médico-legal d'Atlanta où j'arrivai environ une heure plus tard. Nous étions samedi, mais, comme les crimes ne sc mettent jamais aux abonnés absents pendant le week-end, la morgue non plus. Elle jouxte le laboratoire de pathologie de la police, ce qui est très pratique. L'entrée principale est même commune aux deux établissements. Je déteste les laboratoires de criminologie qui me donnent l'impression de me trouver dans un hôpital. Ils sont tout aussi immaculés, puent les mêmes produits chimiques, et sont éclairés par les mêmes lumières hargneuses. Celui d'Atlanta ne fait pas exception à la règle. Ce qu'il n'a pas en commun avec un hôpital, il l'a avec une prison – côté protection électronique. Il est situé au sud de la ville, dans une zone industrielle, loin du quartier général de la police. L'immeuble n'arbore aucun signe particulier sur la façade, et, comme l'aire de chargement est discrètement située à l'arrière de l'immeuble, je pense que certains de ses voisins ne savent même pas ce qui s'y passe. Cette discrétion a pour dessein de favoriser sa sécurité ; cet établissement abrite en effet des matériels très dispendieux et stocke quantité d'indices, de preuves, de rapports, parfois détonants. Des caméras filment tous les gens qui se présentent à la porte, enregistrent le moindre de leurs gestes. Avant de quitter le hall de réception, chaque visiteur

299

reçoit une carte d'identification à son nom qu'il doit afficher en permanence. Je déposai donc mon permis de conduire, signai le registre et indiquai à la réceptionniste que je souhaitais voir le Dr Raimi Hrawani, la pathologiste en charge du laboratoire. En tant qu'avocat de Doug, j'avais le droit de consulter son dossier. Je regardai vers les caméras, et l'envie me vint de prononcer une petite prière.

Au bout de quelques minutes, une femme en blouse blanche franchit la double porte vitrée en face de laquelle j'étais assis. Elle avait environ trente-cinq ans, un teint olivâtre, des cheveux bruns très courts et soigneusement plaqués derrière les oreilles. Si je ne l'avais encore jamais rencontrée, j'avais souvent vu son nom mentionné en rapport avec certains crimes. Hrawani avait une réputation éblouissante et était souvent appelée à témoigner, lors de procès importants.

— Bonjour, Mr. Hammond, dit-elle avec un accent des Indes orientales. Vous désirez me parler de Doug Townsend. Malheureusement, j'ai très peu de temps. Il s'est passé des choses déplaisantes, au sud d'Atlanta, la nuit dernière, et nous sommes débordés.

— Le détective Billy Little m'a dit que quelqu'un était venu réclamer son corps?

— C'est exact, et toute la paperasserie a été remplie correctement.

— Vous pouvez me dire quand?

— Hier après-midi, vers seize heures trente.

— Vous avez fait une autopsie?

Elle fit non de la tête.

— Nous n'avons fait que garder le corps.

— Alors vous n'avez aucun échantillon sanguin, aucun tissu?

— On a pris quelques photos, c'est tout.

— Est-ce que je pourrais les voir?

Elle me tendit un badge en plastique.

— Accrochez ça à votre chemise et suivez-moi.

Le laboratoire était construit en carré, avec un large espace de travail au centre, comportant quatre tables pour les autopsies. Quatre tables en acier inoxydable percées de trous, et entourées d'un matériel qui me fit penser aux instruments de torture du

Moyen Âge. Je fus heureux d'entrer dans le bureau de Raimi Hrawani, une pièce à l'espace limité, meublée de classeurs et d'un bureau de métal gris, ainsi que de quelques chaises capitonnées aux pieds munis de roulettes. Elle me surprit en train de regarder une photo aux teintes passées qui représentait un couple se donnant le bras devant un immeuble à l'architecture compliquée.

— Mes parents, dit-elle. Il y a une quarantaine d'années. Avant ma naissance.

— Où est-ce que la photo a été prise?

— Au Pakistan. À Islamabad. On raconte qu'à cette époque c'était une très belle ville.

Elle me désigna une chaise et s'assit elle-même. Elle tenait un dossier d'où elle tira deux photos qu'elle étala sur le bureau devant moi. J'y découvris Doug étendu sur l'une des tables d'acier, et passai les secondes suivantes à essayer d'avaler ma bile et de m'accoutumer à la vision d'une mort nue et implacable.

— Votre client était décharné, ce qui n'est pas surprenant chez quelqu'un qui se droguait depuis longtemps, mais il ne se piquait pas, car il n'y avait pas de traces d'aiguilles.

Elle posa une autre photo, un gros plan de l'épaule gauche de Doug, et j'en crus à peine mes yeux en y voyant tatoués les mots *Pikovaya Dama* – les caractères employés étaient similaires à ceux que j'avais découverts sur la cuisse de Michele.

— Est-ce que son hépatite pouvait être la conséquence de ce tatouage? demandai-je.

— C'est tout à fait possible. Vous savez ce que cette phrase veut dire? demanda-t-elle.

— C'est du russe. Ça signifie la Dame de pique.

— Apparemment, votre client a vaincu sa peur des aiguilles. (Les paroles de Ralston me revinrent alors en mémoire : *Pour passer cinq minutes en compagnie de Michele, il n'aurait pas hésité à se trancher le doigt.*) C'est tout ce que j'ai à vous montrer, dit-elle en rangeant les photos dans la chemise.

— Avez-vous rencontré le dénommé Ron Evans qui est venu chercher le corps?

— Non, mais Charlie, l'employé qui s'est occupé de lui, pourra certainement vous renseigner. Je vais vous le présenter.

301

— Merci, c'est très aimable à vous.

Je suivis Hrawani hors de son bureau et elle me conduisit vers l'arrière du bâtiment où s'activait un Noir athlétique qui devait friser la quarantaine. Ses épaules et ses bras étaient massifs comme ceux d'un haltérophile.

— Charlie, appela-t-elle, vous voulez bien venir une minute?

L'homme regarda dans notre direction et acquiesça d'un signe de tête. Hrawani nous présenta l'un à l'autre et lui demanda s'il avait remarqué quelque chose d'inhabituel quand on était venu récupérer le corps de Doug Townsend.

Il réfléchit quelques instants avant de répondre.

— Pas quelque chose de vraiment bizarre, dit-il enfin, mais ce qui m'a surpris, c'est qu'il n'y avait aucun nom d'inscrit sur le corbillard. D'habitude, j'ai toujours affaire à un des six ou sept établissements de pompes funèbres du coin, et je sais à quoi ressemblent leurs voitures.

— L'homme qui est venu a bien signé une décharge?

— Obligatoirement. Le registre à l'entrée.

Nous gagnâmes tous les trois l'entrée de l'établissement. Tandis que Charlie cherchait dans le registre, je montrai un écran de télévision en circuit fermé qui affichait l'arrière de l'immeuble.

— C'est toujours en service? demandai-je.

— Vingt-quatre heures sur vingt-quatre, répondit Charlie.

— Alors vous avez enregistré l'homme qui est venu chercher le corps de Townsend?

— En effet, oui.

— Je peux visionner la bande?

Raimi Hrawani me regardait d'un air hésitant.

— Mr. Hammond, votre demande nous place sur un terrain délicat.

— Non, protestai-je. Ce que cet homme a fait à l'extérieur de l'immeuble est public. Et je ne demande rien d'autre.

Après avoir réfléchi quelques secondes, elle finit par donner son accord et Charlie obtempéra avec un haussement d'épaules. Il vérifia l'heure exacte dans le registre et tapota sur le clavier d'un terminal. L'écran montra bientôt une camionnette Ford Econoline garée sur l'aire de chargement.

— C'est bien ça. C'est le véhicule dont je vous parlais, précisa Charlie.

— Pouvez-vous cadrer plus avant pour montrer Evans ?

Il appuya sur une flèche et l'image avança tout doucement. Sur l'écran apparurent bientôt Charlie et un autre homme en train de pousser un chariot, sur lequel on devinait un corps enveloppé d'un sac. L'homme, d'un petit gabarit, paraissait avoir cinquante-cinq ans et était à moitié chauve. Quand il fallut transférer le corps de Townsend dans la camionnette, il laissa Charlie faire le plus gros du travail. Jusque-là, il avait été impossible de distinguer clairement son visage. Heureusement, avant de partir, il se retourna pour donner une poignée de main de pure forme à Charlie.

— Vous pouvez faire un arrêt sur cette image ?

— Pas de problème.

— Vous pouvez l'imprimer ?

Avant de répondre, Charlie consulta Hrawani du regard. Elle semblait de nouveau hésitante, mais elle finit par acquiescer d'un signe de tête. Charlie tapota encore une fois le clavier de son ordinateur, et une imprimante laser toute proche se mit à bourdonner. Au bout de quelques minutes, il me tendit un agrandissement du visage de l'homme.

— Ce n'est pas parfait, dit-il. Mais c'est le mieux que je puisse faire.

— Merci mille fois. Ça ira très bien, assurai-je. (Puis, me tournant vers Hrawani, j'ajoutai :) Je vous suis très reconnaissant pour votre aide. Je vous promets de vous tenir au courant de la suite.

Après avoir rendu mon badge, je regagnai ma voiture en tapotant la photo dans ma poche. Maintenant, il ne me restait plus qu'à mettre la main sur Nightmare.

Cette fois-ci, je ne me donnai même pas la peine de téléphoner. Je filai directement vers le West End où il habitait. C'est un quartier de vieux appartements aux plafonds et aux loyers assez bas, occupés par des familles d'ouvriers. Après avoir garé la Buick, j'allai frapper à sa porte derrière laquelle j'entendais de la musique rock mélancolique. Pas de réponse. Je frappai plus énergiquement. Le volume de la musique baissa, mais la porte ne s'ouvrit toujours pas.

— C'est Jack! criai-je. Il faut que je te parle. (Toujours rien.) Je ne partirai pas avant de t'avoir parlé, Michael, alors sors de ton trou!

J'entendis des bruits de verrous, et la porte s'ouvrit. Nightmare m'apparut en caleçon et T-shirt. Il donnait l'impression de n'avoir pas dormi depuis plusieurs jours.

— Je t'inviterais bien à entrer, mais c'est très bordélique chez moi.

— Tu es sûr que ça va? Tu ne m'as pas l'air en forme.

— À moins que tu veuilles un rencard avec moi, je vois pas en quoi ça te concerne, répondit-il aimablement.

— Ça ne va pas te prendre longtemps, dis-je, en forçant le passage.

Son appartement sentait le fauve, les quelques meubles ne valaient pas la peine qu'on les mentionne, et sa stéréo était du genre très bon marché avec les haut-parleurs intégrés. Les CD éparpillés à côté portaient tous des étiquettes écrites à la main. D'ordinateur, point.

— Mais où est ton équipement? m'étonnai-je.

— À l'arrière. Je le planque loin des fenêtres. Le quartier n'est pas sûr.

— Si tu passais un pantalon, Michael?

— Pourquoi, tu veux m'inviter quelque part?

— Si tu veux, mais ce n'est pas le problème. Ça ne m'excite pas de te voir en caleçon.

Avec un haussement d'épaules, Nightmare fila dans sa chambre et en ressortit vêtu d'un blue-jean sale et d'une chemise froissée. En observant son allure ainsi fagoté, j'essayais de ne pas laisser l'angoisse m'envahir à la pensée que la mémoire de huit personnes assassinées dépendait de ce maigrichon.

— Il faut que tu m'aides encore une fois, Michael.

Observant avec intérêt la pointe de ses pieds, il fourra les mains dans ses poches.

— Écoute, mec, si t'arrêtes pas de me faire bosser, il va falloir casquer.

— Tu plaisantes, non? Tu veux vraiment me présenter une facture?

— Ton sac de nœuds, là, c'est pas mon truc. Alors, faut me considérer comme un entrepreneur indépendant. Et ça se paie.

— On n'est plus partenaires, Jackie Chan?

— Rien à voir.

— Rien à voir?

Je m'approchai de lui pour le saisir par le col de sa chemise. Il parut rapetisser.

— Tu sais comment ils sont morts Michael? (Il fit non de la tête.) Ils ont explosé de l'intérieur et tous leurs orifices se sont mis à saigner simultanément. Ils sont morts comme des chiens abandonnés, d'une façon atroce. Alors toi et moi, on va tout de suite aller aux laboratoires Grayton. Tu vas m'aider à démasquer les responsables du meurtre de huit personnes. J'espérais que tu allais le faire parce que tu étais un type bien sous l'apparence extérieure ridicule que tu tiens à te donner. Mais même si ce n'est pas le cas, tu vas le faire parce que, sinon, je suis tout disposé à t'étriper.

— Les laboratoires Grayton? demanda-t-il, pas ému pour deux sous.

— Exact.

Il repoussa ma main qui le tenait encore par le col.

— O.K. Ça me botte.

— C'est Grayton, le mot magique? Il suffit de le prononcer pour que tu changes d'avis?

— Écoute, j'ai dit que j'allais t'aider. Point.

Le temps manquait pour se livrer à des discussions inutiles.

— Très bien. Tu as besoin de quelque chose de particulier?

Il ramassa le même sac qu'il avait apporté dans mon bureau et l'accrocha à son épaule.

— En route.


Si Horizn se présentait comme un palace high-tech, Grayton était un espace de travail pour ouvriers construit dans un but d'efficacité. Le laboratoire était situé dans une longue bâtisse en brique de deux étages. À première vue, cette construction avait plusieurs dizaines d'années, et peu d'efforts avaient été accomplis pour en moderniser l'aspect. L'environnement était totalement négligé. Et, vu les mesures de protection draconiennes, on avait davantage l'impression de se trouver dans un établissement pénitentiaire que dans l'un des bastions du nouveau monde de la recherche génétique.

Le service de sécurité de Grayton ne bénéficiait pas de toutes les ressources électroniques d'Horizn – très probablement pour des raisons économiques –, mais compensait cette insuffisance par la présence de nombreux gros bras. Robinson ayant prévenu les gardes, nous pûmes franchir la grille extérieure sans encombre pour gagner le parking. Ensuite, dans l'entrée de l'immeuble principal, nouvel arrêt devant deux gardes armés en train de surveiller une dizaine de récepteurs de télévision. Des caméras balayaient en permanence les abords et l'intérieur du complexe. L'un d'eux se leva en nous voyant entrer et, après nous avoir fait signer un registre, il nous demanda d'attendre en nous désignant des chaises à dossier droit disposées un peu plus loin.

Cinq minutes plus tard, le Dr Robinson faisait son apparition. L'expression de son visage laissait transparaître une espérance fragile qui ne parvenait pas à dissimuler l'angoisse tapie au fond de lui.

— Je vous présente Michael Harrod, dis-je en me levant.

— Appelez-moi Nightmare.

Robinson observa mon compagnon sans rien dire pendant un moment, puis se retourna pour emprunter le couloir par lequel il était venu en nous invitant à le suivre.

Les couloirs de Grayton étaient presque déserts, et les rares personnes qui s'y trouvaient disparaissaient dans leurs bureaux quand ils apercevaient Robinson. Ceux qui n'avaient pas le temps de s'éclipser lui décochaient des regards noirs. À croire qu'il était atteint de la peste bubonique. Le docteur n'était pas insensible au traitement qu'on lui faisait subir. Lorsque nous atteignîmes la porte de son laboratoire, il ne parvenait plus à dissimuler sa honte.

— Je vous assure que nous allons régler ce problème, déclarai-je avant d'entrer.

— J'ai risqué l'avenir de cette société et j'ai perdu, rétorqua-t-il.

— Alors pourquoi est-ce qu'ils ne se sont pas privés de vos services ?

— Parce qu'ils ne peuvent pas. J'ai un contrat.

— Ils pourraient vous le racheter.

— Je ne veux pas d'argent. Je veux me venger. Et j'ai encore accès à ce labo pendant quatre mois.

— Et vous avez de l'aide?

— Personne ne lèverait le petit doigt pour m'aider. Je suis maudit.

Nightmare leva le bras vers le plafond en montrant ce qui ressemblait à un énorme pommeau de douche.

— Qu'est-ce que c'est? voulut-il savoir.

— Une douche d'urgence, expliqua Robinson. Elles sont disséminées un peu partout. On utilise ici des produits chimiques dangereux. En cas de pépin, les gens ne sont jamais à plus de dix mètres d'une douche pour se débarrasser au plus vite d'un produit toxique. Il suffit de tirer sur le levier.

— Vous en avez déjà vu une fonctionner?

— Une fois, précisa Robinson, sans s'appesantir.

Il poussa une grande porte à deux battants et nous précéda dans une vaste salle rectangulaire, d'une vingtaine de mètres de long sur douze ou treize de large. Il pressa quelques boutons et les plafonniers s'allumèrent au-dessus de nos têtes. Tout l'espace était encombré d'appareils qui me paraissaient d'une complexité effarante. Le tout assorti d'un véritable labyrinthe d'écrans d'ordinateur. Mais s'il était clair qu'une bonne dizaine d'assistants devaient s'activer dans ce labo, il y a encore peu de temps, aujourd'hui, aucune des chaises n'était occupée. Et l'endroit dégageait autant de mélancolie qu'un tombeau. Deux machines, légèrement bourdonnantes, occupaient le centre de la salle. En les découvrant, Nightmare ne put retenir un petit cri admiratif.

— Pas mal, hein? dit Robinson.

— Quand je pense à ce que je pourrais faire avec autant de...

— Le corps! l'interrompit le docteur. Quand pourrons-nous en disposer?

*Nous y voilà,* pensai-je.

— Justement, il a disparu. (Robinson ne trouva rien à répondre et se mit à trembler.) Pas de panique, on va le retrouver.

— Que s'est-il passé? Vous m'aviez dit que vous connaissiez un type qui...

— Ils ont simplement été plus rapides que nous. Quand je me suis retrouvé ligoté...

— Quoi? Tu t'es retrouvé ligoté? m'interrompit Nightmare.

D'un geste, je lui demandai de la fermer.

— Donc, pendant que j'étais immobilisé, quelqu'un est allé récupérer le corps. Hier, en fin d'après-midi.

Robinson, dont la santé mentale ne tenait qu'à un fil, demanda d'une voix qui chevrotait :

— Mais qui?

Je posai la photo que j'avais en ma possession sur la table de travail qui se trouvait devant nous.

— Voilà le type qui est venu récupérer le corps de Doug.

— Et c'est tout ce que vous avez? s'énerva Robinson. Une photo de mauvaise qualité?

— Non, dis-je en désignant Nightmare. J'ai également ce jeune homme.

— Je connais pas ce type, moi! s'exclama ce dernier, plutôt ébahi.

— Je me doute bien que tu ne le connais pas. Mais tu connais quelqu'un qui le connaît, et tu vas lui poser la question.

— Tu veux bien m'expliquer?

— Quand je suis allé voir Ralston, j'ai été photographié par son système de sécurité à reconnaissance faciale.

— Biométrie? demanda Nightmare en levant un sourcil. Putain, mec, tu m'en bouches un coin.

— Je suis sûr que ce type travaille pour Ralston, poursuivis-je. Alors on doit forcément retrouver sa gueule dans le système.

— Mec, trancha Nightmare, t'as complètement disjoncté. Grayton, c'était une chose. Mais je vais certainement pas pirater Horizn.

— Si tu arrives à t'introduire dans leur banque de données, tu pourras non seulement nous dire qui est ce mec, mais sans doute aussi la couleur de ses chaussettes préférées.

— Écoute, je n'ai rien contre pirater Horizn. C'est du premier choix. Mais pas pour toi, et pas de cette façon. T'es devenu complètement dingue.

— Tu vas les pirater, Michael, parce que cette affaire est devenue trop importante pour que tu nous claques entre les doigts.

— Même si j'acceptais, il me faudrait des semaines, et j'exagère même pas.

— On n'a pas des semaines. Explique-moi ce qu'il faudrait que tu fasses.

— Il faudrait d'abord que j'aille sur EDGAR, le site de la SEC[1], pour voir s'il y a des groupes qui leur sont affiliés, ou s'ils opèrent aussi sous d'autres noms. Dans ce cas-là, il est parfois possible de pénétrer par la porte de derrière d'une filiale.

— Pas question, ça prendrait trop de temps. Ensuite?

— Je pourrais passer quelques jours à scruter les messages et les bogues. Quelquefois, les gens peuvent pas s'empêcher de parler de leurs problèmes. Et si je trouvais rien de ce côté-là, je pourrais, en étant très patient...

— Il faut trouver un moyen plus rapide, Michael, le coupai-je d'un ton sec.

Il haussa les épaules en poussant un soupir.

— Combien d'employés ils ont? demanda-t-il néanmoins.

— Quatorze cents, si je me rappelle bien.

— Quatorze cents, répondit-il pensivement. O.K. Alors, je chercherais un Joe.

— Un Joe?

— Un terme de piratage. Ça veut dire quelqu'un qui est tellement feignasse qu'il utilise son propre nom comme mot de passe. On en trouve au moins un dans toutes les compagnies, et il en faut pas davantage.

— Alors on attend quoi?

— C'est pas des demeurés, tu sais, s'exclama-t-il, l'air affolé. Ils ont des protections. Peut-être que Joe est le portier, et tu imagines le bordel que ça déclencherait si le portier essayait d'avoir accès à la banque de données des ressources humaines. La plus petite connerie de ma part et je suis grillé. Ou plutôt, vu à qui on a affaire, je suis mort.

— D'accord, d'accord, soupirai-je. Il faut trouver un autre moyen.

— Impossible, assura Nightmare d'un air boudeur. De toute façon, ils se sont probablement déjà débarrassés du corps.

— Tous les laboratoires ont des incinérateurs, renchérit Robinson. On les utilise pour les animaux morts.

— Super, commenta Nightmare. Je me retrouve chez les tueurs de singes.

---

1. SEC : Security and Exchange Commission, la commission américaine des opérations en Bourse, l'équivalent de la COB. (N.d.T.)

— On parlera de ça une autre fois, tranchai-je. Je peux vous garantir qu'ils n'ont pas emporté Doug à Horizn. Personne n'a envie d'apporter la preuve d'un meurtre chez soi. Comme tu dis, Michael, «c'est pas des demeurés».

— Pour ça, je suis d'accord avec vous, intervint le docteur. Ramener un cadavre dans son sac dans un endroit pareil serait bien trop compliqué. Il faudrait tripatouiller les bandes vidéo, rectifier le registre du portier, acheter le silence de plusieurs personnes. On exige des tas de signatures pour tout ce qui entre et tout ce qui sort. Beaucoup trop pour pouvoir garder la chose secrète.

— Alors à toi de jouer, dis-je en me retournant vers Nightmare.

— Ouais, eh bien, t'as pas de pot, mec.

Un silence s'installa entre nous trois qui dura une longue minute. Puis une idée me vint, et je pointai un doigt vers Nightmare, qui réagit de sa façon parano habituelle, comme s'il croyait que j'allais le frapper.

— Ce que tu as dit tout à l'heure, à propos de trouver quelqu'un avec qui ils font des affaires. Comment tu t'y prendrais?

— C'est pas de la tarte. Faut trouver une société avec laquelle ils échangent beaucoup de données, en espérant que la société en question ait une sécurité merdique. Alors c'est elle qu'on pirate. Il suffit d'attendre qu'ils communiquent. Quand c'est le cas, on rampe mollo de la deuxième entreprise vers la cible. Bien sûr, on peut pas rester connecté plus longtemps qu'eux. Quand ils se tirent, il faut faire pareil vite fait. Mais à ce moment-là, il y a de grandes chances qu'on ait deviné comment se reconnecter avec leur code d'accès.

— Bon Dieu, Michael, avec un cerveau comme le tien, pourquoi tu te trouves pas un boulot normal?

— Ouais, demain, persifla Nightmare en me regardant d'un air méditatif. Es-tu en train de me dire que tu connais l'entreprise qui va nous permettre d'entrer chez Grayton?

— C'est pas vraiment une entreprise, répondis-je. C'est le gouvernement des États-Unis.

— Mon Dieu, vous avez raison, s'exclama Robinson. L'Institut national de la santé. Horizn doit être en ligne avec eux tous les jours, et parfois ça doit durer des heures. Il y a même des départements qui laissent la ligne ouverte en permanence, pour se faciliter la vie.

— C'est ça la solution, Michael. Tu peux t'y mettre?

Je le sentais partagé entre son anxiété habituelle et la perspective si tentante d'accrocher une nouvelle victoire à son palmarès. Son ego le poussait sans cesse vers des territoires inconnus.

— Il faudrait connaître les noms des types qui ont accès à l'Institut, déclara Nightmare.

— Je les connais *tous*, assura Robinson. Je peux dresser la liste en deux minutes.

— O.K., acquiesça Nightmare. Si l'un d'eux est un Joe, on a peut-être une chance.

— Assez de si. Montre-nous ce que tu sais faire.

— C'est idiot que je pirate l'Institut si le docteur a un droit d'accès, dit-il en montrant Robinson du doigt. Donc, j'y vais sous son nom ou je renonce.

Je commençai à protester, mais Robinson leva les yeux de la feuille de papier où il inscrivait les noms et posa une main sur mon bras.

— Je suis d'accord, dit-il.

— Vous êtes sûr?

— Je suis mort, si ce garçon ne réussit pas. Alors ne nous arrêtons pas à de simples formalités.

— C'est là que vous avez l'habitude d'ouvrir une cession? demanda Nightmare en désignant un terminal.

— Oui.

— Cinq mille dollars.

— Michael...

— Cinq mille dollars. Ça, c'est du travail high-tech supersérieux, et c'est normal de casquer.

— Michael, les notes d'hôpital, c'est très cher aussi.

Encore aujourd'hui, j'ignore si j'étais sérieux ou pas. Mais je pense que Nightmare a lu quelque chose dans mes yeux, parce qu'il s'est assis devant l'ordinateur en disant :

— J'espère que j'aurai au moins droit à un peu d'eau minérale.

Après avoir fait les cent pas pendant plus de deux heures, j'allai vers un distributeur automatique ou je fis tomber pour quinze dollars de sandwiches préfabriqués, un paquet de chips et des boissons non alcoolisées. Je distribuai quelques sandwiches et rangeai les autres dans un réfrigérateur. Nightmare engloutit le sien, mais Robinson refusa de manger. Ensuite, je m'installai sur une chaise à l'autre bout de la grande salle, haïssant chaque minute qui passait. Un labo comme celui-ci, rempli de machines énigmatiques, n'est pas l'endroit que je recommande à quelqu'un qui ne sait quoi faire de son temps. J'avais essayé de parler un peu avec Robinson, mais lui ne s'intéressait qu'aux progrès de Michael – si bien que ce dernier finit par lui dire de lui lâcher les baskets. Des heures passèrent, et l'immeuble parut se vider autour de nous. De temps à autre, je me levais de ma chaise pour marcher un peu de long en large. À un moment donné – sans doute avais-je dû m'endormir –, Michael me réveilla d'un léger coup de pied dans les jambes. Ma tête se redressa en sursaut, et je le vis penché sur moi avec un méchant rictus.

— Ça y est, s'exclama-t-il. Je suis vraiment un génie. Sans doute le plus grand à ce jour.

— Et?

— Ton type travaille pour Horizn, répondit-il en me tendant une page imprimée. Et il s'appelle pas plus Ron Evans que moi. Son nom est Raymond Chudzinski.

— Tu n'exagères pas, Nightmare, tu es un génie. Quelle heure est-il?

— Oui, je sais. Environ dix-huit heures trente.

— Qu'en dit Robinson?

— Il sait pas encore. Il est dans son bureau.

— Allons le chercher. (Après avoir fait deux pas, je me figeai sur place. Je sentis mon sang se glacer dans mes veines.) Michael, je n'ai jamais mentionné le nom de Ron Evans devant toi.

— Hein? Mais si.

— Non, Michael.

— Alors, ça doit être Robinson.

— Je n'ai pas prononcé ce nom devant lui non plus. (Je mis mes deux mains autour de la gorge de Nightmare et le poussai rudement jusqu'à ce que son dos heurte le mur. Il était tout en bras et en jambes et j'avais l'impression d'étrangler une araignée. Il couinait lamentablement.) Tu nous as vendus, sale petit merdeux. La seule façon pour toi de savoir qui est Ron Evans, c'est d'avoir aidé Ralston à récupérer le corps de Doug. (Profondément dégoûté, je relâchai ma pression et il se tassa au bas du mur, comme la chiffe molle qu'il était.) J'ai parlé à la cousine de Doug. Elle a faxé des imprimés à un numéro de téléphone d'Atlanta qui s'est révélé être un cinéma du comté de Fulton.

— Et alors?

— Et alors? Tu m'as raconté que ta spécialité c'était de pirater les lignes téléphoniques.

Il se mit à trembler et à reculer, toujours assis par terre, pour mettre davantage de distance entre lui et moi.

— C'est des foutaises, dit-il. (Mais il était tellement évident qu'il mentait qu'il finit par décider de dire la vérité.) Ils sont venus chez moi. Ils rigolaient pas. Du genre qui rigole pas avec un flingue à la main.

— Qui est venu chez toi, petite ordure?

— Tu t'imagines qu'on a échangé nos cartes de visite? Ils disent qu'ils m'ont trouvé quand on était sur Grayton, mais qu'ils m'ont laissé faire pour trouver qui j'étais.

Je lui décrivis les types qui m'avaient ficelé dans le placard, et Nightmare me confirma qu'il s'agissait bien des mêmes.

— Ces mecs, c'est pas des apprentis, je peux te le dire. Ils s'y connaissent en technologie de pointe. Imagine qu'ils m'ont repéré quand j'étais sur Grayton. Mec, on a jamais eu la moindre chance.

— Ils t'ont payé, mon salaud, dis pas le contraire.

Nightmare leva les yeux vers moi, et il ne faisait plus le fier.

— O.K., je suis pas un superhéros comme toi. J'ai pris leur fric, mais c'est pas ça qui compte. (Ses yeux se mouillèrent.) J'étais mort de trouille. J'ai jamais eu l'intention de me fourrer dans un guêpier pareil. Jusque-là, mon personnage de Nightmare, c'était de la frime. Je pénétrais sur quelques sites, je téléphonais gratuitement à l'autre bout de la planète, racontais quelques conneries dans des *chat rooms*... Ensuite, je te rencontre, et tu m'embarques direct dans l'espionnage industriel. Et puis, *putain*, mec, huit types ont clamsé, *huit*! Et ces costauds débarquent chez moi et menacent de me tordre le cou. Et ils avaient l'air d'avoir un foutu entraînement...

C'est alors qu'à ma grande horreur il se mit à pleurer. Après avoir joué le rôle de Nightmare pendant Dieu sait combien de temps, il révélait soudain qu'il n'était au fond de lui qu'un môme terrorisé nommé Michael Harrod. J'étais bien placé pour savoir que les hommes qui l'avaient menacé n'étaient pas des enfants de chœur. Et je devinais sans peine l'effet qu'ils avaient pu faire sur un môme dans son genre. Je me baissai pour poser la main sur son épaule, mais il se dégagea en reniflant. Il se sentait terriblement humilié et coupable.

— Alors pourquoi ça? demandai-je en lui montrant la feuille qu'il m'avait remise.

— Vous pensez tous me connaître, dit-il en reniflant toujours. Ralston, enfin, ses sbires, toi, avec tes discours paternalistes. Mais j'ai des principes qui me sont personnels. Et j'ai fait ça pour Killah, ajouta-t-il avec une espèce de rage. Il faisait partie de ma communauté. Il était juste un petit peu confus, c'est tout.

— Ils n'avaient pas besoin de toi, Michael. Ils pouvaient faire ce que tu as fait pour eux sans problème. Ils voulaient simplement te mouiller.

— Je sais.

— Et ils voulaient te mouiller parce qu'ils savent que tu travailles avec moi. (Je croisai son regard.) Donc, en fait, ils t'ont payé pour nous surveiller, pas vrai? Et éviter qu'on n'en apprenne davantage.

— Oui, admit-il en baissant les yeux.

— Et ils savaient qu'on visitait leur site?

Nightmare essuya ses larmes.

— Tout le monde m'a toujours bousculé, dit-il. Depuis l'école maternelle. Alors j'ai fini par passer dans la clandestinité. Et là, personne m'emmerde. Puis j'ai beaucoup pensé à Killah et à la façon dont ces individus se sont payé sa gueule. Killah, il était comme moi, tu sais. Il avait pas sa place dans la société policée. Alors j'ai pensé qu'au lieu de me conduire comme un petit con je pourrais essayer de coincer ces types, en souvenir de lui.

Là, devant mes yeux, il oscillait entre son état d'adolescent brillant, mais solitaire et rejeté, et quelque chose qui ressemblait au futur adulte qu'il allait devenir. Il me faisait penser à un poulain nouveau-né qui essaie de se dresser sur ses pattes maigri-

314

chonnes. S'il venait de me dire la vérité – la question restait tout de même en suspens –, il venait enfin de faire quelque chose de bien.

— Allons-y, dis-je.

— Où? demanda-t-il, en s'essuyant les yeux avec sa manche.

— Chercher Robinson.

— Qu'as-tu l'intention de faire de moi?

— Je connais les gars qui sont venus te voir, et je sais que tu n'étais pas de taille à les affronter. Et comme je n'ai pas le temps d'attendre pour savoir si tu m'as raconté des bobards ou pas, j'ai choisi de te croire. Alors magne-toi le cul.

Tentant de faire bonne figure, Nightmare se releva et me suivit en refoulant ses larmes. Quand nous entrâmes dans son bureau, Robinson vit tout de suite dans quel état se trouvait le jeune homme.

— Que s'est-il passé? demanda-t-il d'un air inquiet en se levant.

— Michael a réussi, répondis-je, en lui tendant la feuille de papier que ce dernier m'avait remise. On connaît l'identité du type : Raymond Chudzinski. Si on le trouve, on trouve le corps de Doug.

Dans mon dos, une voix murmura des paroles inintelligibles.

— Quoi? demandai-je en me retournant vivement.

— Je sais où ils ont emmené Killah, répéta calmement Nightmare.

J'ai cru un instant que je rêvais.

— Où?

— Un établissement de pompes funèbres à Walnut Grove. Il doit être incinéré sous un autre nom. Harrison, je crois.

— Ainsi, tu savais, Michael, et tu ne nous as rien dit?

— J'avais peut-être les foies, mais ça m'a pas rendu complètement idiot. Je voulais d'abord voir si tu trouverais le truc pour rentrer dans leur système par effraction. Si ces mecs-là plongent, je serai libre.

Je regardai ma montre. Il était dix-huit heures quarante-cinq.

— Ils ont dû fermer boutique, mais pas question d'attendre. Qui sait s'ils ne disposent pas des corps en dehors des heures d'ouverture? En voiture!

— Vous êtes complètement fous. Killah est mort depuis des jours, il sera déjà tout pourri.

— Même s'il était mort depuis un an, son ADN ne changerait pas, intervint Robinson. Mais tirer des informations d'une chair en putréfaction n'est pas vraiment agréable. Si je peux récupérer du sang, ça ira plus vite.

— Merde, alors, commenta Nightmare.

— La ferme, Michael, conseillai-je d'un ton ferme.

— Si le corps de Townsend a été réfrigéré, le temps ne fait rien à l'affaire. Et je n'ai besoin que d'une petite quantité de sang.

— Et s'il n'a pas été réfrigéré? demandai-je.

— Dans ce cas, nous n'aurions plus qu'une douzaine d'heures. Son ADN ne se dégraderait pas, mais son sang serait trop coagulé pour que je puisse espérer en tirer un échantillon.

— Bon, assez parlé, nous perdons du temps. Le corps a été gardé au froid à la morgue jusqu'à ce que ce type vienne le récupérer. Donc, s'il n'est pas déjà incinéré, il sera possible de récupérer un échantillon de sang.

— C'est notre dernière chance, Jack. Plus de corps, et ces salauds s'en tirent.

— Il nous faut à peu près une heure pour arriver là-bas. En route.

# 26

L'établissement de pompes funèbres se trouvait à pas mal de kilomètres à l'est de la ville, et nous empruntâmes d'abord l'I-20 pour gagner l'autoroute 138, puis l'autoroute 81. La lune qui était en train de faire son apparition n'était qu'un mince croissant. Elle jetait une faible lumière argentée sur des collines très boisées qui ne tardèrent pas à céder la place à un terrain beaucoup plus plat. À environ une quinzaine de kilomètres de la limite du comté, nous arrivâmes à destination. Il était exactement vingt heures vingt.

Je me garai sur le parking de l'établissement où ne se trouvait qu'une seule voiture, un vieux modèle Mercedes.

— Tu nous attends ici, Michael. On ne devrait pas en avoir pour longtemps. (Je me tournai vers Robinson.) Vous êtes prêt ?

Le docteur était en train de fourrer un étui contenant une seringue dans sa poche de poitrine.

— Oui, répondit-il.

Nous nous approchâmes tous les deux de la porte de l'établissement. Il n'y avait aucune lumière et l'endroit paraissait désert. Je tentai d'ouvrir la porte, mais elle était fermée à clef, comme nous nous y attendions. Plusieurs coups de sonnette pour rien. J'insistai. Au bout d'un moment, il me sembla entendre du bruit, et la porte finit par s'ouvrir. Un petit homme d'origine méditerranéenne apparut, vêtu de vêtements de ville.

— C'est fermé, annonça-t-il. Que désirez-vous ?

— J'espère qu'il n'est pas trop tard, dis-je d'un ton lugubre.

— Trop tard ?

— Ce monsieur est Mr. Harrison annonçai-je, en conservant

317

un ton de circonstance. Il a été retenu à Charlotte et il a insisté pour que je l'amène jusqu'ici. Il tient à passer un moment avec son pauvre frère.

— Mr. Harrison, répéta l'homme, qui n'avait pas l'air de comprendre.

— On vous l'a amené hier, pour une crémation.

— Ah, Harriman, s'exclama l'homme en reprenant confiance en lui. Excusez-moi, j'ai cru que vous aviez dit Harrison. Je deviens un peu dur d'oreille.

— Oui, oui, Harriman, acquiesçai-je.

— Comme je viens de vous le dire, nous sommes fermés. Mais si vous avez fait tout ce chemin, je ne vais certainement pas vous renvoyer. Surtout étant donné les circonstances. Je vous en prie, entrez.

L'homme s'écarta pour nous laisser le passage, et ni Robinson ni moi ne nous fîmes prier. Nous parcourûmes un couloir miteux qui puait le deuil à bon marché. Les murs étaient tapissés de papier cramoisi, la moquette usée jusqu'à la trame, l'éclairage très tamisé.

— Gene D'Anofrio, se présenta l'homme en tendant la main à Robinson. Je suis désolé pour votre frère.

Ce dernier fut assez habile pour lui répondre d'un signe de tête, en gardant le visage sombre et la bouche fermée.

— Mr. Harriman espère pouvoir passer un moment seul à seul avec son pauvre frère, précisai-je, ils étaient très proches.

— Mais naturellement, acquiesça D'Anofrio.

Arrivés au bout du couloir, nous prîmes à droite et nous nous arrêtâmes devant une large porte à deux battants.

— Nous avions tellement peur d'arriver trop tard, dis-je.

— Non, non, le frère de Mr. Harriman se trouve encore ici. Vous aviez tout votre temps, répondit D'Anofrio en ouvrant la porte.

Nous le suivîmes dans une petite pièce lambrissée où étaient disposées quelques chaises à peine rembourrées à dossier raide.

— Si ces messieurs veulent bien prendre place, je vais leur amener Mr. Harriman.

— Merci beaucoup, appréciai-je. C'est très aimable à vous. (Une fois que nous fûmes seuls, je dis à Robinson :) Vous croyez qu'il va l'amener sur un chariot ?

– Je me moque de la façon dont il va l'amener, sur son dos si ça lui fait plaisir. Il me faudra deux minutes en tête-à-tête avec le cadavre. Vous pourrez faire diversion?

– Sans problème.

Nous restâmes silencieux pendant plusieurs minutes, puis un enregistrement d'orgue se déversa par les haut-parleurs.

– On a droit à la totale, murmura Robinson.

– Le pauvre homme fait de son mieux, commentai-je. Et dans quelques minutes vous allez pouvoir vous procurer quelques centimètres cubes de sang qui mettront un terme à toute cette folie meurtrière.

Robinson se contenta de hocher la tête. Nous restâmes silencieux jusqu'à ce que la porte se rouvre. Il n'y avait pas de corps. D'Anofrio portait une petite urne imitant le bronze qu'il déposa sur un socle recouvert de feutre. Il nous salua d'un air sombre et sortit de la pièce en refermant la porte derrière lui.

Tous les deux, nous contemplâmes le réceptacle de la poussière carbonisée et «microbiotiquement» propre de ce qui avait été Doug Townsend. Son précieux ADN, naguère dissimulé dans la structure de ses cellules, se trouvait proprement effacé.

– Ah, bordel de merde, laissa fuser Robinson. Je ne voudrais pas montrer d'irrespect envers les morts, mais on s'est bien fait baiser.

Là-dessus, complètement abattu, il sortit.

Une fois Robinson parti, je restai assis seul dans la petite salle faiblement éclairée avec Doug Townsend, mon copain de fac au grand cœur qui s'était follement toqué d'une superbe cantatrice. Non seulement je n'avais pas su le protéger dans la vie, mais je n'étais pas parvenu à venger sa mort. Et je devais rendre des comptes pour ma propre faiblesse envers Michele. Elle m'avait rendu à la vie, en quelque sorte, à un moment où je ne le croyais plus possible. Puis elle m'avait utilisé pour exécuter ses propres desseins tortueux.

Je m'approchai de l'urne pour y appuyer mes mains en inclinant la tête.

– Dieu, Auquel je ne crois pas, je Te présente la preuve

numéro un, qui établit qu'il n'y a aucune clarté dans ce monde. Au contraire, c'est un véritable merdier. Les méchants prospèrent. Les bons – qui, je veux bien l'admettre, sont assez déboussolés eux-mêmes – meurent jeunes. Tu n'interviens pas dans ces atrocités et, par conséquent, Tu es nul et non avenu. Où que Tu sois et quoi que Tu fasses, il semblerait que Tu te trouves loin de la ville d'Atlanta en Géorgie.

Je quittai la salle à mon tour. Robinson et Nightmare m'attendaient. Le voyage de retour allait être long.

Personne n'ouvrit la bouche pendant au moins vingt minutes. Les kilomètres défilaient dans un mortel silence. Vers vingt-deux heures, on a été pris dans les embouteillages, un état permanent des rues de la cité, quelle que soit l'heure – ce qui ne fit rien pour alléger l'atmosphère qui régnait dans la voiture.

— Mon Dieu, comme je peux haïr cette ville, s'écria soudain Robinson, rompant le long silence. Je pense que je vais partir pour l'Ouest.

Ni Nightmare ni moi ne fîmes de commentaires. Environ un quart d'heure plus tard, jetant un bref coup d'œil au docteur, je m'aperçus qu'il transpirait affreusement.

— Ça va? lui demandai-je, inquiet. (Il se tourna vers moi une seconde, puis regarda de nouveau la route. Il me faisait penser à quelqu'un qui vient de voir un fantôme.) Franchement, insistai-je, vous n'avez pas l'air bien. Vous voulez que je m'arrête?

— On les a pas eus, dit-il. Ils vont s'en tirer.

— Oui, mais ils n'ont plus aucune raison de nous chercher des poux dans la tête.

— Il faut trouver un moyen de les coincer, Jack.

— Vous m'avez expliqué vous-même que c'était impossible sans Doug. Alors laissez tomber. Il faut reconnaître qu'ils ont été plus forts que nous et arrêter les frais.

Robinson acquiesça d'un signe de tête, mais il continuait à se décomposer. Plus inquiétant, il recommença à dialoguer avec lui-même, comme le jour où je lui avais fait part de ma rencontre avec Ralston. Nightmare se pencha en avant pour l'observer.

— Qu'est-ce qu'il a? Il a pété les plombs ou quoi?

— La ferme, Michael!

Mais il avait raison. Robinson était parti en vrille. *J'aurais dû le prévoir. L'enjeu était tellement important pour lui.*

— Patience, lui conseillai-je. Dans quelques minutes, je vous aurai ramené à votre voiture à Grayton.

Il m'agrippa brusquement le bras droit.

— Écoutez-moi bien, Jack. Il faut se payer ces fumiers, et il y a un moyen.

— Qu'est-ce que vous racontez? fis-je, éberlué. Vous m'avez dit que sans le cadavre de Doug c'était foutu. Qu'il vous fallait obligatoirement le sang d'un survivant. Pas de survivant, aucune possibilité.

— Exact, dit Robinson, mais je peux créer un autre survivant.

Je regardais devant moi, la prochaine sortie approchait. Je tournai à droite le moment venu, roulai jusqu'au stop planté plus bas, puis me garai sur le bas-côté.

— On a déjà parlé de ça, dis-je. Vous n'allez injecter ce médicament à personne, docteur. Vous iriez en prison pour le restant de vos jours. On pourrait aller jusqu'à vous accuser de tentative de meurtre, c'est vous-même qui me l'avez dit.

— Oui, mais je peux me l'injecter à moi. Le Lipitran engendrera la réponse enzymatique et je pourrai effectuer la spectrométrie de mon propre sang.

— Essayez de vous calmer un peu. Vous êtes beaucoup trop excité.

— Je vais faire l'essai.

— Et si vous vous êtes vraiment trompé?

— Je mourrai, dit Robinson. J'exploserai à l'intérieur. Du sang partout. Boum!

— Il a raison, intervint Nightmare. On peut encore les avoir.

— Toi, on ne te demande pas ton avis! m'énervai-je en me tournant vers lui. (Puis, au docteur :) Vous n'êtes pas au mieux de votre forme, c'est le moins qu'on puisse dire. Alors le moment me paraît mal choisi pour vous inoculer un médicament expérimental.

— Il n'y a personne d'autre, me fit-il remarquer, la main crispée sur l'accoudoir. Et je sais que j'ai raison. Je prends le Lipitran, j'observe l'action des enzymes et je baise ces ordures.

— Désolé, mais je ne vais pas vous laisser faire ça.

Il fixait la route droit devant lui sans cligner des yeux, faisant appel à tout ce qu'il lui restait d'énergie pour ne pas s'effondrer et basculer dans la folie.

— Allez vous faire foutre, rétorqua-t-il. Je vais m'inoculer le Lipitran, et il n'y a rien que vous puissiez faire pour m'en empêcher.

— Je peux vous conduire dans un hôpital pour un examen psychiatrique.

Il laissa échapper un rire nerveux.

— C'est devant mon nom qu'il y a la mention «docteur», me fit-il remarquer. Alors c'est moi qui leur dirai que *vous* êtes fou.

— Bon Dieu, c'est vraiment une histoire de fous.

— Oui, on n'en sort pas.

Je regardai à travers le pare-brise. Des phares défilaient à notre gauche. Atlanta grouillait de vie. Les bons, les méchants, et tout ce qui se trouvait entre les deux. Et assis à côté de moi, dans ma propre voiture, il y avait un type qui voulait mettre en jeu ce qui lui restait d'existence pour avoir une chance de se racheter et de racheter la mort de huit personnes innocentes. Je décidai alors de ne plus chercher à l'en dissuader pour deux raisons. D'abord, parce que je devais bien reconnaître que sa décision ne regardait que lui. Ensuite, parce que je retrouvais chez Robinson la philosophie qui était celle de Sammy, mais armée d'une tête nucléaire. Il se dépouillait de tout, y compris de sa propre vie. Ce qui faisait probablement de lui la personne la plus dangereuse de toute l'histoire d'Atlanta. Et, pour avoir une chance de démasquer Ralston, il fallait être capable de prendre ce genre d'engagement.

— Vous avez besoin de combien de temps? demandai-je calmement.

Une espèce de tic venait de s'emparer de son œil gauche.

— Je sais pas vraiment, avoua-t-il. Ça dépend de la concentration de la dose. Huit heures. Peut-être douze.

— Oh, merde, murmurai-je en m'adressant au ciel.

Et nous replongeâmes tous les trois dans la circulation : un mécréant, un scientifique déjanté et un avocat à qui il ne restait plus la moindre parcelle de foi. Trois foutus mousquetaires.

Il nous fallut encore une trentaine de minutes pour arriver aux laboratoires Grayton. Pendant le reste du trajet, Robinson parut recouvrer une partie de son calme. Il avait fait son choix et s'apprêtait à y faire face. Il était presque vingt-trois heures quand nous nous garâmes enfin sur le parking des laboratoires Grayton. Le docteur nous fit franchir le barrage du service de sécurité, mais, excepté les gardes, les bâtiments semblaient entièrement déserts.

Je me laissai tomber dans un fauteuil de bureau à roulettes qui glissa quelques mètres plus loin. Nightmare ressemblait à Dracula surpris en plein soleil. Robinson se parlait à lui-même et ses paroles étaient inintelligibles.

— Réfléchissez bien avant de faire quoi que ce soit, dis-je. Ne perdez pas de vue que si vous mourez ça ne ramènera pas ces huit malheureux à la vie.

Le docteur tourna brusquement la tête vers moi.

— Et tous les autres? demanda-t-il. Vous y pensez? (Le tic faisait toujours tressauter son œil, mais sa voix était bien posée. Il avait accepté le risque qu'il prenait.) Je veux parler de tous ceux que le Lipitran pourrait sauver. Des greffes de foie qui ne seront plus nécessaires. Des cancers mortels évités. Sans oublier la fatigue chronique et la perte d'une certaine qualité de vie.

— Je n'ai rien à vous opposer.

— Je suis médecin, dit encore Robinson. Je dois *guérir*. Et si la seule façon d'y parvenir est de m'injecter le Lipitran AX, je le ferai. (Il traversa le laboratoire pour s'accroupir devant un petit réfrigérateur d'où il sortit une fiole de verre qu'il revint nous montrer en disant :) Deux années de travail et trente-cinq millions de dollars de budget. (Il le tendit vers la lumière, qui traversa le liquide translucide.) Un immense gâchis, si les effets ne sont pas ceux qu'on espère.

Il prépara une seringue dont il enfonça l'aiguille à travers le bouchon de caoutchouc de la fiole. Il en retira cinq centimètres cubes, puis hésita. Il tira alors un peu plus sur le piston pour en obtenir sept centimètres cubes, puis dix. J'ouvris la bouche pour protester, mais il ne me laissa pas parler.

— Taisez-vous, dit-il. Ça n'a plus aucune espèce d'importance. Si je ne parviens pas à détruire ces ordures d'Horizn, je me moque de ce qui peut arriver.

Robinson s'assit alors devant une table. Des gouttes de transpiration perlaient à son front. Il les essuya, prit une balle de caoutchouc dans la main et se mit à la presser pour pomper du sang dans son bras. Puis il glissa un élastique serré autour de son biceps et agita son poignet afin de faire gonfler une veine.

Muets, Nightmare et moi-même restions comme hypnotisés. J'en étais encore à me demander si ce qu'il faisait était courageux ou débile. Mais, j'en étais convenu, il était seul maître de sa décision. Il jouait sa vie à pile ou face. S'il se trompait au sujet de Ralston, il mourrait dans les pires douleurs comme ses patients. Robinson croisa alors mon regard, et nos yeux s'accrochèrent pendant un terrible moment. Il pressa l'aiguille dans son bras et ses yeux s'agrandirent légèrement quand elle y pénétra. Puis lentement, méthodiquement, il appuya sur le piston, vidant dix centimètres cubes de Lipitran AX dans son corps.

Le temps se transforma alors en ennemi. Attendre quand les employés s'activaient dans l'immeuble avait déjà été très pénible, mais, maintenant qu'il était désert, c'était comme essayer de marcher sur du ciment en train de prendre. Chaque minute paraissait durer une heure.

Robinson me suggéra de rentrer chez moi, car il devait attendre des heures avant que cela vaille la peine de faire un test. L'opération serait délicate, et la rater signifierait qu'il avait pris un affreux risque pour rien. N'ayant pas vraiment dormi depuis vingt-quatre heures, je me sentais transformé en automate;

toutefois, il n'était pas question que je l'abandonne. Peut-être le médicament allait-il le tuer, peut-être pas, mais je refusais de le perdre de vue.

Robinson, mouillé d'une sueur froide, gagna son bureau d'un pas mal assuré. Il se laissa tomber dans son fauteuil et repoussa la porte. Nightmare fit mine de le suivre, mais je l'attrapai par un bras pour l'en empêcher.

— Laisse-le. Il a besoin d'être un peu seul. Espérons qu'il va s'endormir, ce serait bon pour lui. Et tu devrais essayer d'en faire autant.

— Moi? Mais je vais bien. C'est toi qui as une gueule de déterré.

— Je veux bien te croire, acquiesçai-je en souriant.

— Tu peux me faire confiance, tu sais. Tu as peur de me laisser seul avec le docteur?

— Non, je n'ai pas peur, Michael.

Et c'était la vérité. Par ailleurs, il avait raison. Si je ne dormais pas un peu, je serais incapable d'apporter la moindre aide valable à Robinson pour effectuer les tests. J'éteignis donc les lumières du labo, regagnai mon fauteuil à l'autre bout de la salle et m'y écroulai. Au cours des deux heures suivantes, je m'endormis et me réveillai plusieurs fois. Personne ne vint dans le laboratoire, pas même un vigile. Le bannissement de Robinson était total. Nous étions considérés comme des lépreux dans un monde destiné à guérir les malades.

Vers deux heures du matin, je rendis visite au docteur. J'ouvris la porte avec précaution, anxieux de ce que j'allais découvrir. Mais je le trouvai assis droit dans son fauteuil, les yeux grands ouverts. J'étais certain qu'il n'avait pas dormi, préférant rester à l'écoute de son corps, et probablement terrorisé à l'idée qu'il n'était peut-être qu'à quelques minutes, ou secondes, d'un bouleversement interne aux conséquences effroyables.

— Ça va? demandai-je platement.

Il tourna vers moi ses yeux profondément enfoncés au fond des orbites.

— Ça va, merci.

— Vous avez ressenti quelque chose?

— Rien de terrible. De vagues nausées, comme prévu.

325

— Alors on est en train de gagner?

Il m'adressa un faible sourire et reporta les yeux sur le mur d'en face. Je refermai la porte derrière moi et réveillai Nightmare qui somnolait dans son fauteuil.

— Tu as faim?

— Comment va le doc?

— Il est O.K. Je crois qu'il a peur, mais le contraire serait étonnant.

Le garçon hocha la tête d'un air entendu en refermant les yeux. Je tirai un fauteuil jusqu'à la porte du bureau de Robinson et m'y installai. La nuit s'écoula par à-coups. À un moment donné, le docteur sortit de son bureau et me prit par le bras.

— Sept heures, dit-il. Et je ne suis pas mort.

— Alors?

— On attend un peu plus longtemps. Encore deux ou trois heures.

Au bout d'un moment, le soleil se leva. Un peu avant neuf heures, je frappai doucement à sa porte sans obtenir de réponse. Affolé, j'ouvris à la volée, pour trouver Robinson affalé sur son bureau. Je me précipitai vers lui et laissai échapper un grand soupir en constatant qu'il dormait. Plus de neuf heures avaient passé depuis qu'il s'était injecté le Lipitran. Le temps qu'il avait jugé nécessaire pour que la réponse enzymatique soit facilement mesurable. Je lui pressai doucement l'épaule, et il se réveilla en sursaut.

— Tout va bien, le rassurai-je. Vous dormiez.

Tous les sens en alerte, Robinson se redressa dans son fauteuil. Il se mit à respirer profondément et régulièrement pour mieux étudier les réactions de son corps. Puis il tendit rapidement la main vers sa corbeille à papier et vomit abondamment dedans. Je passai un horrible moment, jusqu'à ce qu'il me dise :

— Ouf! J'avais besoin de faire ça depuis des heures.

— Vous voulez dire que vous allez bien?

— Oui. Les nausées sont inévitables. Je me sens déjà mieux. (Il abandonna son fauteuil.) Ça va aller, assura-t-il. Est-ce que vous êtes resté debout toute la nuit?

— J'ai fait quelques petits sommes, mais peu.

— J'apprécie ce que vous faites, vous savez.

– Bien, il faut se rendre à l'évidence, vous êtes vivant. Alors, racontez-moi comment vous allez procéder.

Robinson acquiesça d'un signe de tête et ajouta :

– Attendez-moi dans le labo. Je dois d'abord faire un peu de ménage ici.

Je m'exécutai et m'empressai de réveiller Nightmare. Nous attendîmes tous les deux avec impatience l'arrivée de Robinson. Il ne nous fit pas languir longtemps ; à peine deux minutes plus tard, il poussait la grande porte en tenant un gobelet d'eau. Après l'avoir posé sur une paillasse, il nous désigna une grande machine rectangulaire qui me fit tout de suite penser à un cercueil d'environ un mètre quatre-vingts de long sur soixante centimètres de large. Il en sortait un discret ronronnement.

– Un spectromètre de masse tandem QTOF, annonça-t-il. Avec source electrosplay d'ionisation. Nous en avons pour deux à quatre cent mille dollars pièce.

– Dites-moi plutôt à quoi sert ce truc, dis-je en pointant le doigt vers le spectromètre machin.

Je vis alors le visage du docteur s'éclairer d'une façon sensible. Ce n'était pas spectaculaire, mais perceptible. Un peu comme l'étincelle soudain apparue dans son œil quand je l'avais rencontré dans le parc pour la première fois. Ce type était accro à la recherche comme d'autres à l'héroïne.

– Ce machin accomplit des merveilles, assura-t-il en souriant. Il mesure la masse des éléments sanguins. Il permet d'isoler les enzymes. Et comme chaque élément possède une masse spécifique, on évite ainsi de perdre du temps avec des éléments non signifiants. (Il nous conduisit jusqu'à une longue table surchargée d'instruments divers.) L'objectif est de trouver les enzymes *présentes* dans le sang du survivant et qui sont *absentes* dans le sang des patients morts. (Il nous regarda tour à tour.) C'est moi, le survivant. Au moment où je vous parle tout au moins. Je vais utiliser le sang de Najeh Richardson, l'un des patients décédés, comme spécimen. Je dois isoler l'enzyme qui me permet de métaboliser le médicament et qui était absente chez lui.

– Comment ?

– Vous n'allez pas me croire, répondit le docteur en souriant.

– Et pourquoi donc ?

— Parce que vous n'arriverez pas à croire combien c'est beau, simple et élégant. Vous allez penser qu'il s'agit d'un tour de magie, mais ce n'est pas le cas. C'est de la science, belle et utile. (Il nous regarda comme un maître d'école.) Qu'obtenez-vous en mélangeant du rouge et du bleu? Repensez à vos leçons de dessin à l'école primaire.

— Je sais plus très bien. Du violet?

— Du violet! s'exclama Robinson, dont la fatigue s'estompait à vue d'œil. Tout à fait exact, du violet. Alors venez ici et regardez. (Nightmare et moi le suivîmes jusqu'à l'autre extrémité de la longue table.) Vous avez le sang des deux sujets. En l'occurrence, le mien et celui de Richardson. Et rappelez-vous que ce que vous cherchez, c'est ce qui se trouve dans le mien et pas dans le sien.

— C'est clair.

— Vous faites tourner dans la centrifugeuse les globules rouges et d'autres choses qui ne vous intéressent pas, et vous vous retrouvez avec des extraits de protéines. Quelques milliers de protéines pour chaque échantillon de sang. (Il prit deux plaquettes de verre.) J'étale ensuite mes protéines sur une plaquette et celle de Richardson sur l'autre. Vous me suivez?

— Oui, dis-je.

— Après, je vais teindre mon échantillon en rouge et celui de Richardson en bleu et je vais les combiner sur un gel 2-D.

— Ce qui signifie?

— Je pose les échantillons l'un sur l'autre, pour qu'ils se mélangent complètement. (Il nous observa un instant en silence.) Alors, encore une fois : rouge plus bleu, ça donne quoi?

— Du violet, répondis-je.

— Oui, acquiesça Robinson en ouvrant les bras, comme s'il venait de dire quelque chose de très profond. (Voyant mon air déconcerté, il ajouta :) Bon Dieu, réfléchissez! Que va-t-il se passer?

— Pas la moindre idée.

C'est alors que Nightmare parut reprendre vie.

— Vous avez mis le rouge sur le bleu. Les éléments qui se retrouvent dans les deux échantillons vont devenir violets. Ceux qui ne se trouvent que dans un échantillon vont garder leur couleur originale. Ils resteront rouges *ou* bleus. Et ça va être du gâteau de les repérer.

Le sourire de Robinson était si sincère qu'il donnait envie de pleurer. S'il n'arrivait pas à se tirer de la situation dans laquelle Ralston avait réussi à l'enfermer, ce serait une grande perte pour l'humanité. Mais, pour l'instant, l'amour de la science le faisait vibrer d'une façon émouvante.

— Exactement, apprécia-t-il.

— Et tout ça demande combien de temps? intervins-je.

— La préparation est longue. Quand j'aurai terminé les gels, j'obtiendrai très certainement pas mal de protéines uniques qui n'ont rien à voir avec le Lipitran. Elles sont simplement uniques pour chaque personne. Je commencerai par en éliminer la plupart, ne gardant que les candidates potentielles. Je vais ensuite extraire les séquences d'acides aminés des protéines, puis j'irai sur le site de l'Institut national de la santé pour les comparer avec le génome humain, et je pourrai identifier l'enzyme avec précision. (Il réfléchit quelques secondes en silence.) Une personne travaillant seule aurait besoin de deux bonnes journées. Mais avec de l'aide... (Il pointa le doigt vers Nightmare.) Vous voulez un boulot?

Ce dernier fit mine de regarder autour de lui, comme si Robinson s'adressait à quelqu'un d'autre.

— Putain, oui, dit-il assez rapidement. Qu'est-ce que vous voulez que je fasse?

— Que vous me louiez chaque seconde de votre vie jusqu'à ce qu'on en ait terminé. (Nightmare sourit, sans une ombre de sarcasme ou d'ironie. Sans doute pour la première fois de sa vie. Le docteur s'était déjà tourné vers moi.) Vous, vous devriez aller prendre une douche et dormir, dit-il.

— Vous allez vraiment vivre?

— Ça m'en a tout l'air. De toute façon, il n'y a rien que vous puissiez faire ici pour m'aider. Votre stage de baby-sitter est terminé. Et en ce qui concerne Ralston, maintenant que le cadavre de Doug a été incinéré, nous ne représentons plus une menace pour lui. Il devrait nous foutre la paix.

— Alors, d'accord, acquiesçai-je avec un soupir. Je vais rentrer chez moi. Je vous téléphonerai.

Robinson hocha la tête.

— Allez vous reposer. C'est moi qui vous appellerai quand nous approcherons du but.

Je fis un signe à Nightmare et il me suivit dans le hall.

— Tu te débrouilles comme un chef, Michael. Quel effet ça te fait?

— Très bizarre, répondit-il en laissant échapper un petit rire embarrassé.

— J'ai une récompense pour toi.

— C'est quoi?

— Tu as de l'argent?

— Tu as déjà oublié où on a fait connaissance?

— Non, mais je suis sérieux. Peux-tu en obtenir? De tes parents ou de quelqu'un d'autre?

Il ne répondit pas tout de suite; il soupesait ma question.

— De mes parents, dit-il enfin. Ils sont pourris de fric.

Je restai suffoqué une seconde, puis éclatai de rire.

— Toi et ta sous-culture de merde! m'exclamai-je. Tu es devenu un anarchiste parce que tes parents pouvaient payer ton loyer.

— Ne me fais pas rire.

— Je vais rire pour nous deux. De tous les sales hypocrites que j'ai...

— C'est pas facile de grandir de cette façon.

— Sans doute, mais je parierais qu'ils ont placé de l'argent pour toi dans un trust.

— Quelque chose comme ça, avoua-t-il en devenant cramoisi.

— Des millions?

— Quelques-uns. Mais je peux pas y toucher avant d'avoir trente-cinq ans. Ils me font pas confiance, les...

— Suffit, lançai-je, pour l'interrompre. Essaie de leur emprunter quelques milliers de dollars. Ce que tu pourras obtenir. S'ils refusent, tu n'as qu'à les voler à Radio Shack... C'est très important. Pour te motiver, imagine que quelqu'un va avoir ta peau si tu ne les obtiens pas. Je ne plaisante pas. Et demande à Robinson de faire pareil.

— C'est quoi ton plan, mec?

— Démontrer qu'il y a plusieurs façons de se venger, Michael. Un peu de patience et tu comprendras.

Je me traînai péniblement jusqu'à mon appartement, ayant bien du mal à maintenir mes yeux ouverts pendant tout le trajet. J'étais persuadé que Robinson était en sécurité derrière les grilles bien gardées des laboratoires Grayton, et j'espérais pouvoir récupérer quelques heures de sommeil. Une fois chez moi, je fis le tour des lieux avec circonspection pour tenter de repérer tout signe anormal. Je ne remarquai rien de suspect. Alors, après avoir fermé la porte d'entrée à clef, j'enlevai mon pantalon pour aller m'écrouler sur mon lit. Je dormis environ quatre heures, d'une traite. Lorsque je me réveillai, il était presque quinze heures. Je pris une douche, enfilai des vêtements propres, et ces deux actions conjuguées dopèrent mon énergie. Ma première idée fut de téléphoner à Robinson. Je savais qu'il avait tout juste commencé son test, mais j'avais besoin d'entendre sa voix afin de m'assurer que l'intérieur de son corps n'était pas en train d'exploser. Une fois dans le living, la lumière clignotante du répondeur téléphonique attira mon regard, et j'appuyai à contrecœur sur la touche *play*. Les messages s'envolèrent dans l'air vicié de l'appartement. Il y en avait plusieurs de Blu. Elle s'inquiétait de savoir où j'avais disparu et insistait pour que je la rappelle. Celui de Billy où il me demandait de lui téléphoner rapidement. Et puis mon monde bascula une fois encore, quand l'appareil dévida son dernier enregistrement. C'était la voix de Michele et il datait de quelques heures.

*Jack, c'est moi. Est-ce qu'on peut se voir ? J'ai besoin de te parler. Les choses sont devenues... Je suis désolée qu'elles se passent de cette façon. Chéri, je t'avais demandé de ne pas te montrer le jour du discours de Charles. Est-ce qu'on peut se voir ce soir ? J'aimerais tellement t'avoir près de moi. J'ai besoin de te voir. Tellement de choses viennent de se passer, une vraie folie. Vers vingt et une heures à ton bureau. J'espère que tu pourras. Je t'aime.*

Je m'appuyai au dossier du canapé pour réécouter sa voix. Au cours des dernières soixante-douze heures, j'avais eu droit à un discours menaçant de Derek Stephens ; ma secrétaire avait démissionné ; on avait essayé de coincer ma voiture, pour finir par m'enlever et me fourrer saucissonné au fond d'un placard ; j'étais allé jouer une scène inutile dans une entreprise de pompes funèbres ; j'avais regardé le Dr Robinson risquer sa vie pour prouver l'efficacité de son médicament. Pour quelle raison ? Parce que je voulais que justice soit faite, et que j'étais amoureux d'une femme que je pensais mariée à un meurtrier.

Je n'étais pas devenu insensible au fait qu'elle m'avait menti au sujet de son mari, qui, en réalité, connaissait toute la vérité sur son passé. En écoutant sa voix désincarnée, loin de sa voluptueuse présence, j'admettais ne pas savoir à quelle profondeur s'enfonçait le mensonge. Quelles avaient été ses paroles ? *Explique-moi comment il faut faire pour ne pas mentir, Jack. Toute ma vie n'est qu'un mensonge, comment savoir quand le moment est venu de cesser de mentir ?*

Être au fait de ses mensonges ne me poussait pas à ne plus l'aimer. La confiance est rigide, elle peut casser net, comme une brindille sèche, mais l'amour est élastique. Quand on éprouve des sentiments pour une femme qui est en train de se noyer, ce n'est pas le moment de lui faire passer un test de personnalité, il faut lui jeter une bouée au bout d'une corde. Mais que se passait-il ensuite ? La question restait posée. Aimer une femme comme Michele était une aventure à hauts risques, et j'avais déjà payé le prix fort. Je me demandais jusqu'où cela pouvait aller, et qui hériterait de la facture finale. Mais assis chez moi, en train d'écouter sa voix, je devins soudain conscient qu'il existait un moyen — définitif et incontestable — de relier de nouveau la confiance et l'amour, ou de les séparer à jamais. La vraie histoire de Michele Sonnier se trouvait enfouie dans les archives du tribunal de Fulton et mon meilleur ami en possédait les clefs ; en me dépêchant, j'arriverais avant l'heure où Sammy quittait généralement son bureau.

# 28

Par chance, je pouvais commencer en lui annonçant une bonne nouvelle :

— Tu ne vas pas mourir, Sammy, tu vas vivre.

J'avais réussi à arriver avant seize heures trente, au moment où il s'apprêtait à partir. Après l'avoir invité à regagner son fauteuil dans son petit bureau, j'avais fermé la porte à clef. Je lui rapportai ma conversation avec Stephens au sujet de sa Ferrari, mais il continuait de m'observer d'un air circonspect. Il était évident que l'afflux soudain d'endorphine qui avait accompagné sa déclaration d'indépendance s'était tari depuis environ quarante-huit heures, et il attendait stoïquement son châtiment.

— Il ne va rien tenter pour la voiture, mais il s'arrangera pour me mettre un contrôle fiscal sur le dos ou quelque chose du genre.

— Non, assurai-je en secouant la tête. Il ne peut faire aucun truc du genre, Sammy.

— Peut-être pas un contrôle fiscal, mais sûrement un truc qui fera très mal.

— Rien du tout, Sammy. Cette fois, ta chance, c'est la conjoncture.

Avoir de la chance était un concept entièrement nouveau pour le greffier, alors il lui fallut un certain temps pour l'assimiler ; pour considérer ce que je venais de lui dire comme une option réaliste.

— De la *chance*, répéta-t-il comme s'il s'agissait d'un vocable d'une langue étrangère. Moi ?

— Oui, tu dois me croire. Il ne lèvera pas le petit doigt au sujet de sa voiture.

— À cause de ce qu'ils préparent? demanda-t-il en cessant de contempler le plateau de son bureau.

— Exact. Il ne peut pas se permettre ce genre de publicité en ce moment. S'il prenait la moindre mesure de rétorsion contre toi, cette histoire ferait les gros titres et le ridiculiserait plus qu'autre chose.

— Tu as certainement raison.

— Alors si tu te fais oublier pendant un petit moment, il ne t'arrivera rien. (Je fis une courte pause.) En attendant que le soufflé retombe, tu pourrais peut-être aller t'installer en Sibérie ou ailleurs.

— Ouais, fit Sammy, qui finissait par croire qu'il allait échapper au pire. Je peux garder un profil bas. (Son sourire, d'abord timide, gagnait tout son visage.) Oui, mon petit Jackie, je peux garder un profil bas.

— Sauf pour une chose, dis-je.

Son sourire se figea.

— J'en étais sûr. Il va me faire péter les genoux, hein?

— Non, non, Sammy. Je veux dire garder un profil bas, sauf pour une chose.

Son visage conservait encore l'expression d'un vestige d'espoir.

— Si tu essayais de m'expliquer ce que tu veux dire, Jackie?

— Tu as accès à toutes les archives du tribunal, pas vrai?

— Ouais, acquiesça-t-il d'un air circonspect.

— Même les dossiers des mineurs?

Il se leva et m'indiqua la porte de la main.

— C'est gentil d'être passé me voir, dit-il sans plus sourire. Mais tu m'excuseras, je suis très occupé.

— Allons, Sammy, écoute-moi.

Il se rassit et me transperça de son regard officiel.

— Ils sont *scellés*, Jack. Ce qui veut dire que la seule personne qui peut combiner les mots «Sammy», «accès», et «dossiers des mineurs» est Son Honneur le juge Thomas Odom.

— Mais tout ce que j'ai dit, Sammy, c'est que tu y as accès. Tu es toujours fourré aux archives.

— C'est exact. *Pour Odom.*

— Parce qu'il veut savoir ce que ces charmants adolescents ont fabriqué avant de se retrouver devant lui, dis-je d'un ton que j'essayais de rendre léger. Alors, je me trompe peut-être, mais il me semble que ça ne serait pas si difficile pour toi d'ajouter un nom à la liste quand tu descends chercher des dossiers.

— Tu es en train de rêver.

— Sammy, j'en ai besoin.

— Et moi, j'ai besoin de garder mon boulot.

— Ce genre de chose ne risque pas de te coûter ton boulot.

Je m'efforçais de croire à ce que je venais de dire, parce que le travail de Sammy était le seul lien qu'il avait avec la vie dans le sens qu'on lui donne généralement. C'était sa raison d'être, son sauf-conduit pour pénétrer dans une société où on portait des costumes convenables, où on lui disait «s'il vous plaît», et où on lui servait à boire dans des verres propres.

— Explique-moi pourquoi je devrais faire une chose pareille pour toi, exigea-t-il.

— Parce que je suis au bord d'un précipice, mon vieux. Et j'essaie d'aider une femme à régler de graves problèmes.

— Tu veux parler de la femme de Ralston? demanda-t-il en me regardant dans les yeux.

— Oui.

Il laissa échapper un sifflement entre ses dents.

— Tu l'as vraiment dans la peau.

— C'est un connaisseur qui parle. Quelqu'un qui...

— Je sais, m'interrompit-il. Mais là, tu dois admettre que tu fais fort.

— Écoute, Sammy, dis-je en hochant la tête. Stephens ne m'a pas parlé que de toi, il en avait aussi beaucoup à raconter sur Michele.

— Et alors?

— Il assure... (Je crus pendant un instant que je n'arriverais pas à finir ma phrase.) Il assure qu'elle n'est qu'une menteuse très douée. Qu'elle m'a envoûté avec ses artifices. Il dit qu'elle est une de ces malades qui n'est heureuse que quand elle peut manipuler un homme. Et le fait est, Sammy, que j'ai beau être amoureux d'elle, je ne suis pas assez idiot pour refuser d'emblée que ce que raconte Stephens puisse être vrai. (Je me sentais au bord de la nausée, mais j'étais décidé à regarder les choses en face.) Et la vérité amasse de la poussière dans les sous-sols de

335

cette bâtisse. Et tu y as accès. Si je peux avoir ce dossier entre les mains pendant cinq minutes, je saurai qui ment.

— C'est elle.

— Comment peux-tu le savoir?

— J'en sais rien. Mais ce serait mieux. Tu t'en sortirais plus facilement.

— J'aimerais beaucoup m'en sortir, en effet. Mais ce n'est pas aussi simple. Je sais qu'elle est mariée à un assassin.

Sammy laissa bruyamment échapper tout l'air qu'il avait dans les poumons.

— À votre place, j'éviterais ce genre de déclaration, maître. À moins que vous ne soyez en mesure de le prouver.

— J'y travaille. Huit personnes sont mortes et c'est Ralston qui les a tuées. Enfin, Ralston et Stephens.

— Oh, merde! Tu en es sûr?

— Raisonnablement.

— Parce que je risque mon cul, Jackie.

— Je sais. Mais je ne vois pas d'autre solution. Et j'ai besoin de savoir.

Sammy me regarda quelques secondes sans rien dire puis se leva.

— Tu te rends bien compte que pour me payer ce service tu vas devoir m'acheter un bar?

— O.K. Écoute, à cette époque, elle s'appelait T'aniqua Fields.

Pour plus de sûreté, je pris un stylo et lui écrivis le nom sur un morceau de papier.

— Bon, d'accord. Qu'est-ce qu'on peut faire comme conneries au nom de l'amour.

— Merci, Sammy.

Il prit son attaché-case.

— Tu restes ici et tu te fais oublier. Ne parle à personne, ne réponds pas au téléphone, n'ouvre pas la porte. Sauf à moi, bien sûr. Je reviens dans deux minutes.

Je ne prétends pas que j'étais certain, en arrivant, que Sammy allait m'aider, mais j'avais bon espoir parce que je le connaissais bien. D'un certain côté, Sammy Liston était une marchandise endommagée. Son humeur était le plus souvent d'une amertume poignante à cause de son sentiment d'échec, tant professionnel que sentimental. Mais d'un autre côté, quand il fallait faire fi des apparences pour en venir à l'essentiel, il devenait l'égal d'un maître jedi. Le sous-estimer dans ce domaine était une faute grave. Au bout d'un petit quart d'heure, il revint en transpirant de nervosité.

— J'espère que tu n'avais pas cet air-là en cherchant le dossier.

— Quel air ?

— L'air de celui qui est en train de cambrioler une banque.

Il referma soigneusement la porte, passa derrière son bureau et ouvrit son attaché-case. Il me tendit une vieille chemise cartonnée toute décolorée.

— Tu as dix minutes.

— Tu as vu l'épaisseur ?

— Alors ne perds pas de temps.

Je n'avais pas le choix. J'ouvris rapidement le dossier qui contenait une bonne cinquantaine de pages, dont certaines vieilles de vingt ans. Vu le temps limité dont je disposais, j'étais obligé de lire en diagonale. Je pus néanmoins me faire une idée de son passé. *Née : à Atlanta, Géorgie, à l'hôpital du comté de Fulton. Le 17 mai 1974. Mère : Tina Kristen Fields. Père : inconnu.*

La liste des familles d'accueil correspondait à ce qu'elle m'en avait dit. Six en tout. Pour le formuler d'une façon poétique, c'était tout à fait le genre d'enfance qui avait inspiré Dickens. La souffrance que Michele Sonnier exprimait à travers les personnages qu'elle incarnait dans des opéras, elle l'avait vécue. Mais, à la différence de ce que Stephens m'avait raconté, il n'y avait aucune trace d'activité criminelle. Je parcourus très rapidement quelques pages, cherchant la trace de la naissance de sa fille. Presque à la fin, je trouvai le jugement rendu par le tribunal des mineurs. Je lus un mot sur cinq du charabia juridique habituel, pour en arriver au paragraphe suivant.

*Même si miss Fields souhaitait garder l'enfant avec elle lorsqu'elle aura accouché, la cour doit agir dans l'intérêt de l'enfant à naître. Dans le cas présent, la situation est fortement compliquée par le statut de la mère. Elle vit elle-même dans une famille d'accueil, et, par conséquent, ne peut pas raisonnablement assumer des responsabilités maternelles. Par ailleurs, sa famille d'accueil a clairement dit qu'elle ne pouvait accepter la responsabilité d'un nouveau-né, pas plus qu'elle n'a envie d'apprendre à miss Fields son rôle de mère. Par conséquent, la cour ne voit aucun moyen viable de garder la mère et le bébé ensemble dans l'actuelle famille d'accueil. Chercher à les placer tous les deux dans une autre famille serait très difficile, demanderait beaucoup de temps, et présenterait un certain nombre de risques. À ce stade, la cour pense que la meilleure solution envisageable sera de placer le bébé sous bonne garde dans l'intérêt de la personne.*

Je levai les yeux vers Sammy.

— C'est tout ce qu'il y a? Stephens m'a raconté qu'elle avait eu des problèmes avec la police.

— Si ce n'est pas noté dans ce dossier, c'est que c'est faux.

Je feuilletai de nouveau rapidement les pages. Il n'était mentionné aucun problème de drogue. Elle n'avait pas quitté l'hôpital avec le bébé. On le lui avait pris à la naissance.

— Sammy, dis-je en le regardant bien en face. Tu es mon héros.

Il récupéra le dossier en souriant.

— Tire-toi d'ici avant de me demander un autre service.

Je quittai donc son bureau pour regagner ma voiture et appelai Robinson sur sa ligne directe au laboratoire. Ce fut Nightmare qui répondit.

— C'est moi, dis-je. Vous en êtes où?

— Tout se passe bien. Le docteur a encore vomi, il y a un moment, mais il assure que c'est normal.

— Il s'est tiré du sang?

— Oui, il a attendu aussi longtemps qu'il a pu, parce qu'on aura pas de deuxième chance. Il y a deux heures qu'on a commencé le test. Il pense qu'il en faut encore douze, si on y travaille tous les deux.

— Tu t'en sors?

— Je crois, oui. Mais chaque fois qu'il tousse, j'ai peur qu'il explose.

— Il va quand même falloir que vous dormiez avant d'avoir

terminé, dis-je. Sans ça, je suis sûr que vous serez tellement fatigués que vous allez faire foirer quelque chose.

— Non, non. Le docteur dit que pendant les cinq ou six dernières heures, il y a rien d'autre à faire que d'attendre pendant que l'Institut compare l'enzyme au génome humain. Alors on pourra en écraser à ce moment-là.

— O.K., Michael. Je vais venir assez tard. S'il y a un changement de programme, appelle-moi.

— Sans faute, promit-il avant de couper la communication.

Ainsi, Robinson n'obtiendrait aucun résultat avant le lendemain matin au plus tôt. Il me restait donc trois heures à tuer avant mon rendez-vous avec Michele. Et, franchement, j'en avais besoin. Étant donné les sentiments de criminelle indifférence de Ralston envers ses semblables, je n'éprouvais aucun remords de travailler à l'éventuel effondrement de ses laboratoires. Mais ce n'étaient pas seulement Ralston et Stephens qui allaient voir leur petit monde s'écrouler; Michele allait se trouver prise dans le tir croisé de leur destruction, et voilà ce qui me tourmentait.

Le monde est un trop grand cloaque pour que l'on puisse croire à l'existence d'amants aux sentiments purs, et j'en étais venu à accepter la façon dont elle avait conduit sa vie. Née en enfer, elle avait utilisé les moyens mis à sa disposition pour survivre. Néanmoins, elle n'était pas comme son mari. Ce qu'il y a de précieux dans l'âme humaine non seulement n'avait pas disparu chez elle, mais prospérait en dépit de tout ce qu'elle avait dû subir. C'est ce qui la rendait plus précieuse et, quand elle chantait, spectaculaire.

Si la théorie de Robinson se révélait exacte, il y aurait des actions en justice qui engloutiraient Horizn, et nul doute qu'il serait fait appel à son témoignage. Alors, la presse de caniveau se ferait un plaisir de fouiller dans son passé équivoque et de l'étaler à la une. Toutefois, en dépit des lourdes épreuves qui l'attendaient, j'étais persuadé qu'elle les surmonterait. Il existe des personnes qui nous rappellent ce que c'est que d'être humain, même par leurs imperfections. Je sentais mon esprit s'apaiser pour la première fois, et j'étais conscient de l'envie que j'avais de la revoir. Aimer Michele n'était pas une répétition de mon histoire avec Violeta Ramirez. Aimer Michele était une chose que j'allais faire avec mon âme.

J'arrivai au rendez-vous un peu en avance et cherchai des yeux la voiture de Michele. Comme elle n'était pas encore arrivée, je décidai de monter l'attendre en prenant l'escalier jusqu'au deuxième étage. J'entrai et allumai les lumières. Je fus surpris de voir la porte de mon bureau ouverte et une lampe allumée. En entrant, j'aperçus une silhouette assise dans mon fauteuil, le dos vers moi. Puis le fauteuil pivota lentement, me permettant de découvrir Derek Stephens. Il ne souriait pas et tenait énergiquement un pistolet à la main.

— Fermez la porte, dit-il. (Il me regarda impassiblement pendant quelques instants.) Ainsi, Robinson a réussi à sortir la tête de son cul assez longtemps pour deviner la vérité?

— Où est Michele? Je jure que si vous lui faites le moindre mal, je vous tords le cou.

Il ignora complètement ce que je venais de dire.

— C'est très malin de votre part d'avoir piraté notre système de reconnaissance faciale. (*Mon Dieu, faites que Nightmare ne nous ait pas vendus encore une fois.*) Mais essayer d'aider Robinson, ça, c'était une mauvaise idée, déclara Stephens. Tout était impeccablement ficelé. Et maintenant d'autres personnes vont devoir mourir. (Stephens prit un air ennuyé.) Laissez-moi vous poser une question, Jack : pourquoi continuez-vous à croire dans vos valeurs périmées, quand vous avez la preuve évidente qu'elles n'aboutissent à rien? Votre fixation idiote sur la justice va maintenant vous coûter la vie.

— C'est vous qui perdrez. Ne me demandez pas comment, mais un jour, d'une façon ou d'une autre, vous perdrez.

Stephens haussa les épaules.

— Je n'aime pas gaspiller des marchandises précieuses, mais je ne peux pas choisir à votre place.

— Je suis persuadé que vous vous ferez une raison, ironisai-je. Maintenant, dites-moi où se trouve Michele.

— Je suis un être humain, Jack. Je n'aime pas tuer. Surtout quand il s'agit de gens de qualité.

— Il y a huit personnes du McDaniel Glen qui aimeraient beaucoup vous entretenir de ce même sujet, malheureusement ce ne sera pas possible, parce qu'elles sont mortes.

Il secoua la tête d'un air agacé.

— Je ne parle pas de gens comme eux, mais de gens comme vous.

— Que voulez-vous dire, par des gens comme moi?

— Des gens qui ont quelque chose à offrir.

— Des Blancs, sans doute?

Stephens haussa les épaules.

— Doug a scellé son destin en se portant volontaire pour tester le Lipitran. Quand j'y repense, je m'en veux, parce que j'aurais dû prévoir cette possibilité. Personne au monde ne savait mieux que Townsend à quel point le Lipitran allait être efficace, puisque c'est lui-même qui nous a fourni le renseignement.

— C'est donc Doug qui a pris l'initiative de se faire inscrire?

— Oui, et je n'en ai pas parlé à Charles. Rectifier quelques erreurs de parcours fait partie de mon travail.

— D'après la morale qui est la mienne, vous êtes une ordure, Stephens. Et j'ai bien connu Doug : s'il avait su ce que vous comptiez faire, il n'aurait jamais accepté de vous aider.

— J'ai regretté de devoir le tuer. Les autres, je m'en moque complètement.

— Je me demande ce que Ralston penserait de votre forme personnelle de racisme.

— Il serait tout à fait d'accord avec moi.

— C'est vrai, j'avais oublié, il hait les siens.

— Les siens? répéta Stephens avec un rire moqueur. Les siens passent leurs vacances à Saint Bart et obtiennent les meilleures places pour les matches des Hawks[1]. Ils sont présents à tous les vernissages et fondent des banques d'investissement. La race n'a rien à voir avec la couleur de la peau, Jack. Pas depuis au moins une décennie.

— Et Michele, vous la classez où? demandai-je.

Son expression s'assombrit notablement.

— Elle est beaucoup trop connue pour disparaître, mais nous ne pouvons pas la laisser faire n'importe quoi. Nous avons essayé d'encadrer ses folies, puis c'est devenu pratiquement impossible. Elle représente un grave danger pour nous. Pour être honnête, le problème me paraissait insoluble, ce qui me préoccupait beaucoup. Et puis elle a eu la bonté de le résoudre elle-même.

---

1. Les Hawks : équipe de basket d'Atlanta. (*N.d.T.*)

— Ce qui veut dire?

— Comment tuer une personne célèbre? demanda-t-il en haussant les épaules. C'est pratiquement impossible, à moins qu'elle ne décide d'aller de son propre chef dans l'un des endroits les plus dangereux des États-Unis.

Je sentis mon sang se glacer.

— Elle est dans le Glen?

— Bien sûr qu'elle est dans le Glen. Et c'est particulièrement ironique, Jack. Elle se trouve là-bas pour racheter sa conscience. (Il m'adressa un sourire sarcastique.) Désolé qu'elle n'ait pas pu venir au rendez-vous qu'elle vous avait fixé. Mais Jamal Pope l'a appelée pour dire qu'il avait sa fille auprès de lui, et qu'il était prêt à l'échanger contre une grosse somme d'argent. Elle ne devait prévenir personne et venir seule. C'est une invitation à laquelle elle n'a pas su résister.

— Vous avez payé Pope pour qu'il la tue.

— Il paraît qu'il n'en est pas à son coup d'essai. Dès demain, les journaux vont raconter que la célèbre Michele Sonnier — qui avait réussi à dissimuler sa toxicomanie aux yeux du monde — s'est imprudemment rendue dans le Glen, à la recherche de ce qu'il lui fallait de toute urgence. Malheureusement, une fois là-bas, elle est tombée sur les membres d'un gang qui souhaitaient la voir repartir sans sa Lexus de soixante-quinze mille dollars. Il y a eu une discussion animée et elle n'a pas eu le dernier mot.

— Et sa vie va se terminer de cette façon? Un coup monté, un prétendu achat de drogue qui aura mal tourné?

Stephens paraissait totalement insensible à l'horreur de cette situation.

— Ce genre d'accident n'est pas nouveau chez les gens de la haute. C'est ce qui rend notre petit plan si parfait.

— Et si on parlait de moi?

Son regard se fit de nouveau vague.

— Vous, chevalier Lancelot, votre vœu sera finalement exaucé. Ce que vous souhaitez depuis toujours, c'est mourir pour une dame.

— Où avez-vous pris cette idée? demandai-je en me raidissant.

— Je vous ai déjà dit que j'avais pris mes renseignements sur vous, Jack. Est-ce que cette fille, il y a deux ans, n'est pas morte par votre faute ? Et depuis ce jour-là n'avez-vous pas pensé que votre vie ne valait pas la peine d'être vécue ? (Il osa me faire un grand sourire.) Je vais vous fournir l'occasion de vous racheter pour Violeta Ramirez. Vous allez partir dans une explosion de gloire machiste. Enfin, quoi, montrez-vous reconnaissant, Jack. Je vous rends un grand service.

— Vous avez prononcé son nom.

— Qui ? Violeta Ramirez ?

Je plongeai à travers mon bureau, bien déterminé à lui rompre le cou. Un coup de boule dans la poitrine envoya le fauteuil valdinguer contre le mur. Il releva brusquement la tête, furieux de s'être laissé surprendre. Un coup violent dans le ventre l'obligea à se vider les poumons à grand bruit. Puis Stephens réussit à abattre violemment son pistolet à la base de mon crâne et je tombai sur un genou. Il me planta alors le canon dans le visage, ce qui eut pour effet de m'éclaircir les idées. Je restai parfaitement immobile. Je ne voulais pas mourir sans avoir l'occasion de lui foutre mon poing sur la gueule, pour effacer son sourire satisfait. Et ce n'est pas une fois mort que je pourrais aider Michele à rester en vie. À la faible lueur de la lampe, le canon du pistolet luisait d'un éclat dangereux. Je me redressai et reculai de quelques pas.

— Ne vous y trompez pas, Jack, dit Stephens d'une voix froide. Ce n'est pas parce que je préférerais que ce soit Pope qui vous règle votre compte que j'hésiterai à tirer si vous m'y obligez. L'enjeu est trop important pour ne pas faire ce qui est nécessaire.

Je gardais les yeux sur son arme qui se trouvait maintenant à trente centimètres de mon visage.

— Alors, on fait quoi, maintenant ?

— Eh bien, nous avons rendez-vous.

Il me fit signe de me retourner et me poussa dans le dos avec le canon de son arme pour me faire traverser les deux pièces et descendre l'escalier. Dehors, la rue était entièrement déserte.

— Par là-bas, dit-il. La Ford grise.

— Une Taurus ? C'est pas votre style habituel.

— Il y a des circonstances où il faut savoir travestir les apparences.

Il m'obligea à grimper côté conducteur puis à me glisser sur le siège du passager. Il s'installa lui-même au volant, en prenant soin de garder le canon de son arme enfoncé dans mon estomac. Au moindre cahot sur la route, je risquais de recevoir une balle dans le ventre.

— Voici les règles : au moindre geste de votre part, vous êtes un homme mort. Après, je n'aurai plus qu'à livrer votre cadavre à Pope, qui en disposera. C'est clair?

— Oui.

— Bien. Alors maintenant, allons retrouver votre petite fiancée.

Il prit la direction du Glen à une vitesse modérée et s'arrêta à tous les feux. À mi-chemin, je lançai :

— Il va vous rester le problème Robinson sur les bras.

Il n'eut pas la moindre réaction et garda les yeux fixés droit devant lui.

— Le pauvre docteur est désespéré, après une seconde humiliation. Il vient de ruiner un second employeur. Il n'a plus envie de vivre.

— Vous croyez vraiment que les flics vont avaler ça?

— Il tient son journal sur son ordinateur à Grayton. Il a été récrit après beaucoup de réflexion, impeccablement antidaté avec le code choisi pour le mois dernier. Les enquêteurs vont s'apercevoir que son humeur s'est assombrie de jour en jour, et que sa foi en lui était fortement ébranlée. Il n'a plus un ami et il a honte de montrer son visage. Alors, il décide de mettre un terme à sa vie. Tout s'y trouve, ligne douloureuse après ligne douloureuse. Et la chronologie va résister à toutes les observations.

— Et Michael?

— C'est le successeur de Doug, dans tous les sens du terme, répondit-il en riant. Perturbé et si facilement contrôlable. (Il tourna la tête vers moi.) Qui a réglé le problème du journal de Robinson, d'après vous?

Je me sentis de nouveau glacé. Est-ce que Nightmare était en train d'aider Robinson, ou est-ce qu'il était resté avec lui pour s'assurer que le test avorterait? Et ce n'est pas Stephens qui pourrait me le dire, car il n'était pas question que j'aborde ce sujet avec lui.

Le trajet vers le Glen devait nous prendre environ vingt

minutes. Les rues étaient peu encombrées et nous progressions dans le plus parfait anonymat : une voiture banale de plus sur la route. À l'approche de Pryor Street, il donna une secousse au pistolet.

— Ne vous faites pas de fausses idées. Pope a interdit l'accès à tout l'arrière du Glen pendant l'heure qui va suivre.

Il ralentit à l'entrée du ghetto. Une fois à l'intérieur, il vira à gauche, empruntant la rue A, qu'il suivit jusqu'au bout de la subdivision. Il y avait peu de gens dehors, et ils avaient visiblement reçu l'ordre de s'occuper de leurs propres affaires. Personne ne jetait un coup d'œil vers la voiture quand nous passions devant eux.

Stephens tourna de nouveau à gauche tout au bout du Glen. Ici, les blocs d'immeubles étaient plus isolés les uns des autres, et l'arrière donnait sur les grilles qui entouraient cette ville dans la ville. Stephens arrêta la voiture et débloqua sa portière.

— Au moindre geste inconsidéré de votre part, je vous descends sur place, prévint-il. (Il descendit de voiture sans cesser de me viser avec son arme.) À votre tour.

Je me glissai dehors, et il m'agrippa par un bras pour me faire marcher légèrement devant lui. Nous suivîmes une allée sombre pendant quelques mètres et le canon du pistolet m'indiqua qu'il fallait prendre à gauche. Je tournai donc au coin de l'immeuble pour me retrouver derrière la bâtisse où je découvris, un peu plus loin, la dernière chose au monde que j'avais envie de voir : Jamal Pope en compagnie de Michele. Pope qui tenait fermement une adolescente par le bras. Je devinai tout de suite qu'il s'agissait de Briah. En la voyant, Stephens laissa échapper un juron et m'obligea à avancer plus vite.

— Un problème ? demandai-je.

Stephens me donna un coup de canon dans les côtes.

— La ferme, et avance.

Michele, en entendant nos voix, fit brusquement demi-tour pour nous faire face. Son visage était déformé par le chagrin.

— Oh, Jack ! Au secours, Jack !

À côté de Pope, Briah se tenait légèrement penchée d'un côté, et elle avait les yeux vitreux. Il ne faisait aucun doute qu'elle planait. Elle nous observait d'un air détaché, en se balançant légèrement. Physiquement, elle était l'image même de sa mère en plus jeune. C'était Michele avant qu'elle ne se réinvente, la fille qu'elle avait laissée derrière elle il y avait quatorze ans. La mère devait avoir l'impression de se revoir adolescente dans un miroir.

— C'est quoi ce cirque? demanda Stephens. Qu'est-ce que la fille fiche ici?

Jamal Pope prit un air ennuyé.

— Vous arrivez trop tôt. Vous n'avez pas de montre?

— Hammond était en avance. Mais est-ce que vous avez perdu l'esprit? Mentionner Briah, c'était pour lui tendre un piège, espèce d'imbécile. Il n'était pas question que vous passiez un marché avec elle.

La voix de Pope se fit menaçante.

— Personne ne me traite d'imbécile chez moi.

— Vous ajoutez une autre personne à l'équation. Ça complique tout. Vous ne savez pas ce que vous faites.

Instinctivement, je regardai autour de moi pour chercher un abri. Je savais ce que Stephens, apparemment, ignorait : manquer de respect à Jamal Pope sur son territoire relevait du suicide. Nous n'étions pas autour de la table d'un conseil d'administration, mais dans le Glen. Pope n'était pas seulement le P.-D.G., il était aussi le chef de sa propre police. Et, comme je m'y attendais, il passa rapidement la main derrière son dos et la ressortit armée d'un Glock 20, l'une des armes de poing les plus puissantes au monde. Ses balles explosent à l'impact, creusant un trou de trente centimètres dans la chair de la victime. Par comparaison, le pistolet de Stephens était un pauvre jouet. Pope agita le Glock en l'air, sans en menacer Stephens directement, mais l'intention n'en était pas moins évidente.

— Laisse-moi t'expliquer quelque chose, espèce de *salope*, dit-il. Je ne t'appartiens pas. Et si tu as besoin qu'on te mette les points sur les «i», je peux le faire.

Au mot «salope», l'atmosphère, déjà pesante, devint instantanément empoisonnée. Un frisson agita le corps de Stephens. Il était blanc, il était incroyablement riche et privilégié, et un Noir qui ne s'était probablement pas douché depuis deux jours venait de l'insulter.

— Comment venez-vous de m'appeler? demanda-t-il.

Pope prit un air las, un fort mauvais signe. Chacun de ces deux hommes sous-estimait dangereusement l'autre, ce qui créait une situation explosive. Je cherchai à rencontrer le regard de Michèle, mais elle n'avait d'yeux que pour sa fille.

— Branche ton Sonotone, *salope*. (Pope appuya bien sur le mot.) Comme ça, j'aurai pas besoin de dire deux fois les mêmes choses à ta sale gueule. Si tu avais respecté l'heure, j'aurais eu le temps de régler ce bordel avant ton arrivée.

Stephens tremblait de colère et d'impuissance. Pendant une seconde, je crus que des coups de feu allaient partir. Mais il n'avait pas atteint la position dominante qui était la sienne à Horizn en agissant sans peser le pour et le contre à chaque occasion. Il avait bien trop à perdre; alors, en faisant un effort considérable sur lui-même, il parvint à se maîtriser.

— Vous n'aviez pas besoin de lui montrer la fille pour avoir l'argent, dit-il en hochant la tête.

— Elle a fait ses classes dans le Glen, salope, rétorqua Pope. C'est pas une idiote comme toi. Elle a exigé de voir la fille d'abord.

Michele avait profité de ce vif échange entre les deux hommes pour se rapprocher insensiblement de Briah. Elle paraissait indifférente à tout ce qui n'était pas sa fille.

— Mon bébé..., murmura-t-elle.

Des sanglots l'empêchèrent de poursuivre. Briah la regardait à travers une brume chimique.

— La situation est en train de vous échapper, s'écria Stephens en désignant Briah et Michele. De plus, la fille m'a vu, maintenant. Vous comprenez ce que je vous dis? Elle m'a *vu*. Ce n'est pas ce qui était convenu.

Là-dessus, il me poussa dans le dos avec son arme jusqu'à ce que je sois proche de Michele, qui, elle, gardait toujours les yeux braqués sur sa fille.

— Mon bébé, murmura-t-elle encore. Pardonne-moi.

Pope regarda Michele et passa son bras autour de Briah.

— Vous avez pas à vous faire du souci pour elle, déclara-t-il. Tout va bien, elle a une belle vie.

Je reconnais que j'aurais mieux fait de la fermer, mais voir

Jamal Pope – un homme qui engrangeait de l'argent en exploitant ses frères de couleur – se poser en protecteur de Briah était plus que je ne pouvais en supporter.

– Avec vous? demandai-je. Stone du matin au soir? C'est ça que vous appelez avoir une belle vie?

Avant que Pope ne puisse répondre, Michele s'effondra contre moi en larmes. La peine et le remords avaient eu raison d'elle.

– Elle perd complètement la tête, souligna Stephens d'une voix coléreuse, en m'arrachant Michele et en l'obligeant à se tenir debout. Vous régnez peut-être sur le Glen, Pope, mais tôt ou tard, il faudra qu'on affronte les curieux.

Juste à ce moment-là, Michele commença d'émettre une plainte lugubre et Pope fut obligé de se dire que Stephens avait raison. Il attrapa Briah par le bras en disant :

– Bon, d'accord, finissons-en avec ce merdier. Mais pas ici, il faut aller tout à fait au bout.

Voir Pope malmener Briah était suffisant pour me pousser à tuer. Des images de vengeance, dont je reconnaissais toute la futilité, tourbillonnaient dans ma tête. Si je tuais Pope à l'endroit où il se trouvait, il n'aurait pas le temps d'exprimer des regrets. J'aurais souhaité pouvoir le ligoter à une chaise, et faire défiler devant lui les victimes de la tragédie humaine dont il était responsable. Mais tout de même, le tuer de but en blanc m'aurait déjà apporté une grande satisfaction. Celle de rendre un immense service à la société. Société dont les forces légitimes s'étaient montrées incapables de le contrôler. À cet instant, j'étais tout à fait prêt à échanger plusieurs années de ma liberté pour pouvoir rendre la justice moi-même et le tuer. La réalité, cependant, c'est que Jamal Pope s'éloignait avec Briah. Stephens avait littéralement Michele sur les bras, et pendant un bref instant je me sentis libre. Je fis un pas et le canon d'une arme se pressa à la base de mon crâne.

– Un geste, fit une voix jeune et nerveuse, et tu es mort.

C'était Rabbit, le fils de Jamal Pope.

Quand la mort est imminente, tout semble se dérouler au ralenti. Je me rappelle marcher vers l'extrémité sombre de l'allée, ma vision rétrécie, tous mes sens altérés. Mon esprit enregistrait des faits qui ne se reliaient pas entre eux : le bruit de mes pas écrasant les gravillons qui me paraissait assourdissant; un coup de vent inattendu qui précipitait un gobelet de plastique contre un mur; une seule ampoule nue, brillant derrière une fenêtre éloignée. J'essayais bien de rassembler mes pensées pour tenter de trouver l'issue salvatrice, mais je n'arrivais pas à les détacher du canon vissé à mon crâne et du fait que le moindre geste de ma part inciterait Rabbit à appuyer sur la détente. À en juger par ses antécédents, il aurait encore moins de scrupules à m'abattre que son père. Nous nous rendîmes en groupe derrière le dernier immeuble du Glen et nous arrivâmes devant un mur de brique qui ne permettait pas d'aller plus loin. Le coin puait l'urine, la sueur, et toutes les odeurs horribles produites par le désespoir de générations de miséreux. Michele et moi fûmes poussés dans le coin le plus éloigné. Elle était raide et sans réaction, paralysée par la pensée de trahir sa fille une deuxième fois. Elle continuait de murmurer des «mon bébé, mon bébé» à peine audibles. Nous étions tous les deux côte à côte et faisions face à Pope, Stephens, Rabbit et Briah. Le monde devenait de plus en plus petit. Il n'en restait rien en dehors de ces quelques mètres carrés de brique. J'attirai Michele dans mes bras, geste protecteur terriblement vain.

— Je suis désolé, chérie, fut tout ce que je trouvai à dire, en la serrant fort contre mon corps.

Elle leva les yeux vers moi, et nous nous cramponnâmes l'un à l'autre, nous préparant à mourir.

La voix de Pope jaillit de l'obscurité.

— C'est Rabbit qui va le faire, il est encore mineur.

— Rabbit ou vous, je m'en moque, dit la voix de Stephens. Ce que je sais, c'est que je vous ai payé d'avance et que je veux que le travail soit fait dès que j'aurai quitté les lieux. (Puis il y eut un horrible silence lourd de menaces, et la voix de Stephens ajouta :) Maintenant, vous devez tuer la fille aussi.

— Pas question, répliqua Pope.

— C'est vous qui nous avez mis dans cette merde, cracha Stephens entre ses dents.

L'exécution que Stephens commanditait n'avait rien à voir avec les ordres qu'il pouvait donner pour une opération boursière. Il se préparait une condamnation à vingt-cinq ans mini-mum. La tension entre les deux hommes était de nouveau palpable.

— Elle n'aurait jamais dû se trouver ici, reprit Stephens. Elle aurait pu continuer à mener sa petite vie pathétique, sans jamais savoir qui était sa mère. Mais grâce à vous et à vos magouilles, elle est au courant. Alors, vous n'avez plus le choix, vous devez vous occuper d'elle.

— Foutaises ! C'est pas ma faute si vous avez pas de montre.

— Bon Dieu, Pope ! Réparez vos conneries.

— Vous m'avez pas payé pour elle.

Je relevai doucement la tête, et scrutai la pénombre afin d'ob-server les deux hommes. Ils se faisaient face et nous ignoraient pour l'instant. Pope tenait toujours Briah par le bras, et Rabbit nous visait avec son arme. Pope et Stephens se tenaient à environ trois mètres l'un de l'autre.

— Je n'ai pas envie de discuter avec vous, dit Stephens en détachant bien les syllabes. Occupez-vous de la fille.

Pope, sérieusement en colère, leva son Glock et le pointa vers Stephens. La menace, restée vague jusque-là, venait de se préciser dangereusement.

— Les Blancs sont tous les mêmes, cracha-t-il. Quand vous venez ici, vous vous conduisez comme si les habitants de ce quar-tier étaient de la merde. Tuez çui-là, et puis çui-là. Comme si les Noirs étaient toujours vos esclaves. (Il secoua Briah, qui avait suffisamment récupéré ses esprits pour comprendre qu'il se pas-sait quelque chose de pas normal. Elle essayait vainement de s'arracher à sa poigne de fer. Elle attaquait sa main de ses ongles, mais Pope ne paraissait même pas s'en rendre compte.) Vous croyez peut-être qu'il vous suffit d'un claquement de doigts pour me pousser à tuer des gens ? Comme s'il s'agissait d'animaux ? Un peu de respect, osa-t-il dire.

Un sentiment de frustration faisait trembler Stephens.

— Enfin, bon Dieu, qu'est-ce que vous voulez, Pope ?

— Le même prix que pour les deux autres. Vingt-cinq mille dollars.

Stephens regarda le Glock. Il était dans l'aire d'influence de Pope, il manquait de temps, il n'avait donc pas le choix.

— C'est d'accord, céda-t-il. Mais dépêchez-vous. La police va finir par arriver.

— Vous inquiétez pas de la police.

— Bien. Donnez-moi cinq minutes pour sortir d'ici.

Là-dessus, il fit rapidement demi-tour et repartit en direction de sa Ford. Après quelques instants, j'entendis la portière claquer, puis la voiture démarra.

Pope se tourna vers moi. Il tenait toujours fermement Briah par le bras, et l'adolescente continuait d'essayer de se dégager. En vain. Il tenta de la calmer. Il ne voulait pas avoir à lui tirer dans le dos si elle se sauvait.

— Bordel, petite, arrête ton cirque une seconde.

Mais Briah n'avait aucune envie de s'arrêter. Elle pleurait, lui donnait des coups de pied, et finit par lui planter les dents dans la main avec une force brutale. La surprise et la douleur le forcèrent à retirer sa main.

— Non, mais quelle connasse! s'écria-t-il en lui envoyant un méchant revers en pleine figure.

La petite trébucha, puis tomba à genoux pour finir par s'écrouler sur le côté.

Un hurlement s'éleva à côté de moi. La voix capable de produire les plus beaux sons du monde venait de pousser cet horrible cri. Michele se jeta sur Pope comme un ouragan. Elle était devenue un tourbillon de pieds, de poings, de dents, et incarnait une colère imprécatoire venue tout droit de l'enfer. La violence de son attaque m'avait coupé le souffle. Elle avait atteint l'état de pur chaos, la liberté sans limites, où tout ce qu'elle aimait avait été arraché et jeté au vent. Elle se moquait totalement de ce qui pouvait lui arriver. Elle devait empêcher Pope de faire du mal à sa petite fille. Elle continua de le frapper des pieds et des poings et de lui arracher les cheveux avec une véritable fureur aveugle.

Rabbit vint se placer devant moi, le canon de son pistolet tout près de ma tête. Au moindre mouvement, j'étais mort. Ce qui m'obligeait à contempler un spectacle horrible sans pouvoir intervenir. Toute l'angoisse de Michele, son amour à retardement pour sa fille avaient refait surface, mais Pope était bien plus fort qu'elle. Il finit par la maîtriser progressivement, tout en prenant encore quelques coups. Enfin, il lui tordit méchamment un bras derrière le dos, lui arrachant un cri de douleur. Elle continua de le frapper avec l'autre, mais il était évident que tout serait bientôt terminé. Il fallut encore trente ou quarante pénibles secondes à ce Pope du diable pour neutraliser complètement la divine Michele. Je tremblais de rage de ne pouvoir rien faire.

Et puis il se passa quelque chose de terrible et de merveilleux, quelque chose que je n'aurais pas su prévoir même si j'avais vécu un million d'années. Un moment de grâce ondoya brièvement dans cet enfer. Briah, pour l'instant oubliée, cria «maman?» d'une voix de petite fille désespérée. C'était probablement la première fois que ce mot franchissait ses lèvres. Mais elle venait de comprendre que Pope s'apprêtait à tuer sa mère, les produits chimiques qui se baladaient dans son corps n'avaient pas été suffisants pour l'empêcher d'appréhender la réalité. Alors, elle se jeta sur Pope. Elle était maladroite et sans force, mais ce fut suffisant. Pope perdit l'équilibre et faillit tomber en avant. Il laissa échapper son Glock qui glissa à travers l'allée pour échouer à deux mètres de moi.

Voilà le moment que j'attendais, le moment où tout m'apparut clairement. Désormais, je me fichais de tout. Ignorant Rabbit, je plongeai vers l'arme. Au moment où mes doigts touchèrent le métal, il y eut une détonation, et une douleur plus affreuse que toutes celles que j'avais pu ressentir me traversa comme une violente décharge électrique. Rabbit m'avait expédié une balle dans la cuisse gauche. Mes doigts se refermèrent sur le Glock. Avec un hurlement, je m'éloignai en roulant sur moi-même sans le lâcher. Pour une fois, les réflexes sauvages de Pope me rendirent service. En moins d'une seconde, il s'était débarrassé de Michele et jeté sur moi, empêchant Rabbit de m'achever d'une deuxième balle. Nous nous battîmes furieusement pour le contrôle du Glock. Michele, toujours animée par la même rage folle, sauta sur le dos de Pope pour lui marteler de ses poings la tête et le cou.

Étroitement imbriqués, nous étions pris tous les trois dans une danse furieuse. Je parvins à tenir le Glock pointé en l'air, pour ne pas risquer de tuer Michele par accident. Pope était très costaud, mais il avait du mal à s'en sortir. Encore quelques secondes, et nous allions parvenir à le maîtriser.

— Tire, bon Dieu! hurla-t-il à Rabbit. Descends-moi ces enculés!

Le fils n'avait pas besoin des encouragements du père, mais la masse de nos corps en perpétuel mouvement l'empêchait de tirer. Sa balle risquait de traverser la victime désignée pour achever sa course dans le corps de Pope. Et je parvins à manipuler ce dernier pour offrir son dos à son fils. À ce moment-là, Briah se remit sur ses pieds et vint vers nous en trébuchant et en criant «maman, maman», au milieu de ses larmes. Pope la vit du coin de l'œil et hurla :

— Commence par la fille! Vas-y, tire!

Rabbit se tourna vers Briah et un nouveau moment de grâce vint modifier le cours des événements. J'ignore si c'est parce que c'était une fille qui avait à peu près son âge, mais il hésita. Il se tint immobile, son arme vaguement pointée dans la direction de Briah. C'étaient soudain deux adolescents prisonniers d'un monde d'adultes monstrueux où ils ne se trouvaient pas à leur place. Ils auraient dû être en train de jouer ailleurs, ou de tomber amoureux. Ils auraient pu être dans un million d'endroits, mais certainement pas dans le pire quartier d'Atlanta, prisonniers d'une tragédie américaine moderne, avec des odeurs de mort flottant dans l'air. Debout l'un en face de l'autre, ils avaient l'air de ce qu'ils étaient : *des enfants.*

Pendant un bref instant, j'ai pensé que Rabbit allait jeter son pistolet et s'en aller. C'était perceptible; un sentiment d'humanité se faisait jour en lui, rendant cet adolescent soudain conscient que ce qu'il s'apprêtait à faire était abominable, et, même s'il était trop jeune mentalement pour comprendre comment il avait fini par se retrouver dans ce cul-de-sac de l'enfer, un instant s'écoula où les forces du mal qui menaient le monde auraient pu, auraient dû, être découragées. Tout parut se figer dans la nuit anormalement silencieuse. Briah oscillait sur place dans cette atmosphère explosive, cible humaine piégée dans un jeu dont elle n'avait pas plus d'espoir que Rabbit de comprendre les règles. Ce fut comme si tout l'univers était contenu dans une seconde; les gouvernements et les programmes futiles de lutte contre la pauvreté, les Blancs et les Noirs, l'effondrement des valeurs familiales, tout cela contenu dans un jeune garçon dont la rage meurtrière venait de se transformer en un mélange de consternation et de trouble devant nos yeux. Je jure que, soudain, je vis là toute l'histoire du monde. Rabbit se retourna pour regarder son père avec une expression désemparée. Au fond de ses yeux, on pouvait lire : *Qu'est-ce que tu m'as fait ? Comment en si peu d'années ai-je pu me transformer en ce que je suis devenu ? Pourquoi le monde est-il si incroyablement cruel ?* Mais la voix glacée de Pope éclata dans l'air nocturne, brisant tout espoir.

— Tire ! hurla-t-il. Descends-moi cette connasse !

Rabbit se retourna vers Briah, ferma les yeux, et appuya sur la détente. Mais, au cours de cet effroyable échange muet entre le père et le fils, Pope avait relâché son étreinte, et Michele, parvenant à se libérer, avait eu le temps de se jeter devant sa fille. Ce fut elle qui prit la balle en pleine poitrine. Balle qui explosa dans son corps en la projetant en arrière contre le mur dégoûtant. Elle se cogna durement contre la brique, rejetant tout l'air contenu dans ses poumons en un soupir atroce. Elle regardait droit devant elle et son regard fixe exprimait alarme et surprise. Puis elle glissa par terre au ralenti. Briah, sous le choc d'avoir retrouvé sa mère et de l'avoir perdue en quelques instants, chancela et s'écroula à son tour sur le béton où elle continua à trembler et à gémir.

Rabbit regarda Michele et lâcha son arme. Il se retourna d'une pièce vers son père, le visage inexpressif. Il s'était refermé, sa conscience et son esprit réduits au silence. Sans hésiter une seconde, Pope tenta de récupérer le pistolet de Rabbit. Et mon monde bascula une fois encore : me défendre signifiait tuer un homme devant son propre fils. Et, en dépit du chaos qui régnait cette nuit-là, je savais que dans le sociopathe en herbe de quatorze ans surnommé Rabbit il y avait encore un enfant désemparé qui vivait et respirait, et voulait désespérément mener une vie normale. La question à laquelle j'avais un millième de seconde pour trouver une réponse, c'était de savoir si j'étais prêt à mourir pour l'espoir ténu d'une rédemption.

Il y eut un flottement dans mon âme, une explosion, et ma balle expédia Jamal Pope en enfer.

Des sirènes s'approchaient. Rabbit était parti depuis longtemps, sans que j'aie rien pu faire pour le suivre. Ma jambe saignait abondamment et j'étais incapable de marcher. Je me traînai jusqu'à Michele, l'attirant contre moi et caressant ses cheveux. Ses paupières bougèrent, et elle finit par ouvrir les yeux. Son regard se fixa sur moi. Elle sourit en faisant l'effort de porter une main à mon visage. Je pris cette main, y posai les lèvres et la replaçai à son côté. En un seul jour, j'avais accepté de m'ouvrir à l'amour que j'éprouvais pour cette femme et de la perdre. C'était insupportable.

— Ça va aller, dis-je, en mêlant mes doigts aux siens. On va s'occuper de toi.

— Mon bébé? J'ai vu...

— Elle va bien, la rassurai-je. Il ne lui est rien arrivé.

— Jack chéri, je ne veux pas qu'elle me voie comme ça, dit-elle en pressant ma main.

Je regardai en direction de Briah qui se trouvait à cinq mètres de nous et semblait évanouie.

— Elle ne peut pas te voir, elle a... Elle va bien.

Michele referma les yeux. Sa respiration se faisait de plus en plus difficile. Sa poitrine se soulevait par secousses et la douleur qui se propageait par à-coups dans son corps lui arrachait des grimaces. Ses yeux se rouvrirent, plus lentement cette fois.

— Je suis de retour dans le Glen, Jack, dit-elle. (Sa voix n'était plus qu'un murmure qui menaçait de s'éteindre en même temps que sa vie.) La boucle est bouclée. C'est comme s'il ne s'était jamais rien passé, comme si je n'avais rien fait de ma vie.

Je lui pris le visage entre mes mains. J'avais l'impression qu'on m'enfonçait un fer rouge dans la cuisse.

— Tu as produit les plus beaux sons du monde, assurai-je. Tu as fait de la musique pour les anges. (Elle parvint à sourire et ma détermination à rester fort se lézarda. Je ne pus retenir mes larmes.) Je voulais te protéger, hoquetai-je. Je voulais tellement te protéger.

Elle pressa ma main très faiblement.

— C'est bien comme ça, chéri, chuchota-t-elle, ne t'en fais pas.

Les sirènes étaient maintenant très proches et une petite foule avait trouvé le courage de se rassembler. Avec l'arrivée de la police, les menaces de Pope ne produisaient plus le même effet. Je serrais Michele plus fort contre moi, essayant de la protéger du regard des curieux. Elle tenta encore de prononcer quelques paroles que je ne pus saisir. Je penchai alors mon oreille vers sa bouche et elle répéta dans un souffle :

— Tu t'occuperas d'elle, Jack? Tu prendras soin de mon bébé?

— Oui, ma chérie, c'est juré.

Et, à l'instant où je prononçais ces mots, une autre femme entra dans ma vie.

La main de Michele se détendit. Elle toussa, et je sentis quelques convulsions parcourir son corps. Une légère écume sanguinolente apparut sur ses lèvres et je m'efforçai de l'éponger avec un pan de ma chemise. Voir sa vie s'écouler lentement hors d'elle me révoltait. C'était comme une blessure sur mon propre corps, une déchirure infligée à mon âme. J'entendis des voitures freiner dans un crissement de pneus. Tout serait terminé dans quelques secondes. Une lumière éblouissante éclaira la scène, m'obligeant à loucher. Je vis que le sang de Michele, après avoir traversé ses vêtements, formait une petite flaque à côté de son corps. Elle parvint encore à dire, d'une voix à peine audible :

— La balle était pour Briah.

— Oui, chérie, acquiesçai-je en posant mes lèvres sur son front. Tu l'as sauvée.

— Alors, je suis une bonne mère?

— Oui, chérie, une très bonne mère.

Une lumière aveuglante m'obligea à me protéger les yeux d'une main.

— Police, annonça une voix rude. Lâchez-la et allongez-vous à plat ventre.

— Il est temps de partir, dit encore Michele. Temps de laisser partir.

Ignorant la police, je la berçai doucement.

— Quand tu es venue chez moi, tu m'as dit que tu m'aimais.

— Je me rappelle.

— Tu m'as dit que ça rendrait les choses plus faciles si je ne répondais pas?

— Oui, se força-t-elle à répondre.

— Pourtant je t'aime aussi, plus que tout au monde. (Elle croisa mon regard et je sus qu'elle m'avait compris.) Ça va aller, chérie, l'ambulance arrive.

Je continuai de l'entourer de mes bras, sentant mon cœur se briser en morceaux. Je voulais remonter le temps, revenir à cette journée passée à courir les magasins de Virginia Highlands, ce jour où nous avions été parfaitement heureux et où n'existait qu'une présence enivrante de l'un pour l'autre. Je voulais changer tous les événements qui s'étaient produits à partir de ce jour-là, pour que nous puissions quitter Atlanta tous les deux et disparaître dans un monde tranquille et sûr où nous pourrions nous aimer en paix. Mais il était trop tard. J'écartai tendrement ses cheveux de son visage, et elle me regarda de ses yeux qui devenaient vitreux. Je vis la lumière s'éteindre en elle, ses muscles se détendre, sa tête tomber doucement contre ma poitrine. Sa respiration se ralentit, puis, avec un grand soupir, elle abandonna. Je lui fermai délicatement les yeux, sans cesser de la bercer dans mes bras. Je sentis alors la main du flic sur mon épaule. Il ne cherchait plus à me brutaliser; il avait compris qu'il venait d'assister à un drame personnel. J'entendis une seconde sirène, celle de l'ambulance. Elle arrivait beaucoup trop tard.

— Je regrette, baby, murmurai-je à son oreille. Si tu savais comme je regrette.

Je perçus une certaine confusion, des gens se pressaient autour de nous. Les policiers étaient plus nombreux. Quatre ou cinq d'entre eux isolèrent la scène pour la protéger des badauds. Le policier qui m'avait posé la main sur l'épaule s'agenouilla à côté de moi.

— On va vous porter dans l'ambulance dit-il avant de demander : La dame, c'est qui?

Je regardai le flic qui me posait une question à laquelle il faudrait un livre pour répondre. Michele avait passé vingt-huit ans à essayer d'y répondre, se composant un personnage de femme magnifique. Aujourd'hui, de retour chez elle, elle était devenue la victime d'un monde qu'elle avait tenté d'abandonner derrière elle. *Elle est la reine*, pensai-je. *La reine du McDaniel Glen*. Mais, à la fin, je donnai la réponse qui protégerait sa mémoire le plus longtemps.

— Elle s'appelle Fields, dis-je. T'aniqua Fields.

Un nouvel élancement terrible dans ma jambe me plongea dans les ténèbres. Le flic rattrapa Michele et je m'écroulai évanoui sur le béton.

# 29

La faible lueur devint plus puissante, la luminosité commençant à la ligne périphérique de ma vision, puis pénétrant doucement et illuminant l'intérieur, s'intensifiant jusqu'à ce que je
puisse en ressentir l'éclat à travers mes paupières closes. Je battis
plusieurs fois des paupières avant d'ouvrir les yeux, et l'aveuglant
éclairage fluorescent de la salle des urgences d'un hôpital m'obligea à loucher. Billy Little, le visage soucieux, se tenait penché
au-dessus de moi. Il continua de m'observer pendant un instant
avant de déclarer :

— Oui, il revient à lui. Venez voir.

Un jeune homme d'environ vingt-cinq ans, qui me parut
d'origine arabe, m'apparut par-dessus l'épaule de Billy.

— Alors, c'est parfait, dit-il avec un accent britannique très
prononcé. La blessure a beaucoup saigné, mais elle n'était pas
très profonde. Encore quelques unités de perfusion et ça ira.

Je regardai l'interne, essayant de me rappeler pourquoi j'avais
atterri ici. Je ressentais des élancements à la jambe, et la douleur
réveilla ma mémoire ; la mêlée avec Pope, l'horrible instant où
Rabbit avait tiré, et, noyant tout le reste, le cruel souvenir de
Michele dans mes bras alors que la vie s'écoulait d'elle en un
ruisseau qui allait bientôt se tarir.

Billy remplaça l'interne dans mon champ de vision. Il posa
délicatement la main sur mon épaule.

— Vous n'avez pas agi d'une façon très raisonnable, ces derniers temps, maître. Il n'entre pas dans mes attributions de rendre visite aux avocats à l'hôpital.

— Désolé, eus-je du mal à articuler. Qu'est-ce que tu fais ici ?

— Quand l'interne m'en aura donné la permission, on va avoir une longue conversation, toi et moi. Tu essaieras de m'expliquer pourquoi je ne vais pas t'accuser du meurtre de Jamal Pope, répondit-il. Attention, je ne suis pas en train de dire que je regrette qu'il soit mort.

— C'était de la légitime défense, déclarai-je un peu plus clairement.

— Tu croyais que j'en doutais ? Repose-toi pour l'instant.

L'interne demanda effectivement à Billy de partir, et je replongeai dans le sommeil. Un sommeil ténébreux, plein de rêves violents. Lorsque je rouvris les yeux, un soleil matinal éclairait ma chambre ; apparemment, je ne m'étais pas réveillé de la nuit. Un nouveau médecin, accompagné d'une infirmière, passa me voir peu de temps après mon réveil et m'examina rapidement.

— Vous avez eu de la chance, Mr. Hammond, assura-t-il. La balle a traversé le bas de votre cuisse gauche, en laissant deux trous très propres. Nous avons réparé la veine et remplacé votre plasma sanguin. Ça va aller.

— Quand vais-je pouvoir sortir ?

— Dans quelques heures. Mais il vous faudra attendre un certain temps avant de courir un marathon.

Je hochai la tête en souriant et il s'en alla. Je redevenais plus lucide ; c'était comme si les élancements que je ressentais dans la cuisse éclaircissaient mes pensées. Je ne voulus pas prendre de calmants, car j'avais besoin de réfléchir. Quelques minutes après le départ du médecin apparut Robinson, pâle et anxieux.

— Mon Dieu, Jack ! s'exclama-t-il. Que vous est-il arrivé ?

— Vous d'abord, exigeai-je. Comment ça va ?

— Moi ? J'ai passé une fichue nuit à vomir entre les tests. Mais je vais bien.

— Et ?

Le visage de Robinson s'illumina d'un sourire enfantin.

— Nous avons reçu les résultats il y a une heure. C'est bien ce que nous pensions. Ralston et Stephens vont plonger.

Je fermai les yeux en m'appuyant contre les oreillers de mon lit d'hôpital. *Ils vont plonger.* Je laissai à cette nouvelle le temps d'apaiser mes blessures, externe et interne. Elle parvint à soulager la douleur que j'éprouvais à la jambe, mais elle fut impuissante à effacer la peine qui tourmentait mon âme. Tout d'un coup, je rouvris les yeux.

— Où est Michael ?

Robinson posa la main sur mon épaule.

— Je suis au courant pour mon journal, dit-il d'une voix posée. Il m'a tout avoué au milieu de la nuit.

— Et vous avez bien digéré la nouvelle ?

— Il a cédé à la peur. Et, sans son aide, je n'aurais pas pu faire ce qu'il fallait. Oui, j'ai bien digéré la nouvelle.

À ce moment-là, Nightmare apparut derrière Robinson, avec l'air crevé de celui qui vient de passer une nuit blanche.

— Salut ! lança-t-il. Eh ben dis donc, mec, t'as encore une plus sale gueule que d'habitude. Et c'est pas peu dire.

— Tu ne nous as pas vendus, Michael. Merci.

Sa peau blanche devint cramoisie.

— Peut-être que je vais me ranger pendant un certain temps, annonça-t-il. Rien que pour voir si ça me botte. (Il sourit.) Mais faudra pas t'y habituer, mec. Je suis quand même un type fondamentalement déjanté.

Je m'assis dans mon lit avec précaution, ravi de constater que toutes les parties de mon corps semblaient m'obéir.

— Quelle heure est-il ?

— À peine sept heures, répondit Robinson. Ils vont certainement vous garder encore un peu, pour plus de sûreté.

— Passez-moi mes affaires, parce que nous partons maintenant.

— Vous n'y pensez pas, protesta Robinson. Vous voulez qu'on vous ramène ici avec une hémorragie ?

— Alors, allez leur demander de me faire un pansement solide, ordonnai-je. Il faut qu'on soit dans le bureau de Nicole Frost, chez Shearson Lehman, avant neuf heures. Tous les trois. (Je regardai Michael.) Tu t'es débrouillé pour trouver de l'argent comme je te l'ai demandé ?

— Trois mille huit cents dollars, répondit-il. C'est tout ce que j'ai pu dégoter.

— Il faudra faire avec. (Je me tournai alors vers Robinson.) Michael vous a transmis mon message ?

— Oui, mais j'aimerais comprendre.

— Qu'est-ce que vous avez?

— Pas de liquide, des actions Grayton. J'ai été payé avec des actions quand elles cotaient trente dollars. Ça paraissait être une bonne idée à l'époque.

— Et aujourd'hui, elles sont à combien?

— Autour de cinq dollars.

— Vous en avez combien?

— À peu près cent soixante-huit mille.

J'étais trop fatigué pour faire la multiplication, mais je savais que ce n'était pas négligeable.

— Je vais tout vous expliquer pendant le trajet.

— C'est tout ce que je possède, s'inquiéta Robinson. C'est ma retraite.

— Ce sera à vous de prendre la décision. Mais, croyez-moi, si vous me faites confiance, vous ne le regretterez pas.

Robinson me considéra un moment d'un air dubitatif, puis acquiesça d'un signe de tête.

— Quand je vous ai rencontré, j'étais au bout du rouleau. J'envisageais la mort. Grâce à vous, j'ai de nouveau la vie devant moi. Alors, je sais que je peux vous faire confiance.

— Bien. Faites-moi faire un bandage et appelez le détective Little. Je vais lui servir sur un plateau l'affaire qui va le faire promouvoir lieutenant, en échange d'un petit service. Et ce service va vous rapporter gros pour vous remercier de m'avoir aidé.

Les heures suivantes furent actives, malgré un cœur brisé. Le temps de laisser libre cours à mon chagrin viendrait plus tard. Il pourrait, à ce moment-là, prendre la forme qu'il voudrait; mais, pendant quelques heures encore, je devais l'enfermer dans un coin scellé de mon âme et rester concentré sur mon objectif. J'allais jouer ma dernière carte, et le timing devait être parfait.

À neuf heures, Robinson, Nightmare et moi – un bandage serré autour de la cuisse – débarquâmes dans le hall des bureaux de Shearson Lehman, dans un état à faire peur. Comme nous n'avions pas une minute à perdre, personne n'avait fait le moindre brin de toilette depuis la veille. Ma blessure me faisait beaucoup souffrir; Robinson, titubant par manque de sommeil et à cause des effets secondaires d'un puissant médicament antiviral, ressemblait à un mort vivant; quant au choix de Nightmare pour ses vêtements de la veille – un treillis de l'armée et un T-shirt noir sans manches à la gloire du groupe musical System of a Down –, il perturbait fortement l'ambiance d'un des centres d'affaires les plus conservateurs d'Atlanta. En outre, il était encore plus nerveux que d'habitude.

— Explique-moi encore une fois, demanda-t-il, le corps secoué par de légers tremblements.

— Je n'ai fait que ça pendant tout le trajet jusqu'ici.

— Oui, mais répète le passage où tu disais qu'on pourrait tout perdre.

— Ou aller en prison, intervint Robinson. Il a dit ça aussi.

Je leur fis face à tous les deux.

— Rien ne vous oblige à me suivre dans cette aventure, dis-je. Je voulais simplement vous rembourser de vos efforts. (Après quelques instants, Robinson acquiesça d'un signe de tête et Nightmare l'imita.) O.K., continuai-je. Horizn va entrer en Bourse aujourd'hui. Nous allons acheter tout ce que nous pourrons à l'ouverture et le vendre à découvert. Nous parions sur le fait que le prix va dégringoler.

— Et on va acheter sur la marge, pour acheter plus qu'on peut se le permettre, dit lentement Nightmare, qui paraissait avoir retenu sa leçon.

J'opinai en silence.

— Avec ce système, pour chaque dollar que l'action va perdre, nous on gagne.

— Et si le prix baisse pas? demanda ingénument Nightmare.

— On boit le bouillon, dis-je avec une grimace. (Ma jambe me faisait de plus en plus mal.) Personne ne va nous faire de cadeau.

— Et vous croyez vraiment qu'on va échapper au délit d'initié? intervint Robinson d'un ton peu convaincu.

— On ne risque rien de ce côté-là.

— À cause du minutage?

— À cause du minutage, confirmai-je.

— Et vous pensez qu'après les événements d'hier soir ils ne vont pas annuler l'opération?

— Non, dis-je en secouant la tête. Ce n'est pas le genre d'opération qu'on peut arrêter quelques heures avant. Et puis il y a de fortes chances pour que Stephens croie que tout s'est déroulé selon ses ordres. Il a peut-être essayé de joindre son bourreau, mais il ne va pas essayer de tout arrêter parce que Pope ne l'a pas rappelé. Il est en compte pour des millions de dollars avec des banques d'investissement. Stopper l'introduction en Bourse signerait la fin d'Horizn de toute façon. Alors, ce n'est pas envisageable.

La grande porte à deux battants qui se trouvait derrière nous s'ouvrit et Nicole apparut. Une Nicole toujours aussi impeccablement professionnelle et affable. Mais en voyant le tableau qu'on offrait à ses yeux, elle se figea sur place.

— Jack? (Son regard s'arrêta sur le bandage.) Oh, mon Dieu! Que t'est-il arrivé?

— Ce serait trop long à t'expliquer. Le temps presse. Nous voulons ouvrir un compte sur marge. (Nicole laissa échapper un petit rire nerveux, comme si elle était persuadée que je venais de perdre l'esprit.) Nous sommes sérieux, insistai-je, et il faut faire très vite.

— Vous vous êtes regardés? demanda-t-elle en cessant de rire.

— Pour la somme de deux millions cinq cent trente et un mille quatre cents dollars, s'il te plaît.

Un grand silence suivit, puis elle me prit par le bras.

— Es-tu devenu fou, Jack? chuchota-t-elle. Je sais que ça ne va pas très bien pour toi, mais spéculer à découvert n'est pas la bonne solution. (Elle montra de la main Robinson et Nightmare.) Qui sont ces deux hommes et que font-ils ici?

— Ils m'offrent leur garantie, précisai-je. Cent soixante-huit mille actions des laboratoires Grayton, qui s'échangent actuellement à environ cinq dollars. (Nicole, qui s'apprêtait à continuer son sermon, s'arrêta net.) Et nous avons aussi un chèque de banque pour la somme de trois mille huit cents dollars, grâce à mon associé, Mr. Michael Harrod. Michael, serre la main de ton nouveau broker.

Michael tendit la main comme un Rockefeller. Nicole la regarda un bref instant avec circonspection, puis la serra. Ensuite, elle donna l'impression de chercher un essuie-main. Les portes situées derrière nous s'ouvrirent de nouveau, et plusieurs cadres vêtus de costumes bien taillés traversèrent le hall.

— Bon, dit Nicole. Vous feriez mieux de me suivre là haut, parce que, tous les trois, vous êtes en train de laminer mon image de marque.

Elle nous obligea à nous entasser dans un ascenseur qui nous emmena au deuxième étage. Lorsque les portes coulissèrent pour nous libérer, nous nous retrouvâmes sur la passerelle qui dominait la salle de marché de Shearson Lehman, un endroit d'Atlanta qui fait paraître la NASA démodée. Nous avions sous les yeux un monde immaculé, où d'innombrables rangées d'écrans à plasma affichaient le passage continuel des richesses du monde des mains de l'un aux mains de l'autre, avec des prix généralement en hausse. Les bureaux des cadres — y compris celui de Nicole — ouvraient sur cette salle de marché, à la façon dont les Romains pouvaient assister aux combats de gladiateurs. Et comme au Colisée, chaque jour, lors de la clôture, on comptait les morts, les blessés, et les glorieux vainqueurs. Le travail de Nicole consistait à s'assurer que ses clients demeuraient dans ce dernier groupe.

En sortant de l'ascenseur, nous la suivîmes vers son antre, croisant beaucoup de costumes-cravates. Bien plus que d'habitude, selon mon amie. Des tas de gros bonnets tenaient à occuper les premières loges pour assister au feu d'artifice Horizn. En passant devant un bureau dont la porte était restée ouverte, nous eûmes le temps d'apercevoir une bouteille de Cristal Roederer se rafraîchissant dispendieusement dans la glace. Cinq ou six personnes se trouvaient dans la pièce, bavardant sur le ton anxieux qu'adoptent les enfants le matin de Noël.

Nightmare paraissait marcher sur un petit nuage. Il était probablement en train d'imaginer ce qu'il parviendrait à faire en piratant leur système informatique. Le cabinet de Nicole, où nous pénétrâmes tous les trois, offrait un espace confortable, meublé d'un bureau moderne, d'un canapé de cuir et de fauteuils à oreillettes capitonnés entourant une table basse. Une toile de Leroy Neiman ornait un mur. Je lui adressai un coup d'œil interrogatif en la désignant du doigt.

— Je la déteste, dit-elle, mais en la voyant mes clients mâles se détendent. Et je peux leur demander de me donner tout leur argent. (Elle nous fit signe de prendre place et s'installa elle-même dans un des fauteuils.) Bien. La matinée s'annonce mouvementée. Alors expliquez-moi rapidement où vous voulez en venir.

Je posai l'attaché-case sur la table basse et l'ouvris.

— Voici les certificats d'actions des laboratoires Grayton, au prix courant de cinq dollars, plus notre chèque de banque.

Nicole observa la mallette pendant un bref instant.

— Je vois, dit-elle. (Elle s'empara alors d'une calculatrice et pressa quelques boutons.) Ce n'est pas assez, Jack. Les comptes sur marge ne peuvent pas excéder quinze pour cent.

— Nous avons l'intention de vendre à découvert. Dans ces conditions, c'est soixante-quinze pour cent, exact?

— L'intention de vendre quoi, à découvert?

— C'est soixante-quinze pour cent, exact?

Elle scruta mon visage pendant un moment, avant de répondre :

— Oui, Jack. C'est soixante-quinze pour cent. Techniquement.

— Donc, ça nous fait deux millions cinq cent trente et un mille quatre cents dollars. (Je sortis alors un papier que je lui tendis.) C'est mon assurance-vie, précisai-je. Elle vaut vingt et un mille dollars. J'ai fait de Shearson Lehman le cessionnaire. Tu peux la toucher quand tu veux.

Un silence un peu plus long. Si, socialement parlant, Nicole était plutôt effrontée, elle menait ses affaires comme une nonne.

— Ce n'est pas vraiment très orthodoxe.

— Peut-être, mais c'est légal. Et c'est le principal.

— Messieurs, vous êtes conscients que vous risquez de subir d'immenses pertes?

— Oui, répondis-je pour nous trois.

— Et vous êtes également conscients que les commissions sont plus élevées pour les achats sur la marge?

— Oui.

Nicole me regarda un moment sans rien dire, puis elle se leva.

— Alors, messieurs, veuillez attendre ici un instant, je vais avoir des documents à vous faire signer.

À force de volonté, j'avais réussi à faire taire mon chagrin depuis plusieurs heures, mais je me sentais brûler intérieurement.

J'étais trop conscient de mes propres fautes pour qu'il s'agisse d'une flamme vertueuse ou indignée. Mais elle n'en était pas moins chauffée à blanc et elle avait trouvé sa cible. Après que Nicole nous eut fait signer les papiers, elle se mit en devoir de régler son équipement informatique. Pendant ce temps-là, je faisais les cent pas dans son bureau, tandis que Robinson et Nightmare gardaient le nez collé à la paroi de verre qui donnait sur la salle de marché. Les contrepartistes étaient déjà en place et discutaient entre eux, en demandant à la caféine de combattre leur fatigue chronique.

Au cours des quatre ou cinq minutes qui précédèrent l'ouverture des marchés, nous nous sentîmes comme des frères – trois *compadres* bien improbables, rassemblés par d'étranges circonstances. Et nous nous apprêtions à entrer en guerre. L'énergie qui circulait entre nous était presque palpable ; une énergie faite à la fois d'espoir et d'angoisse. Je m'approchai à mon tour de la paroi de verre ; nous restâmes tous les trois fascinés par ce que nous étions en train de voir, et obsédés par ce que nous nous apprêtions à faire. À dix heures précises, Nicole nous ramena à la réalité.

— Boum ! s'écria-t-elle en souriant. Le départ est donné. Maintenant, vous me dites ce qu'on fait.

— Fais apparaître Horizn à l'écran, dis-je.

— Horizn ?

Je crois qu'elle serait devenue plus pâle que d'habitude si cela avait été possible. Je vins me placer derrière elle, afin de pouvoir regarder par-dessus son épaule. Je sentis mon corps tout entier se raidir alors que je lisais les chiffres. Les actions d'Horizn, symbole HZN, clignotèrent un instant au prix d'appel de trente et un dollars, mais quelques secondes seulement. Ce fut tout de suite trente-deux dollars cinquante, puis trente-trois dix-sept. Nicole tourna la tête vers moi.

— Que veux-tu faire ? Ça ne va pas arrêter de monter.

— On attend, dis-je.

Trente minutes plus tard, HZN cotait à trente-huit dollars douze.

Nicole devenait de plus en plus anxieuse.

— Jack, tu deviens fou !

Je me contentai de secouer la tête. À onze heures et quart, HZN avait explosé à quarante-six dollars et grimpait vers la cote qu'on anticipait dans un an seulement. Les acheteurs étaient devenus frénétiques, les contrepartistes lançaient des ordres, pour voir le prix remplacé par un autre avant qu'il soit enregistré. Je croisai le regard de Robinson, qui ne pouvait cacher sa nervosité.

— Quand elle sera à cinquante dollars, dis-je.

— J'espère que tu sais ce que tu fais, commenta Nightmare, qui tremblait.

— Vous pouvez descendre du train quand vous le souhaitez, précisai-je. C'est à vous de décider.

Il ne rétorqua rien et se retourna pour continuer d'observer la salle de marché. Vers onze heures trente, le rythme des achats se ralentit. Au cours des dix minutes suivantes, le prix de l'action dépassa les quarante-neuf dollars, sans atteindre le chiffre magique.

— HZN s'essouffle, constata Nicole. Des brokers ont dû revendre tout de suite pour se faire de l'argent vite gagné.

Je jetai un coup d'œil à ma montre, il était onze heures quarante.

— Achète cinq mille actions, dis-je.

Nicole n'était visiblement pas d'accord, mais elle obtempéra.

— C'est ton argent, commenta-t-elle.

Je regardai mon ordre clignoter un instant sur l'écran avant d'être dévoré. Ce fut suffisant pour redonner un peu d'énergie aux opérations, mais HZN n'atteignit pas pour autant les cinquante dollars.

— Encore cinq mille, décidai-je.

Robinson écarquillait les yeux, mais paraissait garder son calme.

— Il a raison, confirma-t-il à Nicole, qui avait l'air de plus en plus désemparée. Encore cinq mille.

Quelques secondes plus tard, le prix recommença à grimper. Pas d'une façon extraordinaire, mais c'était tout de même sensible. Encore quelques minutes, et HZN traversa la barrière magique des cinquante dollars. Une fois cet obstacle psychologique franchi, une autre vague d'achats eut lieu, faisant encore monter le prix.

— Jésus, Marie! s'exclama Robinson.

— Oui, acquiesçai-je. Ils viennent à notre secours quand nous sommes dans le besoin. (Je regardai de nouveau ma montre et dis à Nicole :) Allume la télévision. Sans mettre le son. La chaîne Cinq.

Elle me regarda, le visage sans expression. Elle ne cherchait plus à comprendre. Elle saisit une télécommande et fit ce que je lui demandais. De l'autre côté de la pièce, l'écran afficha une publicité. Je reportai mon regard sur les chiffres, HZN venait de dépasser cinquante-trois dollars.

La publicité se termina, et la mention «flash spécial» clignota au bas de l'écran. L'image montra alors la salle du quartier général de la police d'Atlanta qui était généralement utilisée pour les conférences de presse. Billy Little se tenait derrière une batterie de micros. Nous le vîmes faire une courte déclaration. Nightmare regardait depuis l'endroit où il se trouvait, pâle comme la mort. Robinson, lui, paraissait toujours aussi calme. Ses yeux étaient fixés sur Little. Il attendait que le détective prononce les paroles qui allaient de nouveau donner un sens à sa vie.

— Je vais vendre quelques actions HZN à découvert, dis-je.

— Combien? demanda Nicole.

— Cinquante mille, répondis-je posément. Garde le doigt sur la détente.

Elle regarda l'écran de télévision, soudain consciente que quelque chose de terrible allait arriver aux actions HZN.

— Mon Dieu, Jack! Oh, mon Dieu!

— Exactement, chérie. Exécution.

— Cinquante mille? Mais explique-moi, Jack.

— Tape l'ordre, mais ne l'envoie pas avant mon signal.

Billy continuait à parler, et sa bouche bougeait en silence. Un coup d'œil sur les chiffres m'apprit que les acheteurs se bousculaient toujours. Les quinze secondes suivantes furent une véritable agonie. Elles s'écoulèrent aussi lentement que des changements de saison. Je me disais que si Billy Little ne la fermait pas bientôt j'allais exploser.

Finalement, juste au moment où je pensais qu'on l'avait dans le cul, Billy leva les yeux du texte de sa déclaration. Les mains des journalistes se dressèrent toutes à la fois et Billy en désigna un. Je me tournai vers Nicole.

– Maintenant, dis-je. Le tout, dans la seconde qui suit.

Elle devint verte.

– Jack, écoute-moi...

– *Maintenant!*

Elle posa les mains sur son clavier et tapa sur *enter* sans plus discuter. Je vis Nightmare se prendre la tête dans les mains pour essayer de se ressaisir. Robinson vint se placer près de moi et nous regardâmes ensemble notre offre qui se baladait dans l'éther électronique à la recherche d'un acheteur. *Cinquante mille actions vendues à découvert.* L'importance de l'offre faisait hésiter les professionnels. Ils reniflaient un problème. L'offre continua de clignoter dans une zone financière démilitarisée. Pendant un horrible moment, ce fut comme si la paix régnait, le combat parut cesser. Je portai alors mon regard du côté de la télé. Billy répondait toujours à des tas de questions. Il n'avait pas fini de donner une explication qu'une dizaine de mains s'agitaient en l'air. *Allons, allons. C'est maintenant ou jamais.* Tout d'un coup, notre offre fut goulûment saisie, en une énorme bouchée, par des investisseurs institutionnels. Le petit carré qui clignotait sur l'ordinateur de Nicole vira au rouge, puis disparut. Robinson émit d'abord un hoquet, avant de laisser échapper un interminable soupir.

– Alors, ça y est? chevrota Nightmare, qui ressemblait à un drogué en manque.

– La vieille économie, Michael, répondis-je en souriant. Tu devrais essayer, rien que pour voir. (Je me tournai vers Nicole.) Tu peux mettre le son, maintenant.

Elle pressa un bouton et la voix de Billy Little emplit la pièce.

– C'est exact, disait-il, il n'y a aucune preuve que d'autres cadres d'Horizn aient été impliqués. Nous n'inculpons que Charles Ralston et Derek Stephens.

Nicole ouvrit toute grande la bouche, mais aucun son n'en sortit. Je posai une main sur son épaule.

– S'agit-il de meurtres au premier degré, détective Little? demanda quelqu'un.

– C'est exact. Meurtres au premier degré sur huit personnes.

– Tu peux éteindre, maintenant, conseillai-je à Nicole. Et si j'étais toi, je fermerais la porte de mon bureau à clef.

Elle leva les yeux vers moi.

— Tu étais au courant, Jack. C'est un délit d'initié.

— Non, fis-je en secouant la tête. Tu as vendu après que l'annonce officielle a été faite. L'information était publique au moment de la transaction. Rien de plus facile à prouver.

Elle reporta son regard sur l'écran de son ordinateur. Déjà les ventes commençaient, pas en masse, mais cela n'allait pas tarder et le cours allait s'effondrer.

— Enfin, Jack, beaucoup de gens vont plonger, tu aurais pu leur éviter de perdre des millions.

Je pris sa main, la tirai hors de son fauteuil, et lui déposai un baiser sur la joue.

— Quoi que je fasse, beaucoup de gens allaient perdre leur chemise. Mais en agissant comme je l'ai fait, je t'ai protégée, toi.

Elle se laissa retomber dans son fauteuil et s'affala contre le dossier, continuant d'observer sur son écran la dégringolade des actions HZN qui étaient déjà en dessous des trente dollars.

— Espèce de salaud, dit-elle d'une voix égale. Jack, tu es vraiment un salaud.

— Tu ne savais rien, dis-je en souriant. Tu n'as enfreint aucune loi, et tu as rendu tes nouveaux clients très riches. Alors tu n'as pas à te plaindre de ta matinée.

Au cours des heures qui suivirent, les démentis se mirent à pleuvoir en provenance des laboratoires Horizn. Mais les dégâts n'étaient pas réparables. L'action HZN était déjà tombée à quatre dollars douze. Thomas Robinson avait gagné deux millions six cent quatre mille dollars en deux heures. Nightmare – qui, j'en étais certain, ne tarderait pas à se présenter sous le nom de Mr. Michael Harrod – avait engrangé quarante-six mille dollars.

Moi, je n'avais rien gagné. J'avais rendu à Thomas Robinson son amour-propre et lui avais offert une belle vengeance. Personnellement, j'avais déjà récupéré ma dignité et je ne souhaitais pas me venger. Et il n'était pas question que je cherche à gagner un seul dollar avec quoi que ce soit ayant touché Michele Sonnier de près ou de loin. J'aurais préféré mourir. D'autres s'en étaient chargés pour moi : des imprésarios tout autour du monde, et même son mari qui s'était servi d'elle pour atteindre une couche de la société qui refusait de le recevoir. Michele était mon ange noir : confuse, torturée, et pourtant lumineuse comme le soleil.

Seule une autre personne allait bénéficier de cette opération. Les vingt et un mille dollars que j'avais offerts à Nicole contre mon assurance-vie s'étaient transformés en soixante-douze mille deux cent quatre-vingts dollars pour Briah Fields. De toutes les victimes de ce drame, finalement, elle était la seule qui ne méritait pas d'en souffrir.

# 30

Robinson, Nightmare et moi, nous nous retrouvâmes dans la rue qui passe devant les bureaux de Shearson Lehman, et le soleil était de la partie. Les voitures passaient rapidement devant nous ; les gens menaient leur vie, belle, moche, ou entre les deux. Leurs amours, leurs haines, leurs ambitions voyageaient en leur compagnie, emplissant Atlanta de la cohue bruyante et multicolore d'une humanité imparfaite. Je me tournai vers Robinson.

— Vous êtes un homme bon, lui déclarai-je. Et un bon médecin.

— Peut-être qu'ils me laisseront encore faire quelques recherches, dit-il. Ce serait bien.

— La situation va être pénible pendant un certain temps, lui rappelai-je. Les journalistes, les flics, probablement la commission des opérations de Bourse. Mais ne vous en faites pas. Vous avez un bon avocat.

Robinson acquiesça d'un signe de tête.

— Un sacré avocat, ça, oui.

Michael, qui essayait de s'accoutumer à l'idée qu'il n'était plus fauché, intervint :

— Vous devriez aller dormir. Vous avez vraiment une sale gueule l'un comme l'autre.

Le docteur se tourna vers lui.

— Si vous voulez ce job, faites-le-moi savoir. Vous avez un cerveau bien fait et j'ai des tas d'idées pour des logiciels.

— Qu'est-ce que tu en dis, Michael ? demandai-je. Bien sûr, il te faudra payer des impôts mais, d'un autre côté, tu aurais moins de chances de finir en prison.

Nightmare rougit et se tint un peu plus droit.

– Ouais, je crois que ça me botte.

– Eh bien, tant mieux, m'exclamai-je. En attendant, tu devrais aller te reposer toi aussi.

J'éprouvais beaucoup de chagrin, et j'avais besoin de tranquillité pour me reprendre. Je téléphonai à Blu et lui donnai congé pour le reste de la semaine. Elle se faisait du souci pour moi, mais je refusai de la laisser venir chez moi. Je tenais à rester seul. Au cours des deux jours suivants, je ne sortis pas de mon appartement. Il m'arriva de dormir, mais mon sommeil était troublé par des multitudes de rêves. Et, chaque fois que je me réveillais, je mourais de faim; après avoir dévoré toute la nourriture qui se trouvait dans la maison, je passai des commandes par téléphone.

J'avais aimé Michele, mais dans une espèce de tourbillon. Elle avait brusquement débarqué dans ma vie et bouleversé mon monde. Il allait s'écouler beaucoup de temps avant que je puisse retrouver une certaine quiétude, pour que l'orage qu'elle avait déclenché en moi s'apaise. Tandis que je recherchais le calme, la ville d'Atlanta bouillonnait de la nouvelle qu'un de ses héros était tombé de son piédestal, après avoir sacrifié la vie de huit personnes contre une fortune à venir. Nul doute que, prochainement, allaient s'accumuler les témoignages accablants, et que tous les lambeaux du passé de Michele seraient mis au jour, y compris les plus intimes.

Quand je me risquai enfin à sortir, je restai planté dans la rue, devant chez moi, tentant de me réaccoutumer à ma cité. Au milieu de l'après-midi, le quartier était très calme, mais je savais qu'il s'agissait d'une illusion. À l'est s'entassait la vie grouillante des travailleurs non qualifiés d'Atlanta, aussi à l'étroit que des abeilles dans une ruche; au nord se trouvaient les gigantesques sociétés florissantes du sud-est des États-Unis. Dans toutes les directions, des banlieues se développaient à vue d'œil et se peuplaient de gens venus de toutes les parties du monde.

Un autre souvenir demandait à être libéré, une blessure persistante à soigner avant de laisser le chaos s'abattre sur moi. Trois jours après la mort de Michele, je me rendis chez ma fleuriste habituelle de Woodward Avenue où j'achetai mon traditionnel bouquet de tulipes rouges. Puis je pris la direction de la retraite silencieuse où, deux ans auparavant, j'avais laissé un morceau de mon âme. Je pénétrai en voiture dans le cimetière d'Oakland, baissant les vitres pour laisser l'air parfumé de l'été pénétrer dans l'habitacle. Une fois garé, je me laissai aller en arrière sur mon siège, goûtant le silence et respirant profondément. L'herbe frémissait en vert dans la brise, les feuilles produisaient un bruissement serein et intermittent autour de moi. Je pensai à Thomas Robinson, à la façon dont il avait tout risqué – jusqu'à sa propre vie – pour sauver son honneur. Le courage et la désespérance sont cousins germains, et c'est poussé par les deux qu'il avait réussi à briser ce qui n'aurait été qu'un exemple de plus de la progression du mal. Je pensai aussi à Michael, qui s'était enfin trouvé. Une fois sorti de son ténébreux isolement, il serait capable de beaucoup de choses. Mais mes pensées ne s'attardèrent qu'un moment sur ces deux-là. À quelques mètres de moi reposait une femme. Je comptai les six pierres tombales et la vis. *La flor inocente*, disait l'inscription, alors que je savais bien qu'il s'agissait d'une vision purement romantique. Elle n'était pas innocente. Elle avait choisi d'aimer un homme violent et, ce faisant, elle s'était imprégnée de sa malfaisance. Mais j'avais passé tellement de nuits et de jours avec les laissés-pour-compte de ma ville que je n'avais aucune envie de la juger. Sa beauté m'a captivé, ce qui a déclenché des événements qui ne cessent de me hanter. Rien de vraiment méchant ne pouvait se dissimuler derrière ses yeux. Comme tout le monde, elle luttait pour trouver l'amour et la sécurité dans un monde en perpétuel changement.

J'ouvris la portière de ma voiture, et passai devant les noms familiers gravés sur les tombes pour arriver jusqu'à elle. *Bella como la luna y las estrellas*, disait la plaque de marbre – et, de cela, il ne pouvait y avoir aucun doute. Violeta Ramirez, aussi belle que la lune et les étoiles. Je m'agenouillai devant sa tombe, disposai mon bouquet de tulipes et lui dis au revoir. Depuis, si son fantôme revient me rendre visite, c'est seulement au fond de ma mémoire, et plus jamais pendant les heures où je suis conscient et actif. Le moment était venu de la laisser s'en aller, et je la sentis disparaître, libérée des tourments qui avaient rendu sa vie si difficile.

Je me relevai, conscient de l'air chaud sur mon visage qui m'apportait les relents de la vie urbaine – automobiles, plantes de toutes sortes, foule, industrie, amour, péché – imprégnant ma ville. Michele laissait un grand vide à mes côtés. Merveilleuse artiste, merveilleuse amante, mère ratée et tragique. Comment dois-je penser à elle, maintenant que sa lumière s'est éteinte, ou du moins a quitté ce monde ? Mon cœur s'est ouvert à elle, mais il a été mis un terme brutal à notre amour. Et j'éprouve à la fois le sentiment d'avoir été escroqué et sauvé. Il y a mille nuits que je ne me rappelle plus la sensation de tenir sa main dans la mienne, et cent de plus celle de l'avoir entendue chanter. L'amour est en partie possession et en partie fruit du hasard. Serais-je tombé amoureux de Michele si je l'avais rencontrée dans le McDaniel Glen ? Mes yeux, dans ces circonstances, se seraient-ils suffisamment ouverts pour distinguer ses dons prodigieux ? Ou serais-je passé devant elle en la considérant comme l'une des nombreuses victimes du quartier ? Je ne le saurai jamais.

Rien de tout cela n'a plus le pouvoir de me détruire, c'est fini. La vie ne cède pas gentiment à la logique, à la fin. Ou peut-être ne cède-t-elle qu'à une seule logique : *L'amore non prevale sempre*. Les laboratoires Grayton furent sauvés et, avec eux, Robinson et Nightmare. Mais Michele était partie, séparée de sa fille par l'éternité. L'amour ne triomphe pas toujours, non, pas toujours, pas dans cette vie. Shakespeare le savait et chaque génération doit le réapprendre. Doug le savait. Au plus profond de son âme déchiquetée, il a dû comprendre qu'il allait être englouti par l'amour, à la seconde même où il a dit ces mots à Michele. Ce fut son entrée en matière, et ce fut son adieu. Et maintenant je le sais, moi, à jamais. Nous respirons, nous prenons un risque. Nous faisons notre propre paix. Nous nous dépouillons des ennuis et les laissons s'envoler.

# REMERCIEMENTS

Mes vifs remerciements au brillant Dr Richard Caprioli, de l'université Vanderbilt. Si j'avais su que, dans le domaine de la science, les chercheurs roulent en Ferrari, j'aurais certainement choisi une carrière différente. (Toute erreur technique relevée dans cet ouvrage serait uniquement de mon fait.) À Vanderbilt, je dois aussi remercier Vali Forrester, Joel Lee, et le Dr Mace Rothenberg. Merci également à l'opéra d'Atlanta pour m'en avoir aimablement autorisé l'accès, et à Kelly Bare pour la façon dont elle a réglé bien des détails dans la bonne humeur.

Et, comme toujours, remerciements sincères à Jane et à Miriam de chez Dystel and Goderich Literary Management.

À Marjorie : votre confiance en moi est très importante. J'essaierai de m'en montrer digne.

*Photocomposition Nord Compo*

*Imprimé en France*
Dépôt légal : juin 2004
N° d'édition : 47032 – N° d'impression : 24246
ISBN : 2-234-05695-0
54-21-5695/9

*Impression réalisée sur CAMERON par*
*BRODARD ET TAUPIN*
*La Flèche*

*pour le compte des Éditions Stock*
*31, rue de Fleurus, 75006 Paris*
*en mai 2004*